PENSE COMO UM MONGE

PENSE COMO UM MONGE

JAY SHETTY

Título original: *Think Like a Monk*
Copyright © 2020 por Jay R. Shetty
Copyright da tradução © 2021 por GMT Editores Ltda.

Todos os direitos reservados. Nenhuma parte deste livro pode ser utilizada ou reproduzida sob quaisquer meios existentes sem autorização por escrito dos editores.

tradução: Fernanda Abreu
preparo de originais: Rafaella Lemos
revisão: Hermínia Totti e Tereza da Rocha
diagramação: Natali Nabekura
capa: Simon & Schuster
foto de capa: Steve Erle
impressão e acabamento: Lis Gráfica e Editora Ltda.

CIP-BRASIL. CATALOGAÇÃO NA PUBLICAÇÃO
SINDICATO NACIONAL DOS EDITORES DE LIVROS, RJ

S557p

Shetty, Jay, 1987-
    Pense como um monge / Jay Shetty ; tradução Fernanda Abreu. - 1. ed. - Rio de Janeiro : Sextante, 2021.
    368 p. ; 23 cm.

Tradução de: Think like a monk
Apêndice
ISBN 978-65-5564-135-6

    1. Autorrealização. 2. Significado (Psicologia). 3. Conduta. 4. Vida monástica e religiosa. I. Abreu, Fernanda. II. Título.

20-68349   CDD: 158.1
                                        CDU: 159.923.2

Meri Gleice Rodrigues de Souza - Bibliotecária - CRB-7/6439

Todos os direitos reservados, no Brasil, por
GMT Editores Ltda.
Rua Voluntários da Pátria, 45 – Gr. 1.404 – Botafogo
22270-000 – Rio de Janeiro – RJ
Tel.: (21) 2538-4100 – Fax: (21) 2286-9244
E-mail: atendimento@sextante.com.br
www.sextante.com.br

*Para minha esposa,
que é mais monástica
do que eu jamais serei*

Sumário

Introdução   9

PARTE UM
DESAPEGO

1. IDENTIDADE   24
2. NEGATIVIDADE   43
3. MEDO   73
4. INTENÇÃO   95

MEDITAÇÃO: Respiração   117

PARTE DOIS
CRESCIMENTO

5. PROPÓSITO   126
6. ROTINA   161
7. A MENTE   186
8. EGO   219

MEDITAÇÃO: Visualização   248

PARTE TRÊS
DOAÇÃO

9. GRATIDÃO	256
10. RELACIONAMENTOS	275
11. SERVIR	311
MEDITAÇÃO: Mantras	329
Conclusão	334
Apêndice – O Teste de Personalidade Védica	343
Agradecimentos	348
Nota do autor	351
Notas	353

Introdução

Se quiser uma ideia nova, leia um livro antigo.
— Atribuído a Ivan Pavlov (entre outros)

Quando eu tinha 18 anos, no meu primeiro ano de faculdade – a Cass Business School, em Londres –, um amigo me chamou para ir com ele assistir à palestra de um monge.

Relutei. "Por que eu iria querer ouvir um monge falar?"

Eu costumava ir ver CEOs, celebridades e outras pessoas de sucesso falarem no campus, mas um monge me despertava zero interesse. Eu preferia ouvir palestrantes que tivessem de fato *realizado* coisas na vida.

Meu amigo insistiu, e eu por fim falei: "Contanto que a gente vá a um bar depois, eu topo." "Apaixonar-se" é uma expressão comumente usada para se referir a relacionamentos românticos. Nessa noite, porém, ao escutar o monge falar sobre sua experiência, eu me apaixonei. A figura no palco era um indiano de 30 e poucos anos. Tinha a cabeça raspada e estava vestido com uma túnica laranja. Era inteligente, eloquente e muito carismático. Ele falou sobre os princípios do "sacrifício altruísta". Quando disse que deveríamos plantar árvores sob cuja sombra não planejássemos nos sentar,[1] senti um calafrio estranho percorrer meu corpo.

Fiquei especialmente impressionado ao descobrir que ele tinha estudado no IIT Bombay, o equivalente do MIT na Índia – e, assim como o MIT, é quase impossível entrar lá. Ele havia trocado essa oportunidade por se tornar monge, virando as costas a tudo aquilo que meus amigos e eu perseguíamos. Das duas, uma: ou ele era maluco ou sabia alguma coisa que eu não sabia.

Durante a vida inteira, fui fascinado por gente que veio do nada para se tornar alguma coisa – histórias de milionários que tinham saído da miséria. Ali, pela primeira vez, eu estava diante de alguém que havia feito deliberadamente o contrário. Aquele homem abrira mão da vida que o mundo tinha me ensinado que *todos nós* deveríamos almejar. No entanto, em vez de ser um fracassado amargurado, ele parecia alegre, seguro de si e em paz. Na verdade, ele parecia mais feliz do que qualquer outra pessoa que eu conhecera. Aos 18 anos, eu já tinha conhecido muitas pessoas ricas. Tinha escutado muita gente famosa, forte ou bonita – ou as três coisas juntas. Mas não acho que tivesse encontrado alguém verdadeiramente feliz.

Depois da palestra, abri caminho pela multidão para dizer a ele quanto o achara fantástico e quanto ele havia me inspirado.

– Como posso passar mais tempo com o senhor? – peguei-me perguntando.

Meu desejo era estar perto de pessoas que tivessem os valores que eu queria ter, não as coisas que eu queria ter.

O monge me disse que iria viajar pelo Reino Unido para dar palestras durante toda a semana e que eu estava convidado a ir aos seus outros eventos. E assim fiz.

Minha primeira impressão desse monge, que se chamava Gauranga Das, foi que ele estava fazendo algo certo, e mais tarde eu viria a descobrir que a ciência confirma essa ideia. Em 2002, um monge tibetano chamado Yongey Mingyur Rinpoche[2] saiu de uma região nos arredores de Katmandu, no Nepal, e foi até a Universidade de Wisconsin-Madison para os pesquisadores poderem observar sua atividade cerebral enquanto ele meditava. Os cientistas cobriram sua cabeça com um aparelho semelhante a uma touca de banho (um EEG) do qual saíam mais de 250 minúsculos fios, cada qual com um sensor que um técnico de laboratório prendeu no seu couro cabeludo. Na época do estudo, esse monge tinha acumulado 62 mil horas de prática de meditação ao longo da vida.

Enquanto uma equipe de cientistas, alguns deles meditadores experientes, observava de uma sala de controle, o monge iniciou o protocolo de meditação estabelecido pelos pesquisadores – uma alternância entre um minuto de meditação da compaixão e trinta segundos de descanso. Guiado por um tradutor, ele rapidamente completou esse ciclo quatro vezes seguidas. Os pesquisadores observaram, assombrados: quase no exato instante em que o monge começou a meditar, o EEG registrou um aumento súbito e gigantesco de atividade. Os cientistas presumiram que, com uma elevação tão grande e rápida, o monge devia ter mudado de posição ou feito algum outro tipo de movimento, mas diante dos seus olhos ele permanecia totalmente imóvel.

O notável era não apenas a regularidade da atividade cerebral do monge – que repetidamente "desligava" e "ligava", passando da atividade ao descanso –, mas também o fato de ele não precisar de nenhum período de "aquecimento". Se você já meditou ou pelo menos tentou acalmar seu cérebro, sabe que em geral é preciso algum tempo para aquietar o desfile de pensamentos distrativos que percorre sua mente. Rinpoche não parecia precisar desse período de transição. Na verdade, ele parecia capaz de entrar e sair de um poderoso estado meditativo com a facilidade de quem aciona um interruptor. Mais de dez anos depois desses estudos iniciais, exames no cérebro do monge, então com

41 anos, demonstraram menos sinais de envelhecimento em comparação com pessoas da mesma idade.[3] Segundo os pesquisadores, ele tinha o cérebro de alguém dez anos mais novo.

Os cientistas que examinaram o cérebro do monge budista Matthieu Ricard[4] o denominaram "o homem mais feliz do mundo" após descobrirem o maior nível de ondas gama – aquelas associadas à atenção, à memória, ao aprendizado e à felicidade – *já registrado pela ciência*. Um monge fora da curva podia ser uma anomalia, mas Ricard não é o único. Vinte e um outros monges[5] cujo cérebro fora examinado durante diversas práticas de meditação também exibiram níveis de ondas gama com picos mais altos e mais duradouros (até mesmo durante o sono)[6] do que os verificados em não meditadores.

Por que deveríamos pensar como monges? Se você quisesse saber como dominar a quadra de basquete, deveria se interessar por Michael Jordan; se quisesse inovar, deveria investigar a trajetória de Elon Musk; para aprender a ser uma estrela da música, deveria estudar a carreira de Beyoncé. E se quisesse treinar sua mente para encontrar paz, calma e propósito? Os especialistas são os monges. Frei David Steindl-Rast, monge beneditino[7] e cofundador da gratefulness.org, escreveu: "Um leigo cujo objetivo consciente seja estar continuamente vivo no Agora é um monge."

Monges conseguem resistir a tentações, abster-se de criticar, lidar com a dor e a ansiedade, aquietar o ego e construir uma vida que transborda propósito e significado. Por que não deveríamos aprender com as pessoas mais calmas e felizes e com mais propósito do mundo? Talvez você esteja pensando que é fácil para os monges serem calmos, serenos e relaxados. Eles vivem escondidos em lugares tranquilos, onde não precisam lidar com empregos, parceiros românticos ou engarrafamentos na hora do rush. Talvez você esteja se perguntando: *Como é que pensar como um monge poderia me ajudar aqui, no mundo moderno?*

Em primeiro lugar, monges não nasceram monges. Eles são pessoas com todo tipo de origem que decidiram se transformar. Matthieu Ricard, "o homem mais feliz do mundo", era biólogo em sua vida anterior; Andy Puddicombe, cofundador do aplicativo de meditação Headspace, estudou para ser artista de circo; conheço monges que trabalhavam na área de finanças e tocavam em bandas de rock. Eles foram criados em escolas, cidades e metrópoles, igualzinho a você. Não é preciso acender velas em casa, andar descalço ou postar fotos de si mesmo fazendo a postura da árvore no alto da montanha. Tornar-se monge é uma atitude mental que qualquer um pode adotar.

Como a maioria dos monges de hoje em dia, eu não cresci num *ashram*. Passei a maior parte da infância fazendo coisas nada típicas de um monge. Até os 14 anos, fui um menino obediente. Cresci no norte de Londres com meus pais e minha irmã caçula. Sou de uma família indiana de classe média. Como vários pais e mães, a prioridade dos meus era minha educação, para me proporcionar a chance de um bom futuro. Eu não me metia em encrenca, era bom aluno e fazia o melhor que podia para deixar todo mundo feliz.

Mas quando entrei para o ensino médio, mudei. Fui uma criança gordinha e sofri bullying por isso, mas perdi peso e comecei a jogar futebol e rúgbi. Passei a me interessar por assuntos que pais indianos tradicionais em geral não apreciam, como artes, design e filosofia. Nada disso teria sido um problema se eu não tivesse começado a me enturmar com as pessoas erradas também. Envolvi-me numa porção de coisas erradas. Drogas. Brigas. Bebedeiras. O resultado não foi nada bom. Fui suspenso três vezes na escola. Por fim, a escola pediu que eu saísse.

"Eu vou mudar", prometi. "Se vocês me deixarem ficar, eu vou mudar." A escola me deixou ficar e eu tomei jeito.

Na faculdade, comecei enfim a perceber o valor do trabalho árduo, do sacrifício, da disciplina e da persistência na busca de nossos objetivos. O problema era que na época eu não tinha objetivo além de arrumar um bom emprego, me casar um dia, quem sabe formar uma família – o de sempre. Desconfiava que houvesse algo mais profundo, mas não sabia o que era.

Quando Gauranga Das foi dar sua palestra na minha faculdade, eu já estava inclinado a explorar ideias novas, um novo modelo de vida, um caminho diferente daquele que todo mundo (inclusive eu mesmo) supunha que eu fosse seguir. Eu desejava crescer como pessoa. Não queria conhecer a humildade, a compaixão e a empatia apenas como conceitos abstratos: queria vivenciá-las. Não queria que disciplina, caráter e integridade fossem apenas coisas sobre as quais eu lesse. Eu queria vivenciá-las.

Ao longo dos quatro anos seguintes, conciliei dois mundos, e passava de bares e churrascarias a meditação e noites dormidas no chão. Em Londres, estudava administração com ênfase em ciência comportamental, estagiava numa grande empresa de consultoria e convivia com meus amigos e com minha família. E num *ashram* de Mumbai eu lia e estudava textos antigos, passando a maior parte de meus natais e férias de verão vivendo com monges. Aos poucos, meus valores foram mudando. Comecei a querer estar *cercado* de monges. Na verdade, eu queria uma *imersão* na atitude mental dos monges. Cada vez mais, o trabalho que eu fazia no mundo corporativo parecia carecer de significado. De que adiantava aquilo tudo se eu não tinha um impacto positivo sobre as pessoas?

Quando me formei, troquei meus ternos por túnicas e entrei para o *ashram*, onde dormíamos no chão e tudo o que tínhamos cabia num escaninho. Morei na Índia, no Reino Unido e em outros países da Europa, e viajei por todos esses lugares. Meditava muitas horas por dia e estudava escrituras antigas. Tive oportunidade de trabalhar com meus colegas monges e de ajudar na tarefa contínua de transformar um *ashram* situado num vilarejo nos arredores de Mumbai num retiro espiritual ecologicamente correto (o Ecovillage Govardhan), e de trabalhar como voluntário num programa de alimentação que distribui mais de um milhão de refeições por dia (Annamrita).

Se eu pude aprender a pensar como um monge, qualquer um pode.

Os monges hindus com quem estudei usam os Vedas como seus textos fundamentais. (Esse título vem da palavra em sânscrito *veda*, que significa conhecimento. O sânscrito é uma língua muito antiga, precursora da maioria dos idiomas falados atualmente no sul da Ásia.) Algumas pessoas afirmam que a filosofia começou com esse antigo conjunto de escrituras, originário da região que hoje compreende partes do Paquistão e do noroeste da Índia, há pelo menos três mil anos; ele forma a base do hinduísmo.

Como os poemas épicos de Homero, os Vedas foram transmitidos primeiro oralmente, depois acabaram sendo escritos. Mas, devido à fragilidade dos materiais (folhas de palmeira e casca de árvore!), a maioria dos documentos que sobreviveram até os dias de hoje tem no máximo poucas centenas de anos. Os Vedas incluem hinos, relatos históricos, poemas, preces, cânticos, rituais cerimoniais e conselhos para a vida cotidiana.

Na minha vida e neste livro, frequentemente consulto e falo da *Bhagavad Gita* (que significa "Canção de Deus"). Esse texto é parcialmente baseado nas Upanishads, escritas entre os anos 800 e 400 a.C. A *Bhagavad Gita* é considerada uma espécie de manual de vida universal e atemporal. Ela não fala sobre um monge nem tem como objetivo um contexto espiritual. O texto se dirige a um homem casado que, por acaso, é um talentoso arqueiro. Suas mensagens não se aplicam somente a uma religião ou uma região, mas a toda a humanidade. Eknath Easwaran, autor de livros sobre espiritualidade e professor universitário, que traduziu muitos dos textos sagrados indianos, entre eles a *Bhagavad Gita*, a chama de "o maior presente que a Índia deu ao mundo".[8] Em seu diário de 1845, Ralph Waldo Emerson escreveu: "Eu devo – e, meu amigo, como devo – um magnífico dia à Bhagavat Geeta [*sic*]. Ela foi o primeiro dos livros; foi como se um império nos falasse, nada pequeno ou indigno, mas grande, sereno, coerente, a voz de uma inteligência antiga que em outra época e clima se debruçou e assim solucionou algumas das mesmas perguntas que nos ocupam."[9]

Dizem que já foram escritos mais comentários sobre a *Gita* do que sobre qualquer outra escritura.

Neste livro, um de meus objetivos é ajudar você a se conectar com a sabedoria atemporal da *Bhagavad Gita*, além de outros ensinamentos antigos que foram a base da minha formação monástica – e que têm uma relevância significativa para os desafios que todos nós enfrentamos hoje em dia.

O que mais me marcou quando estudei a filosofia dos monges é que, nos últimos três mil anos, o ser humano não mudou nada. Claro, nós somos mais altos e vivemos em média mais tempo, mas fiquei surpreso e impressionado ao descobrir que os ensinamentos dos monges falam sobre perdão, energia, intenção, viver com propósito e outros temas de um jeito que faz tanto sentido hoje quanto deve ter feito quando foram escritos.

Mais impressionante ainda é que a sabedoria dos monges, como veremos ao longo deste livro, pode ser em grande parte confirmada pela ciência. Ao longo de milênios, os monges acreditaram que a meditação e a atenção plena são benéficas, que a gratidão faz bem, que servir aos outros nos torna mais felizes, além de outras coisas que você vai aprender neste livro. Eles desenvolveram práticas em torno dessas ideias muito antes de elas virem a ser mostradas ou validadas pela ciência moderna.

Albert Einstein falou: "Se você não consegue explicar um assunto de modo simples, não o compreende bem o bastante." Quando eu vi como as lições que estava aprendendo eram relevantes para o mundo moderno, quis mergulhar mais fundo nelas para poder compartilhá--las com outras pessoas.

Três anos depois de me mudar para Mumbai, meu professor Gauranga Das me disse que eu teria mais valor e serviria melhor se deixasse o *ashram* e fosse dividir com o mundo o que eu havia aprendido. Meus três anos como monge foram como uma escola da vida. Foi difícil me tornar monge, e mais difícil ainda ir embora. Mas aplicar a sabedoria à vida fora do *ashram* – a parte mais difícil – foi a prova final. Todos os dias eu constato que a atitude mental de um monge funciona, que a sabedoria antiga tem uma relevância assombrosa na atualidade. Por isso a estou compartilhando.

Hoje em dia ainda me considero monge, embora em geral me refira a mim mesmo como "ex-monge", já que estou casado e os monges não podem se casar. Moro em Los Angeles, que é considerada uma das capitais mundiais do materialismo, das aparências, da fantasia e da dissimulação em geral. Mas para que viver num lugar que já é iluminado? Agora, no mundo e neste livro, eu compartilho o que aprendi e o que levo da vida que vivi. Este livro é completamente não sectário. Não se trata de uma estratégia de conversão disfarçada. Eu juro! Posso jurar também que, se você se dedicar e praticar o material que vou apresentar, encontrará significado, paixão e propósito genuínos em sua vida.

As pessoas nunca estiveram tão insatisfeitas – nem tão preocupadas em alcançar a "felicidade". Nossa cultura e a mídia nos bombardeiam com imagens e conceitos do que devemos ser, e erigem modelos de realização e sucesso. Fama, dinheiro, glamour, sexo: no fim das contas, nenhuma dessas coisas pode nos satisfazer. Nós ficamos apenas buscando mais e mais, num ciclo que conduz a frustração, desilusão, infelicidade e exaustão.

Gosto de traçar um contraste entre a atitude mental de um monge e o que em geral é chamado de mente macaco. Nossa mente pode nos elevar ou nos puxar para baixo. Hoje em dia todos nós lutamos contra o excesso de pensamentos, a procrastinação e a ansiedade, e isso porque alimentamos a mente macaco – pulando a esmo, de pensamento em pensamento, de desafio em desafio, sem realmente solucionar nada. Mas nós podemos nos elevar à atitude mental de um monge se tentarmos chegar à raiz do que desejamos e criar passos viáveis para o crescimento. A atitude mental de um monge nos tira da confusão e da distração e nos ajuda a encontrar clareza, significado e direção.

MENTE MACACO	MENTE MONGE
Sobrecarregada por vários "galhos" ou ramificações	Focada na raiz da questão
Viaja no banco do carona	Vive de maneira intencional e consciente
Reclama, compara, critica	Compassiva, zelosa, colaborativa
Pensa demais e procrastina	Analisa e articula
Distraída por pequenas coisas	Disciplinada
Gratificação de curto prazo	Ganho de longo prazo
Exigente, mimada, pretensiosa	Entusiasmada, determinada, paciente
Muda de opinião a toda hora	Compromete-se com uma missão, visão ou objetivo
Amplifica a negatividade e o medo	Esforça-se para eliminar a negatividade e o medo
Autocentrada e obcecada	Cuida de si para servir
Multitarefa	Uma tarefa de cada vez
Controlada pela raiva, pela preocupação e pelo medo	Controla e utiliza a energia com sabedoria
Faz tudo que lhe parece prazeroso	Busca autocontrole e autodomínio
Busca prazer	Busca significado
Procura alívio temporário	Procura soluções genuínas

"Pensar como um monge" propõe outro modo de ver e abordar a vida. Uma forma de rebelião, desapego, redescoberta, propósito, foco, disciplina – e de servir ao próximo. O objetivo de pensar como um monge é uma vida livre do ego, da inveja, da luxúria, da ansiedade, da raiva, da amargura e da mágoa. A meu ver, adotar a atitude mental de um monge não é apenas possível: é também *necessário*. Nós não temos outra escolha. Precisamos encontrar calma, tranquilidade e paz.

Lembro-me perfeitamente do meu primeiro dia na escola monástica. Eu acabara de raspar a cabeça, mas ainda não estava usando a túnica e tinha a aparência de alguém que viera de Londres. Reparei num monge criança, que não devia ter mais de 10 anos, ensinando algo a um grupo de meninos de 5 anos. Ele irradiava uma aura poderosa e tinha a postura e a confiança de um adulto.

– O que você está fazendo? – perguntei.

– Acabamos de ter a primeira aula da vida deles – respondeu o menino, e então me fez uma pergunta: – O que *você* aprendeu no *seu* primeiro dia de aula?

– Comecei a aprender o alfabeto e os números. E *eles*, o que aprenderam?

– A primeira coisa que ensinamos é a respirar.

– Por quê? – perguntei.

– Porque a única coisa que acompanha você desde o instante em que nasce até o instante em que morre é a sua respiração. Todos os seus amigos, sua família, o país no qual você mora, tudo isso pode mudar. A única coisa que fica com você é a sua respiração.

Então esse monge de 10 anos acrescentou:

– Quando você se estressa, o que muda? Sua respiração. Quando fica com raiva, o que muda? Sua respiração. Na mudança da nossa respiração nós experimentamos todas as emoções. Quando você aprende a controlar a sua respiração, é capaz de lidar com qualquer situação da vida.

Eu já estava aprendendo ali a lição mais importante: concentrar-me na raiz das coisas, não na folha da árvore nem nos sintomas do problema. E estava aprendendo, por meio da observação direta, que qualquer um pode ser monge, mesmo se tiver apenas 5 ou 10 anos.

Quando nascemos, a primeira coisa que precisamos fazer é respirar. No entanto, à medida que a vida se complica para esse recém-nascido, ficar sentado, sem se mexer, e respirar pode ser muito desafiador. O que espero fazer neste livro é mostrar o que um monge faz: nós vamos à raiz do problema, mergulhamos fundo na investigação de nós mesmos. É somente por meio dessa curiosidade, dessa reflexão, desse esforço e dessa revelação que encontramos o caminho rumo à paz, à calma e ao propósito. Usando a sabedoria que recebi dos meus professores no *ashram*, espero poder guiar você até lá.

Nas páginas a seguir, conduzirei você pelos três estágios de adaptação à atitude mental de um monge. Em primeiro lugar, vamos nos desapegar até nos despirmos das influências externas, dos obstáculos internos e dos medos que nos retêm. Você pode pensar nisso como uma limpeza que vai abrir espaço para o seu crescimento. Em segundo lugar, vamos crescer. Ajudarei você a reconfigurar sua vida de modo a poder tomar decisões com intenção, propósito e segurança. Por fim, vamos doar, olhar para o mundo além de nós mesmos, expandir e compartilhar nosso sentimento de gratidão e aprofundar nossos relacionamentos. Vamos dividir nossas dádivas e nosso amor com os outros e descobrir a verdadeira alegria e os benefícios surpreendentes de servir aos outros.

Nesta jornada, apresentarei a você três tipos muito diferentes de meditação que recomendo incluir na sua prática: a da respiração, a da visualização e a do som. As três têm benefícios, mas o modo mais simples de diferenciá-las é saber que trabalhamos com a respiração pelos benefícios físicos – para encontrar tranquilidade e equilíbrio e para nos acalmar; usamos a visualização pelos benefícios psicológicos – para curar o passado e nos preparar para o futuro; e usamos os cânticos pelos benefícios psíquicos – para nos conectarmos com nosso eu mais profundo e com o Universo, para uma verdadeira purificação.

Você não precisa meditar para se beneficiar deste livro, mas, se o fizer, as ferramentas que vou lhe dar serão mais afiadas. Eu diria até que este livro inteiro é uma meditação – uma reflexão sobre nossas crenças, nossos valores e nossas intenções, sobre como vemos a nós mesmos, como tomamos nossas decisões, como treinamos a mente, e sobre nossas formas de escolher as pessoas e interagir com elas. O propósito e a recompensa da meditação são alcançar essa profunda consciência de si.

Como um monge pensaria sobre isso? Essa pode não ser uma pergunta que você faz a si mesmo agora – provavelmente nem de longe –, mas ao final do livro será.

PARTE UM

DESAPEGO

1
IDENTIDADE

Eu sou o que penso que sou

É melhor viver o próprio destino de modo imperfeito do que viver com perfeição a imitação da vida de outra pessoa.
— Bhagavad Gita, 3:35

Em 1902, o sociólogo Charles Horton Cooley escreveu: "Eu não sou o que penso que sou, nem o que você pensa que eu sou. Eu sou o que eu penso que você pensa que eu sou."[1]

Deixe essa frase arrebatar você por um instante.

Nossa identidade está envolvida pelo que os outros pensam de nós – ou, mais exatamente, pelo que nós *pensamos* que os outros pensam de nós.

Não é só a nossa autoimagem que está ligada a como pensamos que os outros nos veem. Na verdade, na maioria dos nossos esforços de aprimoramento pessoal estamos apenas tentando alcançar esse ideal imaginado. Se pensamos que alguém que admiramos considera que riqueza é sucesso, então perseguimos a riqueza para impressionar essa pessoa. Se imaginamos que algum amigo está julgando nossa aparência, ajustamos nossa aparência em reação a isso. Em *Amor, sublime amor*, Maria conhece um rapaz que gosta dela. O que ela canta imediatamente depois disso? "I Feel Pretty" – "estou me sentindo bonita".

Até hoje, o único vencedor de três Oscar de melhor ator, Daniel Day-Lewis, atuou em apenas seis filmes desde 1998.[2] Ele se prepara extensamente para cada papel e mergulha por completo no personagem. Para o papel do açougueiro Bill em *Gangues de Nova York*, de Martin Scorsese, ele aprendeu o ofício de açougueiro, passou a falar com um forte sotaque irlandês dentro e fora do set e contratou artistas de circo para lhe ensinarem a lançar facas. E isso é apenas o começo. Ele só usava roupas autênticas do século XIX e andava por Roma encarnando o personagem, arrumando bate-bocas e brigas com desconhecidos. Graças a essas roupas, talvez, ele contraiu pneumonia.

Day-Lewis emprega uma técnica chamada Método de Atuação, que exige do intérprete viver o máximo possível como seu personagem de modo a *se tornar* o papel que está interpretando. Do ponto de vista do ofício e da arte, isso é incrível, mas muitas vezes os atores que usam essa técnica são a tal ponto absorvidos por seus personagens que o papel adquire vida fora do palco e da tela. "Eu admito que fiquei louco, completamente louco", declarou Day-Lewis ao jornal *The Independent* anos depois, reconhecendo que o papel "não fez muito bem à minha saúde física nem mental".[3]

Inconscientemente, todos nós usamos, em maior ou menor grau, essa técnica de atuação. Temos personas que interpretamos on-line, no trabalho, com amigos e em casa – e elas têm lá suas vantagens. Elas nos permitem ganhar o dinheiro que paga nossas contas, nos ajudam a ser produtivos num local de trabalho em que nem sempre nos sentimos à vontade e nos permitem manter relacionamentos com pessoas das quais não gostamos de fato, mas com as quais precisamos interagir. No entanto, a nossa identidade costuma ter tantas camadas que perdemos de vista nosso verdadeiro eu, se é que algum dia soubemos quem ele era. Sem qualquer controle ou intenção, nós levamos o papel que desempenhamos no trabalho para casa no fim do dia, e o papel que interpretamos com nossos amigos para nossa vida amorosa. E, por maior que seja o sucesso com que desempenhamos nossos papéis, acabamos insatisfeitos, deprimidos, desvalorizados e infelizes. O "eu", já pequeno e vulnerável, para começo de conversa, se distorce.

Vivemos tentando estar à altura do que os outros pensam de nós, mesmo à custa de nossos valores.

Raramente criamos nossos próprios valores de modo consciente e intencional, se é que chegamos a fazê-lo. Tomamos decisões usando essa imagem duplamente refletida de quem *poderíamos* ser sem realmente pensar a respeito. Cooley chamou esse fenômeno de "self refletido", ou "self-espelho".

Nós vivemos em meio a uma percepção de uma percepção de nós mesmos, e consequentemente perdemos nosso verdadeiro eu. Como podemos reconhecer quem somos e o que nos faz felizes quando estamos perseguindo o reflexo distorcido do sonho de outro alguém?

Pode ser que você ache que o mais difícil para se tornar monge é abrir mão da diversão: de festas, sexo, ver televisão, possuir coisas, dormir numa cama de verdade (ok, a parte da cama foi bem difícil). Só que antes de dar esse passo eu tive que superar um obstáculo ainda maior: revelar a meus pais minha escolha de "carreira".

Quando estava terminando a faculdade, eu já tinha decidido o caminho que queria seguir e disse a meus pais que iria recusar as ofertas de emprego que recebesse. Sempre brinco que, para os meus pais, eu tinha três opções de carreira: médico, advogado ou fracassado. Virar monge é o melhor jeito de dizer aos seus pais que tudo que eles fizeram por você foi desperdício.

Como todos os pais, os meus tinham sonhos para mim, mas pelo menos eu os havia preparado para a ideia de que poderia virar monge: desde os 18 anos passava parte do verão como estagiário numa empresa de finanças em Londres e parte do ano no *ashram* de Mumbai. Quando tomei minha decisão, a primeira preocupação da minha mãe foi a mesma que tem qualquer mãe: meu bem-estar. Eu teria plano de saúde? Será que "buscar a iluminação" era apenas um jeito bacana de dizer "passar o dia sem fazer nada"?

Mais desafiador ainda para minha mãe era o fato de estarmos cercados de amigos e parentes que compartilhavam a definição de sucesso médico-advogado-fracassado. A notícia de que eu havia tomado essa decisão radical se espalhou, e as amigas dela começaram a comentar: "Mas vocês investiram tanto na educação dele", "Fizeram uma lavagem cerebral nele", "Ele vai desperdiçar a vida dele". Meus amigos também acharam que eu estivesse fracassando na vida. Ouvi coisas como "Você nunca mais vai arrumar um emprego" e "Está jogando fora qualquer esperança de ganhar a vida".

Quando você tentar viver sua vida mais autêntica, alguns dos seus relacionamentos serão ameaçados. Perdê-los é um risco que vale a pena correr; encontrar um jeito de mantê-los na sua vida é um desafio que vale a pena encarar.

Felizmente, para minha mente monge em desenvolvimento, as vozes dos meus pais e dos seus amigos não foram as diretrizes que segui para tomar essa decisão. Eu me apoiei, isso sim, na minha própria experiência. Anualmente, desde os 18 anos, eu testei as duas vidas. Nunca chegava em casa dos meus estágios de verão em finanças sentindo outra coisa que não fome para o jantar. Mas toda vez que deixava o *ashram* eu pensava: *Foi incrível. Acabei de ter a melhor experiência da minha vida.* Testar essas experiências, esses valores e sistemas de crença profundamente diversos me ajudou a entender os meus.

As reações à minha decisão de virar monge são exemplos das pressões externas que todos nós enfrentamos durante a vida. Nossos familiares e amigos, a sociedade, a mídia: vivemos cercados de imagens e vozes nos dizendo quem deveríamos ser e o que deveríamos fazer.

Elas vivem gritando opiniões, expectativas e obrigações. Vá direto do ensino médio para a melhor faculdade, arrume um emprego bem-remunerado, case-se, compre uma casa própria, tenha filhos, seja promovido. As normas culturais existem por um motivo; não há nada de errado numa sociedade que oferece modelos para mostrar como uma vida realizada pode ser. Mas, se aceitarmos esses objetivos sem refletir, nunca vamos entender por que não temos casa própria, por que não somos felizes onde moramos, por que nosso emprego nos parece sem sentido ou se sequer queremos nos casar ou alcançar qualquer dos objetivos pelos quais estamos batalhando.

Minha decisão de entrar para o *ashram* fez com que o volume das opiniões e preocupações à minha volta aumentasse, mas felizmente minhas experiências lá também me proporcionaram as ferramentas de que eu precisava para filtrar todo esse ruído. A causa e a solução eram a mesma. Eu estava menos vulnerável ao falatório à minha volta me dizendo o que era normal, seguro, prático, melhor. Não excluí as pessoas que me amavam – gostava delas e não queria que se preocupassem –, mas tampouco permiti que as definições de sucesso e felicidade delas ditassem as minhas escolhas. Na época, essa foi a decisão mais difícil que eu já tinha tomado – e foi a decisão certa.

As vozes de pais e amigos, do sistema de ensino e da mídia, tudo isso enche a cabeça do jovem, influenciando suas crenças e seus valores. A definição que a sociedade tem de uma vida feliz é de todo mundo e de ninguém. A única maneira de construir uma vida com significado é filtrar esse ruído e olhar para dentro. Esse é o primeiro passo para construir sua mente monge.

Vamos iniciar esta jornada do mesmo jeito que os monges fazem: afastando as distrações. Primeiro vamos examinar as forças externas que nos moldam e que nos distraem de nossos valores. Em seguida vamos analisar os valores que atualmente moldam a nossa vida e refletir se eles estão alinhados com quem queremos ser e a forma como queremos viver.

ISSO É POEIRA OU ISSO SOU EU?

Gauranga Das me presenteou com uma linda metáfora para ilustrar as influências externas que ocultam nosso verdadeiro eu:

Estamos num depósito, com paredes revestidas de livros sem uso e caixas repletas de objetos. Ao contrário do resto do ashram, *sempre bem-arrumado e varrido, o depósito está empoeirado e cheio de teias de aranha. O monge mais velho me conduz até um espelho e pergunta: "O que você está vendo?"*

Não consigo sequer ver meu próprio reflexo através da grossa camada de poeira. Digo isso ao monge, e ele aquiesce. Então passa as mangas da túnica pela superfície do espelho. Uma nuvem de poeira atinge meu rosto, fazendo meus olhos arderem e tomando minha garganta.

"A sua identidade é um espelho coberto de poeira", diz ele. "Quando você se olha no espelho pela primeira vez, a verdade sobre quem você é e qual é o seu valor está oculta. Revelá-la pode não ser agradável, mas somente quando essa poeira sumir é que você conseguirá ver seu verdadeiro reflexo."

Isso foi uma demonstração prática das palavras de Chaitanya,[4] um santo hindu da Bengala do século XVI. Chaitanya denominava essa situação *ceto-darpan'a-mārjanam*, ou limpeza do espelho impuro da mente.

A base de praticamente todas as tradições monásticas[5] é remover as distrações que nos impedem de nos concentrarmos no que mais importa: encontrar significado na vida por meio do domínio dos desejos físicos e mentais. Certas tradições abrem mão da fala, outras abrem mão do sexo, outras ainda abrem mão dos bens materiais – e algumas abrem mão das três coisas. No *ashram*, nós vivíamos apenas com o que necessitávamos, nada mais. Pude experimentar em primeira mão a iluminação do desapego. Quando estamos soterrados por coisas não essenciais, perdemos de vista o que realmente importa. Não estou pedindo que você abra mão de nenhuma dessas coisas, mas quero ajudá-lo a reconhecer e filtrar o ruído das influências externas. É assim que limpamos a poeira e vemos se esses valores realmente refletem você.

Valores são aqueles princípios que mais importam para nós e que sentimos que devem nos guiar: quem nós queremos ser, como tratamos a nós mesmos e os outros. Valores tendem a ser conceitos de uma palavra só, como liberdade, igualdade, compaixão, honestidade. Isso tudo pode soar um tanto abstrato e idealista, mas na verdade são valores práticos. Eles são uma espécie de GPS mental que podemos usar para navegar pela vida. Se você conhece os seus valores, dispõe de instruções que o guiam na direção das pessoas, das ações e dos hábitos que mais lhe convêm. Assim como quando passamos de carro por um lugar novo, sem valores nós perdemos o rumo: viramos em lugares errados, ficamos presos na indecisão. Valores tornam mais fácil cercar-se das pessoas certas, tomar decisões profissionais difíceis, usar o tempo com mais sabedoria e concentrar a atenção no que é importante. Sem eles nos deixamos levar por distrações.

DE ONDE VÊM OS VALORES

Nossos valores não nos vêm enquanto dormimos. Nós não os elaboramos de forma consciente. Raramente os verbalizamos. Mas ainda assim eles existem. Todo mundo nasce dentro de certo conjunto de circunstâncias, e nossos valores são definidos pelo que vivenciamos. Nós nascemos num contexto de dificuldade ou de luxo? Em que aspectos fomos elogiados? Pais e cuidadores muitas vezes são nossos maiores fãs e nossos maiores críticos. Embora possamos nos rebelar em nossos anos de adolescência, em geral estamos inclinados a agradar e imitar essas figuras de autoridade. Olhe para o passado e pense em como foi o tempo que você passou com seus pais. Vocês brincavam, gostavam de conversar ou de fazer projetos juntos? O que eles lhe diziam ser mais importante? Isso se encaixava com o que era de fato mais importante para eles? Quem eles queriam que você fosse? O que eles queriam que você realizasse? Como esperavam que você se comportasse? Você assimilou esses ideais? Eles funcionaram para você?

Desde o começo, nossa educação é outra influência poderosa. As matérias que nos são ensinadas. A perspectiva cultural adotada. O modo como esperam que aprendamos. Um currículo dominado por fatos não estimula a criatividade, uma abordagem culturalmente estreita não promove a tolerância em relação a pessoas de origens e lugares diferentes, e há poucas oportunidades para nos dedicarmos a nossas paixões, mesmo que as conheçamos desde a mais tenra idade. Isso não quer dizer que estudar não nos prepare para a vida – existem muitos modelos educacionais diferentes, alguns deles menos restritivos –, mas vale a pena dar um passo atrás e refletir se os valores que você traz dos seus estudos são os melhores para você.

O JOGO MENTAL DA MÍDIA

Como monge, aprendi desde cedo que nossos valores são influenciados por aquilo que nossa mente absorve. Nós não somos a nossa mente, mas a mente é o veículo pelo qual decidimos o que é importante em nosso coração. Os filmes aos quais assistimos, as músicas que escutamos, os livros que lemos, as séries de TV que maratonamos, as pessoas que seguimos dentro e fora da internet. Aquilo que está no seu feed de notícias está alimentando a sua mente. Quanto mais absortos estivermos em fofocas sobre celebridades, imagens de sucesso, games violentos e notícias preocupantes, mais nossos valores serão maculados pela inveja, pelo julgamento, pela competição e pela insatisfação.

Observação e avaliação são duas coisas fundamentais para se pensar como um monge, e elas começam com espaço e quietude. Para os monges, o primeiro passo na filtragem do ruído das influências externas é o desapego material. Eu passei três temporadas como visitante no *ashram*, formei-me na faculdade, então virei monge oficialmente. Depois de uns dois meses de formação no Bhaktivedanta Manor, um templo na zona rural ao norte de Londres, parti rumo à Índia e cheguei ao *ashram* em setembro de 2010. Troquei minhas roupas relativamente estilosas por duas túnicas (uma para usar, outra para lavar). Abri mão do meu corte de cabelo arrumadinho em troca de... zero cabelo – nossa cabeça foi raspada. E fui privado de quase todas as oportunidades de ver a mim mesmo: não havia espelhos no *ashram*, exceto aquele que mais tarde iriam me mostrar no depósito. Assim, nós, monges, éramos impedidos de ficar obcecados com nossa aparência, nos alimentávamos com uma dieta simples que raramente variava, dormíamos em finas esteiras no chão, e a única música que escutávamos eram os cânticos e sinos que pontuavam nossas meditações e nossos rituais. Não assistíamos a filmes nem a programas de TV, e recebíamos notícias e e-mails limitados em computadores compartilhados numa área coletiva.

EXPERIMENTE ISTO: DE ONDE VIERAM OS SEUS VALORES?
Pode ser difícil perceber os efeitos que essas influências casuais provocam em nós. Valores são coisas abstratas, esquivas, e o mundo no qual vivemos nos empurra constantemente sugestões explícitas e subliminares do que deveríamos querer, de como deveríamos viver e como formamos nosso conceito de quem somos.

Relacione alguns dos valores que norteiam sua vida. Ao lado de cada um deles, anote sua origem. Assinale cada um dos valores que você realmente compartilha.

Exemplo:

VALOR	ORIGEM	ISSO VALE PARA MIM?
Gentileza	Pai ou mãe	✓
Aparência	Mídia	Não da mesma forma
Riqueza	Pai ou mãe	Não
Boas notas	Escola	Interferiu no aprendizado real
Conhecimento	Escola	✓
Família	Tradição	Sim, mas não a tradicional

Nada ocupava o lugar dessas distrações a não ser espaço, quietude e silêncio. **Quando diminuímos o volume das opiniões, expectativas e obrigações do mundo à nossa volta, começamos a ouvir a nós mesmos.** Nesse silêncio, passei a reconhecer a diferença entre o ruído externo e minha própria voz. Pude tirar a poeira dos outros e ver meus valores fundamentais.

Prometi não lhe pedir que raspasse a cabeça ou usasse uma túnica, mas, no mundo moderno, como podemos dar a nós mesmos o espaço, o silêncio e a quietude necessários para despertar a consciência? A maioria de nós não se senta para pensar nos próprios valores. Não gostamos de ficar sozinhos com nossos pensamentos. Nossa inclinação é evitar o silêncio, tentar ocupar a cabeça, estar sempre em movimento.[6] Numa série de estudos, pesquisadores da Universidade da Virgínia e de Harvard pediram aos participantes que passassem de seis a quinze minutos sozinhos num cômodo, sem smartphone, sem material de escrita nem nada para ler. Os pesquisadores depois lhes permitiram ouvir música ou usar o celular. Os participantes não apenas preferiram os celulares e a música, mas muitos deles chegavam a escolher *aplicar um choque elétrico em si mesmos* para não ficar sozinhos com seus pensamentos. Se você frequenta eventos de networking diariamente e precisa dizer às pessoas o que faz da vida, é difícil se afastar dessa visão reducionista de quem você é. Se você assiste ao reality *Real Housewives* todas as noites, começa a pensar que jogar taças de vinho na cara das amigas é um comportamento normal. Quando enchemos nossa vida e não deixamos espaço para a reflexão, as distrações se tornam automaticamente os nossos valores.

Não conseguimos acessar nossos pensamentos nem explorar nossa mente quando estamos preocupados. Tampouco ficar simplesmente sentado em casa vai lhe ensinar alguma coisa. Eu lhe sugiro três formas de criar ativamente espaço para reflexão. Primeiro, recomendo que você diariamente se sente e reflita sobre como foi o dia e as emoções que está sentindo. Segundo, você pode se aproximar da mudança que encontrei no *ashram* indo uma vez por mês a um lugar ao qual nunca foi para explorar a si mesmo num ambiente diferente. Pode ser qualquer atividade, desde visitar um parque ou uma biblioteca que ainda não conhece até fazer uma viagem. Por fim, envolva-se em algo que tenha significado para você: um hobby, uma obra de caridade, uma causa política.

Outra forma de criar espaço é avaliar como estamos preenchendo aquele que temos e se essas escolhas refletem nossos verdadeiros valores.

AVALIE A SUA VIDA

Não importa quais você *acha* que são os seus valores – são as suas ações que contam a verdadeira história. O que fazemos com nosso tempo livre mostra o que realmente valorizamos. Por exemplo, você pode colocar o tempo que passa com a família no topo da sua lista de valores, mas se gasta todo seu tempo livre jogando golfe, suas ações não batem com seus valores e é necessário fazer uma autoavaliação.

Tempo

Em primeiro lugar, vamos avaliar como você gasta seu tempo quando não está dormindo nem trabalhando. Pesquisadores descobriram que, ao fim da vida, cada um de nós terá passado em média 33 anos na cama (sete dos quais tentando dormir), um ano e quatro meses fazendo exercícios e mais de três anos de férias. Se você for mulher, passará 136 dias se arrumando para sair. Se for homem, esse número cai para 46 dias.[7] Essas são apenas estimativas, claro, mas as nossas escolhas diárias vão se somando.

> **EXPERIMENTE ISTO: AVALIE O SEU TEMPO**
>
> Passe uma semana registrando quanto tempo você dedica à família, aos amigos, à saúde e a si mesmo. (Repare que estamos deixando de fora dormir, comer e trabalhar. O trabalho, em todas as suas formas, pode se espalhar sem fronteiras. Se esse for o seu caso, fixe sua própria definição de quando está "oficialmente" trabalhando e acrescente "trabalho extra" como uma das suas categorias.) As áreas às quais você dedica mais tempo devem coincidir com as coisas que você mais valoriza. Digamos que a quantidade de tempo que o seu trabalho exige seja maior do que a importância que ele tem para você. Isso é um sinal de que você precisa avaliar com muita atenção essa decisão. Está escolhendo dedicar seu tempo a algo que não lhe parece importante? Quais são os valores por trás dessa decisão? No fim das contas, o que você ganha com seu emprego apoia os seus valores?

Mídia

Quando você fez sua avaliação, sem dúvida notou que dedica uma quantidade significativa do seu tempo à leitura e ao consumo de mídia. Pesquisadores estimam que, em média, cada um de nós irá passar mais de 11 anos da vida vendo televisão ou as redes sociais![8] Talvez as suas escolhas de mídia pareçam casuais, mas o tempo reflete seus valores.

Existem muitas formas de mídia, mas a maioria de nós não está exagerando nos filmes, na televisão ou nas revistas. A questão são os smartphones. A boa notícia é que o seu celular pode lhe dizer exatamente qual uso você faz dele. Pesquise na internet como consultar quanto tempo você gasta com redes sociais, games, e-mail e navegação na web. Se achar que deveria mexer menos no seu aparelho, alguns modelos até permitem estabelecer limites para si mesmo. Ou então você pode baixar um aplicativo para rastrear o uso dos seus dispositivos.

Dinheiro

Assim como o tempo, você pode observar como gasta seu dinheiro para ver os valores que norteiam a sua vida. Excluindo as necessidades básicas, como gastos com casa, dependentes, carro, contas, alimentação e dívidas, observe os gastos que você escolhe fazer. Qual foi seu maior investimento este mês? Que áreas estão lhe custando mais dinheiro? Seus gastos correspondem ao que tem mais importância para você? Muitas vezes temos uma perspectiva estranha de custo e benefício que na verdade não faz muito sentido quando examinamos todos os nossos gastos em bloco. Eu andei aconselhando uma pessoa que reclamou que a família estava gastando em excesso com atividades complementares para as crianças... até se dar conta de que gastava mais comprando sapatos do que com as aulas de música dos filhos.

Ver posts nas redes sociais comparando nossos gastos e nossas prioridades me levou a pensar que a maneira como gastamos nosso tempo e nosso dinheiro revela o que valorizamos.

Um programa de TV de 1 hora ("Passou voando!")
Um almoço de 1 hora com os pais ("Parece que não acaba nunca!")
Tomar café todo dia ($4 ao dia, quase $1.500 ao ano) ("Preciso disso!")
Alimentos mais frescos e saudáveis ($1,50 a mais por dia, cerca de $550 ao ano) ("Não vale a pena!")
15 minutos nas redes sociais ("Um tempo para mim!")
15 minutos de meditação ("Não tenho tempo!")

GASTOS COMPARATIVOS
(E COMO ELES REFLETEM SEUS VALORES)

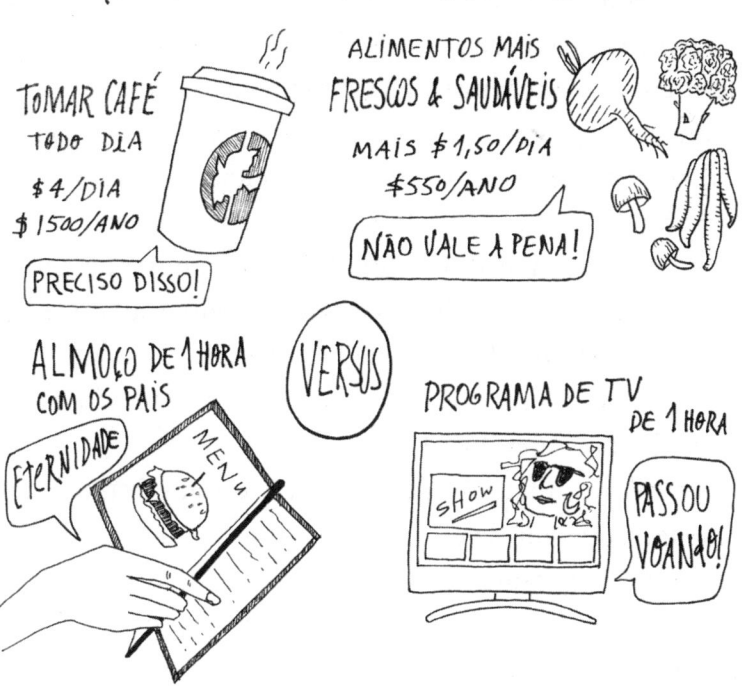

TOMAR CAFÉ TODO DIA — $4/DIA — $1500/ANO ("PRECISO DISSO!")

ALIMENTOS MAIS FRESCOS & SAUDÁVEIS — MAIS $1,50/DIA — $550/ANO ("NÃO VALE A PENA!")

ALMOÇO DE 1 HORA COM OS PAIS ("ETERNIDADE")

VERSUS

PROGRAMA DE TV DE 1 HORA ("PASSOU VOANDO!")

Tudo depende de como você encara a questão. Ao considerar um mês de gastos, pense se foram investimentos de longo ou de curto prazo – um bom jantar ou uma aula de dança? Foram gastos com entretenimento ou com instrução, para você ou para outra pessoa? Se estiver pagando mensalidade na academia, mas só tiver ido malhar uma vez este mês e tiver gastado mais com vinho, você precisa repensar suas prioridades.

APRIMORE OS SEUS VALORES

Fazer uma avaliação pessoal lhe mostra quais valores se intrometeram na sua vida automaticamente. O passo seguinte é verificar quais são os seus valores e se as suas escolhas estão alinhadas com eles. Refletir sobre os valores dos monges pode ajudar você a identificar os seus. Nossos professores no *ashram* explicavam que existem valores elevados e valores inferiores. Valores elevados nos impulsionam e nos levam em direção à felicidade, à realização e ao significado. Valores inferiores nos empurram em direção à ansiedade, à depressão e ao sofrimento. De acordo com a *Gita*, os valores elevados são os seguintes: destemor, pureza mental, gratidão, serviço e caridade, aceitação, realizar sacrifícios, estudo profundo, austeridade, franqueza, não violência, veracidade, ausência de raiva, renúncia, visão ampla, evitar apontar defeitos, compaixão com todos os seres vivos, satisfação, gentileza/bondade, integridade, determinação.[9] (Repare que felicidade e sucesso não estão na lista, pois não são valores, mas recompensas – o resultado. Falaremos mais sobre eles no Capítulo 4.)

Os seis valores inferiores são cobiça, luxúria, raiva, ego, ilusão e inveja. A desvantagem deles é que nos dominam com muita facilidade quando lhes damos espaço, mas a vantagem é que são bem menos numerosos. Ou, como nos lembrava meu professor Gauranga Das, há sempre mais modos de ser puxado para cima do que de ser puxado para baixo.

Nós não podemos sacar do nada um conjunto de valores e fazer grandes mudanças da noite para o dia. Em vez disso, o que queremos é nos desapegar dos falsos valores que ocupam espaço em nossa vida. O *ashram* dava a nós, monges, a oportunidade de observar a natureza, e nossos professores chamavam nossa atenção para os ciclos de todas as coisas vivas. Folhas brotam, transformam-se e caem. Répteis, pássaros e mamíferos trocam de pele, de penas, de pelagem. O desapego é parte importante do ritmo da natureza, assim como o renascimento. Nós, humanos, nos apegamos às coisas – pessoas, ideias, bens materiais, exemplares do livro de Marie Kondo – pensando que nos livrar das coisas é antinatural, mas o desapego é um caminho direto para o espaço (literalmente) e a quietude. Nós nos separamos – emocionalmente, quando não fisicamente – das pessoas e ideias que preenchem nossa vida, e então nos damos o tempo necessário para observar as inclinações naturais que nos movem.

Escolhas se apresentam todos os dias, e podemos começar a entremeá-las com valores. Sempre que fazemos uma escolha – seja ela grande, como um casamento, ou pequena, como uma discussão com um amigo –, somos movidos por nossos valores, quer sejam elevados ou inferiores. Se as escolhas dão certo para nós, então nossos valores estão alinhados com nossas ações. Quando as coisas não dão certo, vale a pena revisitar o que moveu nossa decisão.

> **EXPERIMENTE ISTO: VALORES DO PASSADO**
> Reflita sobre as três melhores e as três piores decisões que você já tomou. Por que você as tomou? O que você aprendeu? O que teria feito diferente?

Observe de perto suas respostas – nelas estão encobertos os seus valores. Por que você tomou determinada decisão? Você pode ter ficado com a pessoa certa ou com a pessoa errada pelo mesmo motivo: porque valoriza o amor. Ou talvez você tenha ido morar no outro lado do país porque queria uma mudança. O valor por trás dessa decisão pode ser a aventura. Agora faça a mesma coisa com o futuro. Observe seus maiores objetivos para ver se eles são movidos por outras pessoas, pela tradição ou por ideias difundidas pela mídia sobre como devemos viver.

> **EXPERIMENTE ISTO: DECISÕES MOVIDAS POR VALORES**
> Na próxima semana, sempre que gastar dinheiro em algo não essencial ou planejar como vai gastar seu tempo livre, pare e reflita: qual é o valor por trás dessa decisão? Leva apenas um segundo, um instante de reflexão. Idealmente, essa pausa momentânea se torna instintiva, de modo que você passa a fazer escolhas conscientes sobre o que é importante para você e quanta energia dedica a isso.

FILTRE OEO, NÃO BLOQUEIE

Quando começar a filtrar o ruído das opiniões, expectativas e obrigações (OEO), você verá o mundo com outros olhos. O passo seguinte é convidar o mundo para dentro outra vez. Quando lhe peço que remova as influências externas, não quero que você se isole do mundo inteiro indefinidamente. Sua mente monge pode e precisa aprender com os outros. O desafio é realizar isso de modo consciente, fazendo a nós mesmos perguntas simples: que qualidades eu procuro e admiro em familiares, amigos e colegas? Confiança, segurança, determinação, honestidade? Sejam quais forem, essas qualidades na verdade são os nossos próprios valores – justamente as referências que deveríamos usar para nos guiar em nossa própria vida.

Quando não estiver só, cerque-se de pessoas que se encaixam bem com seus valores. Encontrar uma comunidade que represente quem você quer ser ajuda. Uma comunidade que se pareça com o futuro que você deseja. Lembra como foi difícil eu começar a viver como um monge durante meu último ano da faculdade? E agora acho difícil morar em Londres. Cercado pelas pessoas com as quais cresci e seus modos de vida, sinto-me tentado a dormir até mais tarde, fazer fofoca, julgar os outros. Uma nova cultura me ajudou a me redefinir e outra nova cultura me ajudou a continuar no meu caminho.

Toda vez que você muda de casa, aceita um emprego diferente ou embarca num novo relacionamento, tem uma oportunidade de ouro para se reinventar. Vários estudos mostram que o modo como nos relacionamos com o mundo à nossa volta é contagioso. Um estudo de vinte anos com moradores de uma cidade em Massachusetts[10] mostrou que tanto a felicidade quanto a depressão se espalham dentro dos círculos sociais. Se um amigo que vive a menos de 2 quilômetros de você se torna mais feliz, a chance de você também ser feliz aumenta em 25%. O efeito é maior ainda com vizinhos de porta.

As pessoas que o cercam ajudam você a se manter fiel a seus valores e alcançar seus objetivos. Vocês crescem juntos. Se você quer correr uma maratona em 2h45, não treina com pessoas que levam 4h45. Se quer desenvolver sua espiritualidade, expanda sua prática com outras pessoas espiritualizadas. Se quer abrir seu próprio negócio, entre para uma câmara de comércio na sua localidade ou para um grupo on-line de empreendedores que tenham a mesma inclinação para esse tipo de sucesso. Se você é um pai ou uma mãe que trabalha demais e quer tornar seus filhos a sua prioridade, cultive relacionamentos com outros pais que priorizam os filhos para poder compartilhar apoio e conselhos. Melhor ainda, quando possível, junte os grupos: cultive relacionamentos com empreendedores espiritualizados que curtem a família e correm maratonas. Ok, é brincadeira, mas no mundo de hoje, em que temos mais meios de nos conectar do que nunca, plataformas como LinkedIn e Meetup e ferramentas como os grupos do Facebook tornam cada vez mais fácil encontrar sua tribo. Se você estiver à procura do amor, busque em lugares movidos por valores como oportunidades de servir, atividades físicas e esportivas, ou uma série de palestras sobre um tema do seu interesse.

Se não tiver certeza de onde os outros se encaixam em relação aos seus valores, faça a si mesmo a seguinte pergunta: quando convivo com essa pessoa ou com esse grupo, tenho a sensação de estar mais perto ou de estar me afastando de quem eu quero ser? A resposta pode ser clara; ela é óbvia se você passa quatro horas seguidas jogando FIFA no PS2 (não que eu já tenha feito isso) em vez de se dedicar a interações significativas que melhorem sua qualidade de vida. Ou a resposta pode ser mais vaga – uma sensação como irritabilidade ou certa confusão mental depois que você passa algum tempo na companhia dessas pessoas. Estar com quem nos faz bem causa uma sensação boa; estar com quem não nos apoia ou traz à tona nossos maus hábitos não causa uma sensação boa.

> **EXPERIMENTE ISTO: AVALIAÇÃO DE COMPANHIAS**
> Durante uma semana, faça uma lista das pessoas com as quais você passa mais tempo. Liste os valores que vocês compartilham ao lado de cada uma. Você está dedicando mais tempo às pessoas mais alinhadas com seus valores?

As pessoas com quem você conversa, os filmes e séries que você vê, a maneira como você ocupa o seu tempo: todas essas fontes denotam valores e crenças. Se você está vivendo um dia após outro sem questionar seus valores, será controlado pelo que todos – da sua própria família a hordas de profissionais de marketing – querem que você pense. Lembro-me o tempo todo daquele momento no depósito. Um pensamento me vem à cabeça e eu me pergunto: *Isso se encaixa com os valores que eu escolhi ou com os que os outros escolheram para mim? Isso é poeira ou isso sou eu?*

Quando você dá a si mesmo espaço e quietude, consegue limpar a poeira e se ver não com os olhos dos outros, mas a partir de dentro. Identificar seus valores e deixar que eles lhe sirvam de guia ajudará você a filtrar as influências externas. No próximo capítulo, veremos como essas competências vão ajudá-lo a filtrar atitudes e emoções indesejadas.

2
NEGATIVIDADE

O rei mau passa fome

É impossível construir a própria felicidade
sobre a infelicidade alheia.
— Daisaku Ikeda

É o verão depois do meu terceiro ano de faculdade. Acabo de voltar de um mês no ashram, *e sou agora estagiário numa empresa de finanças. Estou almoçando com dois colegas; nós compramos sanduíches e os levamos até o pátio de concreto em frente ao prédio, onde muros baixos se entrecruzam na paisagem dura e jovens de terno almoçam, apressados, descongelando sob o sol de verão antes de voltar para o ar condicionado glacial do prédio. Eu sou um monge fora d'água.*

– Você soube do Gabe? – pergunta um dos meus amigos num sussurro alto. – Os sócios destruíram a apresentação dele.

– Coitado – comenta outro amigo, balançando a cabeça. – Ele está afundando depressa.

Lembro-me de uma aula dada por Gauranga Das chamada "Cânceres da mente: comparar, reclamar, criticar". Nessa aula conversamos sobre hábitos de pensamento negativos, entre eles a fofoca. Um dos exercícios propostos foi anotar todas as críticas que fazíamos, em voz alta ou em pensamento. Para cada uma delas, tínhamos que escrever dez coisas boas sobre a pessoa.

Foi difícil. Estávamos vivendo juntos, num espaço reduzido. Questões surgiam, quase todas mesquinhas. O tempo médio do banho de chuveiro de um monge era quatro minutos. Quando havia fila no chuveiro, nós fazíamos apostas sobre quem estava demorando. (Eram as únicas apostas que fazíamos. Afinal, éramos monges.) E, embora os que roncavam fossem relegados a quartos separados, às vezes novos praticantes surgiam, e nós classificávamos seu ronco numa escala de motocicletas: esse daqui é uma Vespa; aquele dali, uma Harley-Davidson.

Fiz o exercício, anotando obedientemente todas as críticas que deixava escapar. Ao lado de cada uma, anotava dez qualidades positivas. Não era difícil entender o objetivo do exercício – todo mundo era mais bom do que mau –, mas ver aquilo no papel deixava a proporção mais evidente. Isso me ajudou a ver minhas próprias fraquezas de outro modo. Eu tinha tendência a focar os meus erros, sem contrabalançá-los com meus pontos fortes. Quando me pegava sendo autocrítico, lembrava a mim mesmo que eu também tinha qualidades positivas. Relativizar minhas qualidades negativas me ajudou a reconhecer em mim a mesma proporção e a perceber que sou mais bom do que mau. Nós conversamos sobre esse efeito de retroalimentação na aula: quando criticamos os outros, é inevitável percebermos o que existe de mau em nós mesmos. Mas quando buscamos o que existe de bom nos outros começamos a ver o melhor em nós mesmos também.

O cara sentado ao meu lado na mureta me cutuca, levando-me a despertar do meu devaneio.

– E aí, você acha que ele vai durar?

Perdi o fio da meada do assunto.

– Ele quem? – pergunto.

– O Gabe... ele nem deveria ter sido contratado, para começo de conversa, né?

– Ah, sei lá – respondo.

Depois de começar a frequentar o *ashram*, tornei-me muito sensível à fofoca. Eu tinha me acostumado a conversas cuja energia era principalmente positiva. Na primeira vez que voltei ao mundo, fiquei num silêncio desconfortável. Não queria ser a patrulha moralista, mas tampouco queria participar. Como aconselhava o Buda: "Não dedique atenção ao que os outros fazem ou deixam de fazer; dedique-a ao que você faz ou deixa de fazer."[1] Rapidamente aprendi a dizer coisas como "Ah, não sei direito..." ou "Não fiquei sabendo". Então mudava de assunto para algo mais positivo. "Você soube que pediram ao Max que ficasse? Estou muito feliz por ele." A fofoca tem valor em algumas situações: ela ajuda a sociedade a regular o que é um comportamento aceitável ou não, e muitas vezes a usamos para ver se os outros concordam com nosso julgamento sobre o comportamento alheio – e, portanto, com nossos valores. Mas existem modos mais bondosos de abordar essas questões. O mais frequente é usarmos a fofoca para diminuir os outros, o que pode fazer com que nos sintamos superiores a eles e/ou aumentar nosso status no grupo.

Alguns de meus amigos e colegas pararam completamente de tentar fofocar comigo; em vez disso, passamos a ter conversas de verdade. Alguns passaram a confiar mais em mim, pois entenderam que, como eu não fazia fofoca com eles, não fofocaria sobre eles. Se houve pessoas que me acharam apenas chato, bem, não tenho nada de mau a dizer sobre elas.

A NEGATIVIDADE ESTÁ POR TODA PARTE

Você acorda. Seu cabelo está uma droga. Seu parceiro reclama que o café acabou. No caminho para o trabalho, um motorista que está no celular mandando mensagem faz com que você perca o sinal verde. As notícias no rádio são piores do que as de ontem. Seu colega de trabalho cochicha que fulana fingiu que está doente outra vez... Todos os dias somos assolados por negatividade. Não é de espantar que não consigamos evitar gerá-la também. Nós falamos sobre as dores e os incômodos do dia, não sobre as pequenas alegrias. Nos comparamos com nossos vizinhos, reclamamos de nossos parceiros, falamos dos nossos amigos pelas costas, coisas que jamais diríamos na sua cara, criticamos pessoas nas redes sociais, batemos boca, enganamos e até explodimos de raiva.

Esse ruído de negatividade está presente inclusive naqueles dias que consideramos "bons", e não faz parte dos planos de ninguém. Na minha experiência, ninguém acorda e pensa: "Como posso ser maldoso com os outros hoje?" ou "Como posso me sentir melhor fazendo outros se sentirem pior hoje?" Mesmo assim, a negatividade vem de dentro. Nós temos três necessidades emocionais fundamentais que gosto de pensar que são paz, amor e compreensão (obrigado, Nick Lowe e Elvis Costello). A negatividade – em conversas, emoções e ações – muitas vezes advém de uma ameaça a uma dessas três necessidades: o medo de coisas ruins acontecerem (perda da paz), o medo de não ser amado (perda do amor), o medo de ser desrespeitado (perda da compreensão). Todo tipo de emoções nascem desses medos: sobrecarga emocional, insegurança, mágoa, competitividade, carência, e assim por diante. Esses sentimentos negativos são externalizados na forma de reclamações, comparações, críticas e outros comportamentos negativos. Pense nos haters e trolls que entram nas redes sociais para atacar seus alvos. Talvez seu medo seja de não serem respeitados, e eles agem assim para se sentirem importantes. Ou talvez suas crenças políticas estejam gerando o medo de que o mundo seja inseguro. (Ou pode ser que eles estejam apenas tentando acumular seguidores – o medo certamente não motiva todos os trolls do mundo.)

Outro exemplo: todos nós temos amigos que transformam um simples telefonema para pôr a conversa em dia numa interminável sessão-desabafo sobre o emprego, o parceiro, a família – o que está errado, o que é injusto, o que nunca vai mudar. Para essas pessoas, nada nunca parece dar certo. Pode ser que estejam expressando seu medo de que coisas ruins aconteçam – sua necessidade fundamental de paz e segurança está ameaçada.

Coisas ruins acontecem, *sim*. Na vida, todos nós somos vítimas em algum momento – quer estejamos sendo alvo de preconceito racial ou levando uma fechada no trânsito. No entanto, se adotarmos a mentalidade de vítima, a probabilidade de pensar que estamos certos e agir de um jeito egoísta aumenta. Psicólogos de Stanford pegaram 104 pessoas e dividiram em dois grupos: as do primeiro deveriam escrever um texto curto sobre uma ocasião em que tivessem se sentido entediadas e as do outro deveriam escrever sobre uma ocasião em que a vida tivesse parecido injusta ou em que elas tivessem se sentido "injustiçadas ou ofendidas por alguém".[2] Em seguida perguntaram aos participantes se eles queriam ajudar os pesquisadores com uma tarefa fácil. Os que tinham escrito sobre uma ocasião em que haviam se sentido injustiçados demonstraram 26% a menos de probabilidade de ajudar os pesquisadores. Em outro estudo semelhante, os participantes que se identificavam com a atitude mental de vítima não apenas eram mais propensos a se comportar de modo egoísta depois como tinham também uma probabilidade maior de deixar seu lixo para trás e até de levar as canetas dos pesquisadores!

A NEGATIVIDADE É CONTAGIOSA

Nós somos criaturas sociais e conseguimos a maior parte do que queremos na vida – paz, amor e compreensão – do grupo à nossa volta. Nosso cérebro se ajusta automaticamente tanto à harmonia quanto à discórdia. Já falamos sobre como tentamos inconscientemente agradar os outros. Bem, nós também queremos concordar com os outros. Pesquisas mostraram que a maioria dos humanos valoriza tanto a conformidade social que modifica as próprias respostas – e até as próprias percepções – de modo a se alinhar com o grupo, mesmo quando o grupo está claramente errado.

Nos anos 1950, Solomon Asch reuniu grupos de universitários e lhes disse que eles iriam fazer um exame de vista.³ Acontece que, nos grupos, todos eram atores exceto uma pessoa: o participante do teste.

Primeiro Asch mostrou aos participantes a imagem de uma "linha-alvo" e depois uma série de três linhas: uma mais curta, uma mais comprida e uma que tinha claramente o mesmo comprimento que a linha-alvo. Então perguntou aos universitários qual linha correspondia ao comprimento da linha-alvo. Às vezes os atores davam respostas corretas, e às vezes davam respostas incorretas de propósito. Em todos os casos, o verdadeiro participante do estudo era o último a responder. A resposta correta deveria ser óbvia. No entanto, influenciados pelos atores, cerca de 75% dos participantes seguiram os outros e deram uma resposta incorreta pelo menos uma vez. Esse fenômeno foi batizado de *parcialidade do pensamento de grupo*.

O EXPERIMENTO DE ASCH

CARTÃO 1
TEM UMA LINHA DE COMPRIMENTO ESPECÍFICO

CARTÃO 2
TEM 3 LINHAS, COM UMA EXATAMENTE IGUAL À DO PRIMEIRO CARTÃO

* PENSAMENTO DE GRUPO É A PRÁTICA DE PENSAR OU TOMAR DECISÕES DE MODO A DESENCORAJAR A RESPONSABILIDADE INDIVIDUAL

Nós somos programados para nos conformar[4] e nosso cérebro não quer lidar com conflito e debate. Ele prefere mil vezes relaxar no conforto do pensamento comum. Isso não é algo ruim se estivermos cercados de, digamos, monges. Mas se estivermos cercados de fofoca, conflito e negatividade, começamos a ver o mundo nesses termos, igualzinho às pessoas que contrariaram os próprios olhos no experimento de Asch.

O instinto de concordar tem um impacto enorme na nossa vida. Esse é um dos motivos pelos quais, numa cultura da reclamação, nós nos juntamos ao coro.

E quanto mais negatividade nos cerca, mais negativos nos tornamos. Nós achamos que reclamar vai nos ajudar a processar nossa raiva, mas pesquisas confirmam que mesmo pessoas que relatam se sentir melhor após desabafar se tornam ainda mais agressivas depois de falar do que as que não desabafam.[5]

No Bhaktivedanta Manor, a filial londrina do templo, havia um monge que me deixava louco. Se eu lhe perguntasse pela manhã como ele estava se sentindo, ele me dizia como tinha dormido mal e de quem era a culpa. Reclamava que a comida era ruim, mas sempre achava que não era suficiente. Era uma diarreia verbal incansável, tão negativa que eu nunca queria ficar perto dele.

Então um dia me peguei reclamando dele com os outros monges. E assim eu me tornara exatamente o que estava criticando. Reclamar é contagioso, e ele tinha me contaminado.

Estudos mostram que a negatividade, como a minha, pode aumentar a agressividade dirigida a pessoas aleatórias, que não têm nada a ver com a história, e que quanto mais negativa for sua atitude hoje, maior será sua probabilidade de ter uma atitude negativa no futuro. Estudos também mostram que o estresse de longo prazo, como o que é gerado por reclamações, na verdade faz seu hipocampo encolher – essa é a região do seu cérebro que afeta o raciocínio e a memória.[6] O cortisol, o mesmo hormônio do estresse que prejudica o hipocampo, afeta também seu sistema imunológico (e tem vários outros efeitos prejudiciais). Não estou dizendo que toda doença é causada pela negatividade, mas, se me manter positivo puder evitar até mesmo um dos meus resfriados de inverno, estou dentro.

TIPOS DE PESSOAS NEGATIVAS

- **RECLAMÕES:** "QUE DIA PÉSSIMO!"
- **CANCELADORES:** "ESTOU BONITO HOJE?! E ONTEM?"
- **VITIMISTAS:** "O MUNDO ESTÁ CONTRA MIIIIM!"
- **CRÍTICOS:** "EU NÃO GOSTO DA SUA OPINIÃO, TÁ BOM?"
- **MANDÕES:** "ME DÊ MAIS DO SEU TEMPO"
- **COMPETITIVOS:** "MEU SUCESSO É MAIS BEM-SUCEDIDO QUE O SEU!"
- **CONTROLADORES:** "VOCÊ SÓ PODE FAZER O QUE EU DISSER E QUANDO EU DISSER!"

TIPOS DE PESSOAS NEGATIVAS

Os comportamentos negativos à nossa volta são tão onipresentes que nos acostumamos com eles. Veja se você tem alguns destes na sua vida:

- Reclamões, como amigos ao telefone que vivem se queixando sem buscar soluções. A vida é um problema difícil, quando não impossível, de resolver.
- Canceladores, que recebem um elogio e o distorcem: "Você está bonito hoje" se transforma em "Quer dizer que ontem eu estava feio?".

- Vitimistas, que acham que o mundo está contra eles e põem a culpa de todos os problemas nos outros.
- Críticos, que julgam os outros por terem opinião diferente, por não terem opinião e por quaisquer escolhas que sejam diferentes daquilo que o crítico teria feito.
- Mandões, que percebem os próprios limites, mas fazem pressão nos outros para serem bem-sucedidos. Eles dizem "Você nunca tem tempo para mim", embora também estejam ocupados.
- Competitivos, que se comparam com os outros, controlam e manipulam para fazer com que eles mesmos ou suas escolhas pareçam melhores. Eles estão sofrendo tanto que querem empurrar os outros para baixo. Muitas vezes devemos diminuir nossos sucessos ao contá-los para essas pessoas, pois sabemos que elas são incapazes de valorizá-los.
- Controladores, que monitoram e tentam direcionar a forma como os amigos e parentes gastam seu tempo, com quem e que escolhas fazem.

Você pode se divertir com essa lista vendo se consegue pensar em alguém que se encaixe em cada um dos tipos. Mas o verdadeiro objetivo dela é ajudá-lo a identificar esses comportamentos quando eles forem direcionados a você. Se puser todo mundo no mesmo balaio de negatividade ("Como são chatos!"), não vai conseguir saber como administrar cada relacionamento.

No dia em que me mudei para o *ashram* junto de seis outros monges vindos da Inglaterra, disseram-nos para considerar que nosso novo lar era um hospital onde éramos todos pacientes. Tornar-se monge, afastar-se da vida material, não era visto como uma conquista em si. Significava apenas que estávamos prontos para ser recebidos num lugar de cura onde poderíamos fazer um trabalho para superar as doenças da alma que nos infectavam e nos enfraqueciam.

Como sabemos, num hospital até os médicos ficam doentes. Ninguém está imune. Os monges mais velhos nos lembravam que todo mundo tinha doenças diferentes, que todos ainda estavam aprendendo e que, assim como não podíamos julgar os problemas de saúde de alguém, não deveríamos julgar alguém que cometesse deslizes diferentes dos nossos. Gauranga Das repetia esse conselho na forma de uma breve metáfora da qual frequentemente lançávamos mão como um lembrete para não abrigar pensamentos negativos em relação aos outros: *Não julgue alguém que tem outra doença. Não espere que ninguém seja perfeito. Não pense que você é perfeito.*

Em vez de julgar comportamentos negativos, tentamos neutralizar a carga ou mesmo revertê-la para algo positivo. Quando você reconhecer que um reclamão não está em busca de soluções, perceberá que não precisa lhe oferecer soluções. Se um mandão disser "Você não tem tempo para mim", você pode dizer "Que tal a gente procurar um horário que seja bom para nós dois?".

REVERTENDO A NEGATIVIDADE EXTERIOR

Essas categorias nos ajudam a nos distanciar da pessoa negativa de modo a tomar decisões objetivas sobre nosso papel na situação. A maneira de lidar com a circunstância como um monge é indo até a raiz, fazendo um diagnóstico e esclarecendo a questão de modo que você consiga explicá-la a si mesmo de forma simples. Vamos usar essa abordagem para definir estratégias ao lidar com pessoas negativas.

Torne-se um observador objetivo

Para um monge, a consciência vem antes de tudo. Nós abordamos a negatividade – na realidade, qualquer tipo de conflito – nos distanciando de modo a nos afastarmos da carga emocional do momento. O monge católico padre Thomas Keating falou: "Não existe nenhum mandamento dizendo que devemos ficar aborrecidos com o modo como os outros nos tratam. O motivo pelo qual ficamos aborrecidos é que temos uma programação emocional que diz: 'Se alguém for desagradável comigo, eu não posso ser feliz nem me sentir bem em relação a mim mesmo.' Em vez de reagir de maneira impulsiva e retaliar, podemos usar nossa liberdade como seres humanos e nos recusar a ficar aborrecidos."[7] Nós nos distanciamos, não literalmente, mas no sentido emocional, e olhamos para a situação como se não estivéssemos nela. No próximo capítulo vamos falar mais sobre esse distanciamento. Por enquanto, direi que ele nos ajuda a encontrar compreensão sem julgamento. A negatividade é um traço, não a identidade da pessoa. A verdadeira natureza de alguém pode estar encoberta por nuvens, mas, assim como o sol, ela está sempre lá. E qualquer um de nós pode estar encoberto por nuvens. Precisamos entender isso ao lidar com quem irradia energia negativa. Assim como não queremos que nos julguem pelos nossos piores momentos, devemos tomar cuidado para não fazer isso com os outros. Quando uma pessoa fere você, é porque ela está ferida. A dor dela está simplesmente transbordando, e ela precisa de ajuda. E, como diz o Dalai Lama: "Se você puder, ajude os outros; se não puder, pelo menos não lhes faça mal."

Afaste-se devagar

Em uma posição de compreensão, ficamos mais bem equipados para lidar com a energia negativa. A reação mais simples é afastar-se devagar. Assim como no último capítulo nós nos desapegamos das influências que interferiam em nossos valores, queremos nos purificar das atitudes negativas que obscurecem nossa visão. Em *A essência dos ensinamentos de Buda*, Thich Nhat Hanh, um monge budista que já foi chamado de pai do mindfulness, escreve: "O desapego nos dá liberdade, e a liberdade é a única condição para a felicidade. Se em nosso coração nós ainda estivermos agarrados a alguma coisa – raiva, ansiedade ou bens materiais –, não podemos ser livres."[8] Recomendo eliminar ou evitar os gatilhos físicos dos pensamentos e sentimentos negativos, como por exemplo aquele moletom que você ganhou do seu ex ou o café aonde você sempre encontrava um ex-amigo. Se você não desapegar fisicamente, não vai desapegar emocionalmente.

No entanto, quando há um parente, amigo ou colega de trabalho envolvido, distanciar-nos muitas vezes não é uma alternativa nem a primeira resposta que queremos dar. Precisamos então usar outras estratégias.

O princípio 25/75

Para cada pessoa negativa na sua vida, tenha três pessoas inspiradoras. Eu tento me cercar de pessoas que sejam melhores do que eu em algum aspecto: mais felizes, mais espiritualizadas. Na vida, assim como no esporte, estar cercado de jogadores melhores ajuda a crescer. Não estou dizendo que você deva levar isso tão ao pé da letra a ponto de rotular cada um de seus amigos ou como negativo ou inspirador, mas tenha como objetivo a sensação de que pelo menos 75% do seu tempo é gasto com pessoas que o inspiram, não com quem o coloca para baixo. Faça sua parte para tornar a amizade uma troca inspiradora. Não se limite a passar seu tempo com as pessoas que você ama: cresça com elas. Façam uma aula juntos, leiam um livro, façam um workshop. *Sangha* é a palavra em sânscrito que significa comunidade, e ela sugere um refúgio em que as pessoas servem e inspiram umas às outras.

Controle o tempo

Outra forma de reduzir a negatividade, se você não for capaz de eliminá-la, é regular quanto tempo permite que uma pessoa ocupe com base na energia dela. Há algumas situações que nós só enfrentamos porque permitimos que elas nos desafiem. Talvez haja algumas pessoas que você só consiga aguentar durante uma hora por mês, outras durante um dia, outras durante uma semana. Talvez você conheça até uma pessoa de apenas um minuto. Com base no que é melhor para você, considere quanto tempo deve passar com essas pessoas – e não ultrapasse esse limite.

Não seja um salvador

Se tudo que alguém precisa é de um ouvido, você pode escutar sem despender muita energia. Mas, ao tentarmos ser solucionadores de problemas, ficamos frustrados quando as pessoas não aceitam nossos brilhantes conselhos. O desejo de salvar os outros é movido pelo ego. Não deixe suas próprias necessidades moldarem sua reação. Em *A ética dos pais*, uma compilação de ensinamentos e máximas da tradição rabínica judaica, há o seguinte conselho: "Não conte os dentes na boca de outra pessoa."[9] Da mesma forma, não tente solucionar um problema a não ser que você tenha as competências necessárias. Pense no seu amigo como alguém que está se afogando. Se você for um excelente nadador com formação de salva-vidas, então possui a força e os recursos necessários para ajudar um banhista em apuros. Da mesma forma, se tiver tempo e espaço mental para ajudar outra pessoa, vá em frente. Mas, se você for um nadador apenas mediano e tentar salvar alguém que está se afogando, é provável que a pessoa o leve a afundar com ela. Em vez de tentar ajudar, você deve chamar o salva-vidas. Da mesma forma, se não tiver a energia ou a experiência necessárias para ajudar um amigo, você pode lhe apresentar pessoas ou ideias que talvez o ajudem. Talvez o salvador dele seja outra pessoa.

REVERTENDO A NEGATIVIDADE INTERIOR

Trabalhar de fora para dentro é o modo natural de eliminar o que está atravancado. Quando reconhecemos as negatividades externas e começamos a neutralizá-las, nos tornamos mais capazes de ver nossas próprias tendências negativas e começar a revertê-las.

Às vezes negamos a responsabilidade pela negatividade que nós mesmos jogamos para o mundo, porém nem sempre ela vem dos outros e nem sempre é dita em voz alta. Inveja, reclamações, raiva – é mais fácil culpar quem está à nossa volta pela cultura da negatividade, mas purificar nossos pensamentos vai nos proteger da influência alheia.

No *ashram*, nossas aspirações por pureza eram tão altas que a nossa "competição" acontecia na forma de renúncia ("Eu como menos do que aquele monge"; "Meditei por mais tempo do que todo mundo"). Mas um monge precisa rir de si mesmo se o último pensamento que tiver ao final da meditação for: "Olhem para mim! Eu aguentei mais do que todo mundo!" Se foi a esse lugar que ele chegou, de que adiantou ter meditado? Em *The Monastic Way* (O caminho monástico), uma coletânea de citações organizada por Hannah Ward e Jennifer Wild, a irmã Christine Vladimiroff diz: "[Num mosteiro] a única competição permitida é superar os outros em demonstrações de amor e respeito."[10]

Competição gera inveja.[11] No *Mahabharata*, um guerreiro malvado inveja outro guerreiro e quer que ele perca tudo o que tem. O guerreiro malvado esconde dentro da roupa um carvão em brasa que planeja jogar no alvo de sua inveja. Mas o que acontece é que a brasa pega fogo e quem se queima é ele mesmo. A inveja o transforma em seu próprio inimigo.

A traiçoeira prima da inveja é o que se chama *Schadenfreude*, que significa ter prazer com o sofrimento alheio. Quando nos alegramos com o fracasso alheio, estamos construindo nossa casa e nosso orgulho sobre as bases pedregosas da imperfeição ou do infortúnio dos outros. Esse não é um terreno firme. Na verdade, quando nos pegamos julgando outra pessoa, deveríamos tomar nota. Isso é um sinal de que nossa mente está nos enganando para pensarmos que estamos progredindo quando, na verdade, estamos empacados. Se eu tiver vendido mais maçãs hoje do que você vendeu ontem, mas você tiver vendido mais hoje, isso não diz nada sobre eu estar melhorando como vendedor de maçãs. **Quanto mais nos definimos em relação às pessoas ao nosso redor, mais perdidos estamos.**

Talvez nunca nos livremos por completo da inveja, do ciúme, da ganância, da luxúria, da raiva, do orgulho e da ilusão, mas isso não significa que devemos parar de tentar. Em sânscrito, a palavra *anartha* em geral significa "coisas não desejadas", e praticar *anartha-nivritti* é remover o que é indesejado. Nós pensamos que liberdade significa podermos dizer o que quisermos. Pensamos que liberdade significa podermos ir atrás de todos os nossos desejos. A verdadeira liberdade é nos desapegarmos das coisas não desejadas, dos desejos não refletidos que nos conduzem a fins não desejados.

Desapegar-nos não significa eliminar completamente os pensamentos, sentimentos e ideias negativos – que, na verdade, sempre vão surgir. A diferença está no que fazemos com eles. O cachorro do vizinho latindo é uma chateação. Ele sempre vai interromper você. A questão é como você conduz sua reação. O segredo da verdadeira liberdade é a autoconsciência.

Na avaliação que você fizer da sua própria negatividade, lembre sempre que mesmo as pequenas ações têm consequências. Quando nos tornamos mais conscientes da negatividade alheia e dizemos "ela vive reclamando", nós estamos sendo negativos. No *ashram*, sempre dormíamos debaixo de mosquiteiros. Todas as noites, fechávamos nossos mosquiteiros e usávamos lanternas para confirmar que não havia nenhum mosquito do lado de dentro. Certa manhã, quando acordei, descobri que um único mosquito tinha ficado dentro da tela e que eu tinha levado pelo menos dez picadas. Isso me lembrou algo que o Dalai Lama falou: "Se você acha que é pequeno demais para fazer diferença, tente dormir com um mosquito." Pensamentos e palavras mesquinhos e negativos são como mosquitos: até mesmo os menores deles podem nos roubar a paz.

Note, pare, mude

A maioria de nós não percebe os próprios pensamentos negativos mais do que eu percebi aquele único mosquito. Para purificar nossos pensamentos, os monges falam sobre o processo de consciência, abordagem e correção, que chamo de "notar, parar, mudar". Primeiro tomamos consciência de um sentimento ou uma questão – nós o *notamos*. Em seguida nos detemos para abordar o que é esse sentimento e ver de onde ele vem – *paramos* para refletir a respeito. Por fim, consertamos nosso comportamento – nós o *mudamos*, substituindo-o por uma nova forma de processar o momento presente. **NOTE, PARE, MUDE.**

NOTE
PARE
MUDE

NOTE UM SENTIMENTO OU UMA QUESTÃO
PARE paRa ENTENdER do que se TRATA
MUDE PARA UM NOVO JEITO de PROCESSAR

Notar

Tornar-se consciente da negatividade significa aprender a notar os impulsos tóxicos à sua volta. Para nos ajudar a enfrentar nossa própria negatividade, nossos professores monges nos diziam para tentarmos não reclamar, comparar nem criticar durante uma semana, e contar quantas vezes não conseguíamos. O objetivo era ver essa contagem diária diminuir. Quanto mais conscientes nos tornamos dessas tendências, mais facilmente nos libertamos delas.

Listar seus pensamentos e comentários negativos vai ajudar você a entender de onde eles vêm. Você está julgando a aparência de um amigo e sendo igualmente duro com sua própria aparência? Está resmungando sobre o trabalho sem refletir sobre a sua própria contribuição? Está falando sobre a doença de um amigo para chamar atenção para a sua própria compaixão ou na esperança de obter apoio para esse amigo?

> **EXPERIMENTE ISTO: AVALIE SEUS COMENTÁRIOS NEGATIVOS**
> Faça uma lista de todos os comentários negativos que você fizer ao longo de uma semana. Veja se consegue diminuir seu número diário. O objetivo é chegar a zero.

Às vezes, em vez de reagir negativamente ao que é, nós antecipamos negativamente o que pode vir a ser. Isso é desconfiança. Existe uma parábola sobre um rei mau que foi encontrar um rei bom. Ao ser convidado a ficar para jantar, o rei mau pediu que o seu prato fosse trocado com o do rei bom. Quando o rei bom perguntou por quê, o rei mau respondeu: "Você pode ter envenenado esta comida."

O rei bom riu.

Isso deixou o rei mau ainda mais nervoso, e ele tornou a trocar os pratos, pensando que poderia ter sido enganado duas vezes. O rei bom apenas balançou a cabeça e comeu um bocado da comida à sua frente. O rei mau não comeu nessa noite.

Aquilo que julgamos, invejamos ou suspeitamos em outra pessoa pode nos guiar na direção da escuridão que temos dentro de nós mesmos. O rei mau projeta a própria desonra no rei bom. Da mesma forma, nossa inveja, impaciência ou desconfiança em relação ao outro nos diz algo sobre nós mesmos. Desconfianças e projeções negativas refletem nossas próprias inseguranças e ficam no nosso caminho. Se você acreditar que seu chefe está contra você, isso poderá afetá-lo do ponto de vista emocional – você poderá ficar desanimado a ponto de não executar bem seu trabalho – ou prático – você não pedirá o aumento que merece. Seja como for, assim como o rei mau, quem vai passar fome é você!

Parar

Quando você entende melhor as raízes da sua negatividade, o passo seguinte é abordá-la. Ao silenciar sua negatividade, você cria espaço para pensamentos e ações que contribuem para sua vida em vez de prejudicá-la. Comece com a sua respiração. Quando estamos estressados, nós prendemos a respiração ou contraímos o maxilar. Ficamos curvados ou então tensionamos os ombros. Ao longo do dia, observe sua postura física. Seu maxilar está contraído? Seu cenho está franzido? Esses são sinais de que precisamos nos lembrar de respirar e de relaxar física e emocionalmente.

A *Bhagavad Gita* fala sobre a austeridade do discurso e diz que só devemos enunciar palavras que sejam verdadeiras, benéficas para todos, agradáveis e que não perturbem a mente alheia. A *Vaca Sutta*, que é parte das primeiras escrituras budistas, dá um conselho parecido e define uma afirmação justa como aquela que é "dita no momento certo. Dita com verdade. Dita de maneira afetuosa. Dita de maneira benéfica. Dita com boa intenção".[12]

Lembre-se: dizer tudo que queremos, quando queremos e da maneira que queremos não é liberdade. A verdadeira liberdade é não sentir necessidade de dizer essas coisas.

Ao limitarmos nossas palavras negativas, talvez constatemos que temos bem menos a dizer. Quem sabe até possamos nos sentir inibidos. Ninguém adora um silêncio constrangedor, mas ele vale a pena se nos libertar da negatividade. Criticar a ética profissional de outra pessoa não faz você trabalhar mais duro. Comparar seu casamento com o de outro não torna seu casamento melhor – a menos que você faça isso de modo refletido e produtivo. O julgamento cria a ilusão de que, se você está vendo bem o suficiente para julgar, então deve ser melhor; se outra pessoa está fracassando, então você deve estar avançando. Na verdade, o que nos faz avançar são observações cuidadosas e refletidas.

Parar não significa apenas evitar o instinto negativo. Aproxime-se dele. O agente comunitário australiano Neil Barringham falou: "A grama é mais verde onde você a rega." Perceba o que está despertando sua negatividade do lado de lá da cerca. Seu "amigo" parece ter mais tempo, um emprego melhor, uma vida social mais ativa? Porque, no terceiro passo, ao mudar, você vai querer procurar sementes dessa mesma coisa do seu lado da cerca e cultivá-las. Por exemplo: pegue a inveja que você sente da agitação social da vida de outra pessoa e encontre nela a inspiração para dar uma festa, para retomar contato com velhos amigos ou organizar um encontro depois do trabalho. É importante buscar nosso significado não em pensar que os outros estão melhor que nós, mas em ser a pessoa que queremos ser.

Mudar

Depois de notar e parar a negatividade no seu coração, na sua mente e na sua fala, você pode começar a corrigi-la. A maioria de nós, monges, não conseguia evitar completamente as reclamações, comparações e críticas – e você tampouco deve ter a expectativa de que se livrará por completo desse hábito –, mas pesquisadores descobriram que pessoas felizes tendem a reclamar... veja só... de modo consciente. Enquanto soltar reclamações de modo impensado torna o seu dia pior, já foi demonstrado que escrever um diário sobre os acontecimentos incômodos e prestar atenção em seus pensamentos e emoções pode promover crescimento e cura não apenas mental, mas também física.[13]

Nós podemos tomar consciência da nossa negatividade sendo específicos. Quando alguém pergunta como estamos, em geral respondemos "bem", "tudo bem", "legal" ou "mal". Respondemos assim porque sabemos que não esperam de nós uma resposta verdadeira e detalhada, e tendemos a ser igualmente vagos quando reclamamos. Podemos dizer que estamos zangados ou tristes quando, na verdade, estamos ofendidos ou decepcionados. Seremos capazes de administrar melhor nossos sentimentos se escolhermos com cuidado as nossas palavras. No lugar de zangados, tristes, ansiosos, magoados, constrangidos e felizes, a *Harvard Business Review* lista nove palavras mais específicas que podemos usar para cada uma dessas emoções.[14] Em vez de dizer que estamos zangados, talvez seja melhor falar que estamos contrariados, reativos ou amargurados. Os monges são considerados calados porque recebem treinamento para escolher as próprias palavras com tanto cuidado que isso leva algum tempo. Nós escolhemos bem as palavras e as usamos com propósito.

Perde-se muita coisa com a má comunicação. Por exemplo, em vez de reclamar com um amigo – que não pode fazer nada a respeito – que o seu parceiro sempre chega tarde em casa, comunique-se de modo direto e consciente com seu parceiro. Você pode dizer: "Eu sei que você trabalha muito e precisa conciliar muitas coisas. Quando chega em casa mais tarde do que o combinado, isso me leva à loucura. Você me ajudaria mandando uma mensagem de texto assim que souber que vai se atrasar." Quando as nossas reclamações são compreendidas – por nós mesmos e pelos outros – elas podem ser mais produtivas.

Além de tornar nossa negatividade mais produtiva, podemos também mudá-la deliberadamente, transformando-a em positividade. Um modo de fazer isso, como já mencionei, é usar nossa negatividade – por exemplo, a inveja – para nos guiar na direção daquilo que queremos. Podemos também substituí-la por outros sentimentos. Em português, temos as palavras "empatia" e "compaixão" para expressar nossa capacidade de sentir a dor do outro, mas não temos uma palavra para a experiência da alegria alheia – a alegria que sentimos pelo outro. Talvez isso seja um sinal de que precisamos trabalhar melhor isso. *Mudita* **é o princípio de alegrar-se de modo empático e altruísta com a felicidade alheia.**

Se eu só me alegro com meu próprio sucesso, estou limitando minha alegria. Mas se consigo ter prazer com o sucesso de meus amigos e parentes – de dez, vinte, cinquenta pessoas! – consigo ter cinquenta vezes mais felicidade e contentamento. Quem não quer isso?

O mundo material nos convenceu de que só existe um número restrito de universidades onde vale a pena estudar, um número limitado de bons empregos disponíveis e um número limitado de pessoas que deram sorte. Num mundo assim tão finito, existe uma quantidade limitada de sucesso e felicidade para ser distribuída, e sempre que outras pessoas os vivenciam, suas chances de fazê-lo diminuem. Mas os monges acreditam que, em se tratando de felicidade e contentamento, sempre existe um lugar marcado com o seu nome. Em outras palavras, você não precisa temer que alguém vá tomar seu lugar. No teatro da felicidade não existem limites. Todo mundo que quiser participar de *mudita* pode assistir ao espetáculo. Como os lugares são ilimitados, não há risco de perder o show.

> **EXPERIMENTE ISTO: REVERTA A INVEJA**
>
> Faça uma lista de cinco pessoas de quem você gosta, mas em relação às quais também se sente competitivo. Liste pelo menos um motivo que faz você sentir inveja de cada uma: algo que elas conquistaram, algo que sabem fazer melhor, algo que correu bem para elas. Essa conquista delas tirou alguma coisa de você? Agora pense em como isso beneficiou o seu amigo. Visualize tudo de bom que aconteceu com ele graças a essa conquista. Você iria querer tirar alguma dessas coisas dele se pudesse, mesmo sabendo que elas não viriam para você? Se a resposta for sim, essa inveja está privando você do contentamento. A inveja que você sente é mais destrutiva para você do que a conquista do seu amigo, seja ela qual for. Dedique sua energia a transformá-la.

Radhanath Swami é meu professor espiritual e autor de vários livros, entre eles *The Journey Home* (A viagem para casa).[15] Perguntei a ele como permanecer tranquilo e ser uma força positiva num mundo onde existe tanta negatividade. Ele respondeu: "A toxicidade está à nossa volta. No meio ambiente, no clima político, mas a sua origem está no coração das pessoas. Se não limparmos a ecologia do nosso coração e inspirarmos os outros a fazerem o mesmo, seremos um instrumento da poluição do meio ambiente. Mas, se criarmos pureza em nosso próprio coração, podemos contribuir com mais pureza para o mundo à nossa volta."

KṢAMĀ: TRANSFORMANDO A RAIVA

Nós já falamos sobre estratégias para administrar e minimizar a negatividade cotidiana na sua vida. Porém, incômodos como reclamações, comparações e fofocas podem parecer administráveis em face de emoções negativas maiores, como a dor e a raiva. Todos nós nutrimos alguma forma de raiva: raiva do passado ou raiva de pessoas que ainda têm um papel importante na nossa vida. Raiva da falta de sorte. Raiva dos vivos e dos mortos. Raiva voltada para dentro.

Quando estamos profundamente feridos, a raiva com frequência faz parte da reação. A raiva é uma grande bola flamejante de emoção negativa, e quando não conseguimos nos desapegar dela, por mais que tentemos, a raiva adquire vida própria. O custo disso é imenso. Quero falar especificamente sobre como lidar com a raiva que sentimos dos outros.

Kṣamā, em sânscrito, significa perdão. A palavra sugere que você exerça paciência e tolerância em suas interações com os outros. Às vezes nós fomos feridos tão profundamente que não podemos imaginar como vamos perdoar a pessoa que nos machucou. No entanto, ao contrário do que a maioria de nós acredita, o perdão é, em primeiro lugar, uma ação que realizamos dentro de nós mesmos. Às vezes é melhor (e mais seguro e saudável) não ter nenhum contato direto com a pessoa; outras vezes a pessoa que nos feriu não está mais aqui para ser perdoada diretamente. Mas esses fatores não impedem o perdão, porque ele é primordialmente interior. Ele liberta você da raiva.

Um de meus clientes me disse: "Eu tive que voltar à minha infância para identificar o motivo de me sentir mal-amado e desvalorizado. Quem estabeleceu as bases desse sentimento foi minha avó paterna.

Percebi que ela me tratava de um jeito diferente porque não gostava da minha mãe. [Tive que] perdoá-la, muito embora ela já tenha falecido. Percebi que eu sempre tivera valor e fora digno de amor. Quem tinha problemas era ela, não eu."

A *Bhagavad Gita* descreve três *gunas*, ou modos de viver: *tamas*, *rajas* e *sattva*, que representam "ignorância", "impulsividade" e "bondade".[16] Eu descobri que esses três modos podem ser aplicados a qualquer atividade. Por exemplo, quando você se distancia de um conflito e busca a compreensão, é muito útil tentar passar de *rajas* – impulsividade e paixão – para *sattva* – bondade, positividade e paz. Esses modos constituem a base da minha abordagem do perdão.

PERDÃO TRANSFORMADOR

Antes de encontrarmos o caminho do perdão, ficamos empacados na raiva. Podemos até querer vingança para revidar a dor que uma pessoa nos infligiu. Olho por olho. A vingança é o modo da ignorância – diz-se com frequência que não é possível consertar a si mesmo quebrando outra pessoa. Os monges não baseiam suas escolhas e seus sentimentos no comportamento alheio. Você acredita que a vingança fará com que se sinta melhor depois de ver como a outra pessoa vai reagir. Mas quando você realiza o que planejava como vingança e a outra pessoa não tem a reação que você esperava... Adivinhe só? *Você* apenas sente mais dor. A vingança sai pela culatra.

Quando você se eleva acima da vingança, pode iniciar o processo de perdão. As pessoas tendem a pensar de modo binário: ou você perdoa alguém ou então não perdoa. Mas (como vou sugerir mais de uma vez neste livro) frequentemente existem vários níveis que nos dão espaço para estar onde estamos, para avançar no nosso próprio tempo e para ir só até onde pudermos. Na escala do perdão, o nível mais baixo (embora seja mais alto do que a vingança) é *zero perdão*. "Aconteça o que acontecer, eu não vou perdoar essa pessoa.

Não quero magoá-la, mas nunca vou perdoá-la." Nesse nível, ainda estamos presos à raiva e não há resolução. Como você pode imaginar, é um lugar desconfortável para se estar.

PERDÃO TRANSFORMADOR

ZERO	CONDICIONAL	TRANSFORMADOR	INCONDICIONAL
EU **NÃO** PERDOO VOCÊ, ACONTEÇA O QUE ACONTECER!	SE (E SÓ SE) ELES PEDIREM DESCULPAS, EU PERDOAREI	EU PERDOO VOCÊ E NÃO ESPERO NADA EM TROCA	EU PERDOO VOCÊ INDEPENDENTEMENTE DO QUE VOCÊ FEZ
RAIVA	TRANSAÇIONAL	BONDADE	SANTIDADE

O nível seguinte é o *perdão condicional*. Se a pessoa pedir desculpas, então eu também pedirei. Se ela prometer nunca mais fazer o que fez, eu a perdoarei. Esse perdão por meio de uma transação vem do modo da impulsividade – é movido pela necessidade de alimentar suas próprias emoções. Pesquisas do Luther College mostram que perdoar parece mais fácil quando recebemos (ou pedimos) desculpas, mas eu não quero que nos concentremos no perdão condicional.[17] Quero que você vá um passo além.

O nível seguinte é o chamado *perdão transformador*. Esse é o perdão no modo da bondade. No perdão transformador, nós encontramos a força e a calma para perdoar sem esperar um pedido de desculpas nem qualquer outra coisa em troca.

Existe um nível mais alto na escala do perdão: o *perdão incondicional*. Esse é o nível de perdão que um pai ou uma mãe muitas vezes sente por um filho. Independentemente do que esse filho faça ou seja capaz de fazer, o pai ou mãe já o perdoou. A boa notícia é que não estou sugerindo que esse seja o seu objetivo. O que eu quero é que você alcance o nível do perdão transformador.

PAZ DE ESPÍRITO

Já foi demonstrado que o perdão traz paz de espírito. O perdão, na verdade, conserva energia. O perdão transformador está ligado a uma série de benefícios à saúde, entre os quais menos remédios, melhor qualidade de sono e menos sintomas somáticos, como dor nas costas, dor de cabeça, náuseas e cansaço.[18] O perdão alivia o estresse porque nós não ficamos reciclando os pensamentos raivosos, tanto conscientes quanto subconscientes, que eram justamente a causa do estresse.

Na realidade, a ciência mostra que, nos relacionamentos próximos, há menos tensão emocional entre os parceiros se eles são capazes de perdoar um ao outro e que isso promove o bem-estar físico. Num estudo publicado numa edição de 2011 do periódico *Personal Relationships*, 68 casais concordaram em ter uma conversa de oito minutos sobre um incidente recente no qual um dos cônjuges tivesse "desrespeitado as regras" do casamento.[19] Os casais então, separadamente, assistiam a reprises da conversa e os pesquisadores mediam sua pressão arterial. Nos casais em que a "vítima" fora capaz de perdoar seu cônjuge, a pressão arterial de *ambos* diminuiu. Isso mostra que o perdão é bom para todo mundo.

Tanto dar quanto receber perdão traz benefícios à saúde. Quando tornamos o perdão parte de nossa prática espiritual, começamos a reparar que todos os nossos relacionamentos florescem. Nós paramos de guardar mágoas e temos menos dramas para administrar.

EXPERIMENTE ISTO: **PEDIR E RECEBER PERDÃO**

Neste exercício, nós tentamos desatar o nó de dor ou raiva criado por algum conflito. Ainda que não seja um relacionamento que você queira salvar ou tenha a opção de reconstruir, este exercício vai ajudá-lo a se desapegar da raiva e ficar em paz.

Antes de começar, visualize-se no lugar da outra pessoa. Reconheça a dor que ela sente e compreenda que é por isso que ela está lhe causando dor. Então escreva uma carta de perdão.

1. Enumere todas as maneiras como acha que a pessoa agiu mal com você. Perdoar alguém de forma sincera e específica ajuda muito a curar o relacionamento. Inicie cada item da lista com "Eu perdoo você por...". Continue até pôr tudo para fora. Como você não vai mandar essa carta, pode se repetir caso a mesma coisa lhe venha à mente várias vezes. Escreva tudo que quis dizer, mas nunca teve oportunidade. Você não precisa sentir perdão. Ainda não. Quando escreve essas coisas, o que faz é começar a entender a dor de maneira mais específica para poder aos poucos desapegar-se dela.
2. Reconheça suas próprias limitações. Qual foi seu papel, se é que houve algum, na situação ou no conflito? Liste os modos como você acha que agiu mal, e comece cada item da lista com a expressão "Por favor, me perdoe por...". Lembre-se de que você não pode mudar o passado, mas assumir a responsabilidade pelo seu papel vai ajudá-lo a entender e desapegar-se da sua raiva em relação a você mesmo e à outra pessoa.
3. Quando terminar essa carta, grave-se lendo-a em voz alta (a maioria dos smartphones faz isso). Escute a gravação, colocando-se no lugar do observador objetivo. Lembre-se de que a dor que lhe foi infligida não é sua. É a dor do outro. Quando você espreme uma laranja, o que sai é suco de laranja. Quando você espreme alguém cheio de dor, o que sai é dor. Em vez de absorvê-la ou devolvê-la, quando você perdoa você ajuda a dissipá-la.

O PERDÃO É UMA VIA DE MÃO DUPLA

O perdão precisa fluir nos dois sentidos. Nenhum de nós é perfeito e, embora haja situações nas quais você não tem culpa, existem também ocasiões em que há deslizes em ambos os lados de um conflito. Quando você causa dor e outros lhe causam dor, é como se os corações de vocês fossem torcidos juntos até formar um nó desconfortável. Quando perdoamos, começamos a separar nossa dor da dor do outro e a nos curar emocionalmente. Mas, quando pedimos perdão ao mesmo tempo, nós desatamos o nó juntos. Isso é um pouco mais difícil, pois nos sentimos bem mais à vontade encontrando erros nos outros e depois os perdoando. Não estamos acostumados a admitir nossos erros e a assumir a responsabilidade por aquilo que criamos na nossa vida.

PERDOANDO A NÓS MESMOS

Às vezes, se sentimos vergonha ou culpa pelo que fizemos no passado, é porque nossas ações não refletem mais nossos valores. Quando olhamos para quem éramos antes, não conseguimos mais entender as decisões daquela pessoa. Isso, na verdade, é uma boa notícia – o motivo pelo qual nosso passado nos causa dor é que nós evoluímos. Fizemos o melhor que podíamos na ocasião, mas agora podemos fazer ainda mais. O que poderia ser melhor do que seguir em frente? Isso já é uma vitória. Nós já estamos ganhando.

> **EXPERIMENTE ISTO: PERDOE A SI MESMO**
>
> O exercício anterior também pode ser usado para perdoar a si mesmo. Começando cada linha com "Eu me perdoo por...", faça uma lista dos motivos pelos quais você sente raiva ou decepção em relação a si mesmo. Em seguida leia a carta em voz alta ou grave-a e escute-a. Assuma o papel de observador objetivo e demonstre compreensão por si mesmo, desapegando-se da dor.

Quando nos conformamos com o fato de que não podemos mudar o passado, começamos a aceitar nossos próprios erros e imperfeições e perdoamos a nós mesmos – e, ao fazer isso, nos abrimos para a cura emocional pela qual todos nós ansiamos.

ELEVAR

O ápice do perdão, o verdadeiro *sattva*, é desejar o bem da pessoa que lhe causou dor.

"Eu me tornei budista porque detestava meu marido."[20] Isso não é algo que se ouve todos os dias, mas a monja budista e autora de *Quando tudo se desfaz*, Pema Chödrön, que está só meio que brincando. Depois de se divorciar, ela entrou numa espiral de negatividade na qual vivia tendo fantasias de vingança por causa do caso que o marido tinha tido. Um dia, ela topou com os escritos de Chögyam Trungpa Rinpoche, um mestre de meditação e fundador da Universidade de Naropa em Boulder, no Colorado. Ao ler sua obra, ela se deu conta de que o seu relacionamento com o marido tinha se transformado numa célula maligna: em vez de irem morrendo, sua raiva e sua culpa estavam fazendo a negatividade da ruptura se espalhar. Quando Chödrön se permitiu "tornar-se mais como um rio do que como uma pedra", ela foi capaz de perdoar o marido e seguir em frente. Hoje, refere-se ao ex-marido como um de seus maiores professores.

Se quiser que sua negatividade em relação a outra pessoa se dissipe, você precisa torcer para ambos se curarem. Não precisa dizer isso diretamente à pessoa, mas libere no ar a energia dos desejos positivos. É nessa hora que você vai se sentir mais livre e mais em paz – porque assim será verdadeiramente capaz de desapegar-se.

A negatividade é uma parte natural da vida. Nós fazemos piadas e provocações, expressamos vulnerabilidade e nos conectamos graças a valores e temores em comum. É difícil encontrar uma comédia que não seja baseada em observações negativas. No entanto, existe uma diferença entre a negatividade que nos ajuda a navegar pela vida e a negatividade que joga mais dor no mundo. Você pode falar sobre os problemas que o filho de alguém está tendo com drogas porque tem medo que isso aconteça na sua família e está tentando evitar. Mas você também pode fofocar sobre a mesma questão para julgar a outra família e se sentir melhor em relação à sua. Ellen DeGeneres vê essa diferença com clareza: numa entrevista para a revista *Parade*, ela disse que não acha engraçado fazer piada com os outros.[21] "O mundo está repleto de negatividade. Eu quero que as pessoas me assistam e pensem: 'Estou me sentindo bem, e vou fazer outra pessoa se sentir bem hoje.'" É esse o espírito com o qual os monges se divertem: nós somos brincalhões e temos o riso fácil. Quando novos monges chegavam, eles muitas vezes se levavam muito a sério (eu sei que *eu* me levava), e os mais velhos diziam, com um brilho bem-humorado nos olhos: "Calma, não gaste toda sua energia no primeiro dia." Sempre que o sacerdote trazia o alimento mais especial e sagrado – mais doce e mais saboroso do que a comida simples que em geral comíamos – os monges mais novos brincavam de disputar quem chegava primeiro. E se alguém pegava no sono e roncava durante a meditação, todos nós nos entreolhávamos, nem sequer tentando esconder nossa distração.

Não precisamos reduzir nossos pensamentos e palavras a 100% de luz solar e positividade. Mas deveríamos nos desafiar a ir até a raiz da nossa negatividade, a entender suas origens dentro de nós e daqueles que nos cercam e a ser conscientes e cuidadosos em relação a como administrar a energia que ela absorve. É pelo reconhecimento e pelo perdão que começamos a nos desapegar. Nós notamos, paramos e mudamos – observamos, refletimos e desenvolvemos novos comportamentos para substituir a negatividade na nossa vida, esforçando-nos sempre para alcançar a autodisciplina e o contentamento. Quando você deixa de sentir tanta curiosidade em relação aos infortúnios alheios e passa a sentir prazer com o sucesso dos outros, é sinal de que está se curando.

Quanto menos tempo você passa fixado nos outros, mais tempo tem para se concentrar em si mesmo.

Como vimos, a negatividade muitas vezes nasce do medo. A seguir vamos explorar o medo em si, como ele nos atrapalha e como podemos torná-lo uma parte produtiva da vida.

3
MEDO

Bem-vindo ao Hotel Planeta Terra

O medo não impede a morte. Ele impede a vida.
— Buda

A batalha épica do Mahabharata *está prestes a começar. A expectativa é palpável no ar: milhares de guerreiros tocam o cabo da espada enquanto seus cavalos bufam e batem os cascos no chão. Mas nosso herói Arjuna está apavorado. Ele tem parentes e amigos em ambos os lados dessa batalha, e muitos deles estão prestes a morrer. Arjuna, um dos melhores guerreiros da terra, larga seu arco.*

A *Bhagavad Gita* começa num campo de batalha com o medo de um guerreiro. Arjuna é o arqueiro mais talentoso do reino, mas o medo o levou a perder totalmente o contato com suas capacidades. O mesmo acontece com todos nós. Temos muito a oferecer ao mundo, mas o medo e a ansiedade nos desconectam de nossas competências. Isso acontece porque, quando éramos pequenos, fomos ensinados direta ou indiretamente que o medo é algo negativo. "Não tenha medo", diziam nossos pais. "Medroso! Medroso!", zombavam nossos amigos. O medo era uma reação constrangedora e humilhante, que devia ser ignorada ou escondida. Mas o medo tem outro lado, ao qual Tom Hanks aludiu durante seu discurso inaugural na Universidade Yale: "O medo vai trazer à tona o que há de pior nos melhores entre nós."[1]

A verdade é que nunca viveremos totalmente sem medo e ansiedade. Nunca seremos capazes de consertar o contexto econômico, social e político de modo tão completo a ponto de eliminar conflitos e incertezas, para não falar nos desafios interpessoais que enfrentamos todos os dias. E tudo bem, porque o medo não é ruim; ele é apenas um alerta, sua mente dizendo: "Isso não está cheirando bem! Algo pode dar errado!" O importante é o que fazemos com esse alerta. Podemos usar nosso medo dos efeitos das mudanças climáticas para nos motivar a desenvolver soluções ou então podemos permitir que ele nos domine e acabe com nossas esperanças – nos levando a não fazer nada. Às vezes o medo é um alerta fundamental para nos ajudar a sobreviver a um perigo real, mas quase sempre o que sentimos é ansiedade em relação a preocupações cotidianas com dinheiro, trabalho e relacionamentos. Deixamos a ansiedade – o medo cotidiano – nos impedir de avançar, pois ela bloqueia o contato com nossos verdadeiros sentimentos. Quanto mais nos agarramos aos medos, mais eles fermentam, até por fim se tornarem tóxicos.

Estou sentado de pernas cruzadas no chão de um subsolo frio no mosteiro, junto a uns vinte monges. Faz apenas dois meses que estou no ashram. *Gauranga Das acaba de falar sobre a cena da* Gita *em que o herói Arjuna é dominado pelo medo. Na realidade, o medo de Arjuna o paralisa, em vez de levá-lo a partir direto para a batalha. Ele está arrasado com o fato de que tantas pessoas que ama irão morrer nesse dia. O medo e a angústia o levam a questionar pela primeira vez suas ações. Fazer isso o conduz a uma longa conversa sobre princípios, espiritualidade e sobre como a vida funciona segundo Krishna, que é o condutor do seu carro de guerra.*

Ao concluir sua fala, Gauranga Das nos pede que fechemos os olhos e então nos conduz a reviver algum medo do passado: não apenas a imaginá--lo, mas a senti-lo em nosso corpo, com todas as imagens, sons e cheiros dessa experiência. Ele nos diz que não devemos escolher algo sem importância, como o primeiro dia de aula ou aprender a nadar (a menos que essas experiências tenham sido verdadeiramente aterrorizantes), mas algo importante. Ele quer que desnudemos, aceitemos e criemos uma nova relação com nossos medos mais profundos.

Nós começamos brincando; alguém faz piada com minha reação exagerada a uma pele de cobra que vi durante uma de nossas caminhadas. Gauranga Das reconhece nossas palhaçadas com um meneio de cabeça. "Se vocês quiserem fazer essa atividade direito, precisam ir além da parte da sua mente que está fazendo graça com o assunto", diz ele. "Isso é um mecanismo de defesa que impede vocês de realmente lidarem com a questão, e é isso que nós fazemos com o medo. Nós nos distraímos dele", conclui. "Vocês precisam ir além disso." Os risos vão se calando, e eu quase posso sentir as costas de todos se endireitarem ao mesmo tempo que as minhas.

Fecho os olhos e minha mente se aquieta, mas ainda assim não espero grande coisa. Eu não tenho medo de nada. Não de verdade, *penso. Então, à medida que mergulho cada vez mais fundo na meditação, indo além do ruído e do falatório da minha mente, pergunto a mim mesmo:* Do que eu tenho medo de verdade? *Vislumbres de verdade começam a aparecer. Vejo meu medo das provas quando criança. Eu sei: isso com certeza soa banal. Ninguém gosta de provas, certo? Mas as provas eram uma das coisas que mais me causavam ansiedade quando eu era pequeno. Sentado em meditação, permito-me explorar o que havia por trás desse medo.* Do que eu tenho medo de verdade?, *torno a me perguntar. Aos poucos, reconheço que meu medo tinha a ver com o que meus pais e amigos iriam pensar das minhas notas, e consequentemente de mim. Com o que minha família iria dizer, e com o modo como eu seria comparado a meus primos e a praticamente todo mundo à minha volta. Eu não só vejo esse medo na minha imaginação, mas o sinto no meu corpo: o aperto no peito, a tensão no maxilar, como se estivesse de volta àquele momento.* Do que eu tenho medo de verdade? *Então começo a entrar no medo que sentia quando tinha feito besteira na escola. Eu ficava com muito medo de ser suspenso ou expulso. Como meus pais reagiriam? O que meus professores pensariam? Convido-me a ir ainda mais fundo.* Do que eu tenho medo de verdade? *Vejo esse medo ao redor dos meus pais: medo de eles não se darem bem e de eu, muito jovem, tentar mediar seu casamento. De pensar: "Como posso agradar os dois? Como posso administrá-los e garantir que eles sejam felizes?" É então que encontro a raiz do meu medo.* Do que eu tenho medo de verdade? *Eu tenho medo de não conseguir fazer meus pais felizes. Assim que alcanço essa revelação, sei que cheguei ao verdadeiro medo por trás de todos os outros. É um instante de revelação do corpo inteiro, como se eu estivesse afundando na água cada vez mais, como se a pressão estivesse aumentando no meu peito e eu estivesse cada vez mais desesperado para respirar, e ao tomar consciência disso minha cabeça tivesse irrompido à superfície e eu tivesse voltado a sorver o ar com um arquejo.*

Meia hora antes, eu tinha certeza de que não sentia medo de nada, e de repente estava revelando os medos e ansiedade mais profundos que conseguira esconder de mim mesmo durante anos. Perguntando a mim mesmo com toda a delicadeza, mas de modo insistente, do que eu tinha medo, eu me recusei a deixar minha mente se esquivar da pergunta. Nosso cérebro é especialista em nos impedir de entrar em espaços desconfortáveis. No entanto, ao repetir uma pergunta em vez de reformulá-la, nós o encurralamos. Não se trata de ser agressivo consigo mesmo: não é um interrogatório, mas uma entrevista. Você quer fazer a pergunta a si mesmo com sinceridade, não com força.

O medo que eu sentia do resultado das provas era o que eu chamo de "galho", ou ramificação. À medida que você desenvolver sua relação com o seu medo, vai precisar distinguir entre os galhos – os medos imediatos que surgem durante sua autoentrevista – e a raiz. Rastrear o medo que eu tinha dos resultados das provas e os outros medos derivados que foram surgindo me levou até a raiz: o medo de não conseguir fazer meus pais felizes.

O MEDO DO MEDO

Durante meus três anos como monge, aprendi a me desapegar do meu medo do medo. O medo de ser punido, de ser humilhado ou de fracassar – e as atitudes negativas que os acompanham – não impulsionam mais minhas mal direcionadas tentativas de autoproteção. Eu sei reconhecer as oportunidades que o medo sinaliza. O medo pode nos ajudar a identificar e abordar padrões de pensamento e comportamento que não nos fazem bem.

Nós deixamos nosso medo nos guiar, mas o verdadeiro problema não é o medo em si. Nosso verdadeiro problema é que *tememos as coisas erradas*: o que deveríamos realmente temer é perder as oportunidades que o medo proporciona. Em *Virtudes do medo*, Gavin de Becker, um dos maiores especialistas em segurança do mundo, chama o medo de "um guardião interior brilhante, sempre a postos para dar o alerta em relação aos riscos e a servir de guia nas situações arriscadas".[2] Muitas vezes nós percebemos os alertas do medo, mas ignoramos sua orientação. Se aprendermos a reconhecer o que o medo pode nos ensinar sobre nós mesmos e aquilo que valorizamos, então poderemos usá-lo como ferramenta para obter mais significado, propósito e realização em nossa vida. Podemos usar o medo para trazer à luz o que temos de melhor.

Algumas décadas atrás, cientistas fizeram uma experiência no deserto do Arizona na qual construíram a "Biosfera 2": um imenso espaço fechado de aço e vidro, com ar purificado, água limpa, solo rico em nutrientes e muita luz natural.[3] A ideia era que ele proporcionasse condições de vida ideais para a flora e a fauna que vivessem lá dentro. E, embora o experimento tenha sido bem-sucedido em alguns aspectos, num deles foi um fracasso absoluto. Repetidas vezes, quando as árvores dentro da Biosfera alcançavam uma determinada altura, elas simplesmente caíam. No início, o fenômeno intrigou os cientistas. Por fim, eles perceberam que faltava na Biosfera um elemento-chave necessário à saúde das árvores: o vento. Num meio natural, as árvores têm que enfrentar o vento. Elas reagem à pressão e à agitação desenvolvendo uma casca mais forte e raízes mais profundas para aumentar sua estabilidade.

Nós desperdiçamos muito tempo e muita energia tentando permanecer dentro da bolha confortável das Biosferas que nós mesmos criamos. Tememos os estresses e desafios da mudança, mas os estresses e desafios são o vento que nos torna mais fortes. Em 2017, Alex Honnold deixou o mundo boquiaberto ao se tornar a primeira pessoa a escalar inteiramente sem cordas o Freerider – um paredão de quase mil metros na lendária formação rochosa El Capitán, no Parque Nacional de Yosemite.[4] O inacreditável feito de Honnold foi tema do premiado documentário *Free Solo*. No filme, perguntam a Honnold como ele lida com o fato de saber que, ao escalar sem cordas, as alternativas são a perfeição ou a morte. "As pessoas falam sobre tentar reprimir seu medo", respondeu ele. "Eu tento vê-lo de outro jeito: tento expandir minha zona de conforto treinando os movimentos repetidamente. Vou trabalhando o medo até ele simplesmente deixar de ser assustador." O medo de Honnold o leva a realizar uma quantidade imensa de trabalho concentrado antes de tentar uma monumental escalada no estilo solo. Tornar seu medo produtivo é um componente fundamental do treinamento de Honnold, e foi isso que levou o escalador ao ápice da sua modalidade e ao topo das montanhas. Se conseguirmos deixar de ver o estresse e o medo que muitas vezes o acompanha como negativos, e em vez disso ver seus potenciais benefícios, estaremos no caminho certo para mudar nosso relacionamento com o medo.

A REAÇÃO AO ESTRESSE

A primeira coisa que precisamos entender em relação ao estresse é que ele não é muito bom em classificar problemas. Tive recentemente a oportunidade de testar um equipamento de realidade virtual. No mundo virtual, eu estava escalando uma montanha. Ao pisar numa borda, senti tanto medo quanto se estivesse de fato a 2.500 metros de altura. Quando seu cérebro grita "medo!", seu corpo não consegue saber se a ameaça é real ou imaginária – nem se a sua sobrevivência está em risco, ou se você está pensando nos seus impostos. Assim que esse alerta de medo dispara, nosso corpo nos prepara para lutar, fugir ou às vezes congelar. Se entramos com demasiada frequência nesse estado de medo e alerta máximo, todos os hormônios do estresse começam a nos atrapalhar, afetando nosso sistema imunológico, nosso sono e nossa capacidade de cura.

No entanto, estudos mostram que conseguir lidar bem com fatores de estresse intermitentes – como dar conta daquele projeto profissional importante ou se mudar para uma casa nova – e enfrentá-los de peito aberto, como as árvores resistindo ao vento, contribui para uma saúde *melhor* e para sentimentos mais fortes de realização e bem-estar.

Quando lida com o medo e a dificuldade, você se dá conta de que é capaz disso. E isso lhe proporciona um ponto de vista distinto: a segurança de que, quando coisas ruins acontecerem, você encontrará meios de lidar com elas. Com essa objetividade maior, você se torna mais capaz de distinguir entre o que realmente vale a pena temer e o que não vale.

Depois da meditação sobre o medo que descrevi, passei a pensar que temos quatro reações emocionais distintas diante desse sentimento: entrar em pânico, congelar, fugir ou enterrá-lo, como fiz com minha ansiedade em relação a meus pais. As duas primeiras são estratégias de curto prazo, enquanto as duas últimas são de longo prazo, mas todas elas nos distraem da situação e nos impedem de usar nosso medo de forma produtiva.

Para mudar nosso relacionamento com o medo, precisamos mudar a percepção que temos dele. Quando conseguimos ver a oportunidade que o medo oferece, podemos mudar o modo como reagimos. Um passo essencial nessa reprogramação é aprender a reconhecer nosso padrão de reação ao medo.

TRABALHE COM O MEDO

Já mencionei que os monges iniciam o processo de crescimento pela consciência. Exatamente como fazemos diante da negatividade, nós queremos externalizar nosso medo e conseguir certo distanciamento em relação a ele para podermos nos tornar observadores objetivos.

O processo de aprender a trabalhar com o medo não envolve apenas fazer alguns exercícios que resolvem tudo; envolve mudar sua atitude em relação ao medo, entender que ele tem algo a oferecer e então se comprometer a realizar o trabalho de identificá-lo e tentar sair do padrão de distração toda vez que ele aparecer. Cada uma das quatro distrações do medo – pânico, congelamento, fuga e ocultamento – é uma versão diferente de uma única ação, ou melhor, de uma única *inação*: a recusa a aceitar nosso medo. Assim, o primeiro passo para transformar nosso medo em algo positivo é fazer exatamente isso.

ACEITE O SEU MEDO

Para nos acercarmos de nosso medo, precisamos reconhecer sua presença. Como meu professor nos disse: "É preciso reconhecer sua dor." Ainda estávamos sentados, e ele nos disse para respirar fundo e dizer mentalmente para nossa dor: "Eu vejo você." Esse foi o primeiro reconhecimento da nossa relação com o medo, inspirar e repetir: "Eu vejo você, minha dor. Vejo você, meu medo", e ao expirar nós dizíamos: "Vejo você e estou aqui do seu lado. Vejo você e estou aqui para você." A dor nos leva a prestar atenção. Ou deveria. Quando dizemos "Vejo você", estamos lhe dando a atenção que ela pede. Igualzinho a um bebê que chora e quer ser ouvido e pego no colo.

Manter a respiração regular enquanto reconhecíamos nosso medo nos ajudou a acalmar nossas reações mentais e físicas na presença dele. Caminhe em direção ao seu medo. Familiarize-se com ele. Assim nós nos tornamos plenamente presentes junto ao medo. Se você acordasse com o alarme de incêndio disparando, reconheceria o que estivesse acontecendo e então sairia de casa. Mais tarde, mais calmo, você refletiria sobre como o fogo começou ou de onde ele veio. Ligaria para a seguradora. Assumiria o controle da narrativa. Isso é reconhecer e estar no momento presente com o medo.

> **EXPERIMENTE ISTO: CLASSIFIQUE SEU MEDO**
> Trace uma linha com zero numa das extremidades e dez na outra. Qual é a pior coisa que você consegue imaginar? Talvez seja uma lesão paralisante ou perder um ente querido. Classifique isso na linha como dez. Agora classifique o seu medo atual em comparação com esse. O simples fato de fazer isso nos ajuda a ter um pouco de distanciamento. Quando sentir o medo surgir, classifique-o. Como ele se compara a algo realmente assustador?

ENCONTRE PADRÕES DO MEDO

Além de aceitar nosso medo, precisamos nos tornar íntimos dele. Isso significa reconhecer as situações nas quais ele costuma aparecer. Uma pergunta importante a fazer ao seu medo (aqui também com delicadeza e sinceridade, tantas vezes quantas forem necessárias) é: "Quando eu sinto você?" Depois do meu trabalho inicial com o medo no mosteiro, continuei a identificar todos os espaços e situações nos quais meu medo surgia. Passei a ver regularmente que, quando me preocupava com minhas provas, com meus pais, com meu desempenho escolar ou com problemas disciplinares, o medo sempre me conduzia à mesma questão: como eu era percebido pelos outros. O que eles iriam pensar de mim? Meu medo-raiz influencia meu processo decisório. Essa consciência agora, toda vez que chego a um momento decisivo, me leva a olhar mais de perto e perguntar a mim mesmo: "Essa decisão foi influenciada pela forma como os outros vão me ver?" Assim posso usar minha consciência do medo como uma ferramenta para me ajudar a tomar decisões verdadeiramente alinhadas com meus valores e com meu propósito.

Às vezes nós podemos encontrar nossos medos nas ações que realizamos ou nas que relutamos em realizar. Uma de minhas clientes era uma advogada de sucesso, mas cansara de atuar na profissão e queria fazer algo novo. Ela me procurou porque estava deixando seu medo detê-la. "E se eu der o salto e não houver nada do outro lado?", perguntou. Isso me pareceu uma pergunta "galho", de modo que continuei com as perguntas: "Do que você tem medo de verdade?" Então continuei perguntando delicadamente até ela por fim suspirar e dizer: "Eu dediquei muito tempo e energia construindo essa carreira. E se estiver apenas jogando tudo fora?" Tornei a perguntar, e finalmente chegamos à raiz: ela tinha medo de fracassar e de que os outros (e ela mesma) não a considerassem uma pessoa inteligente e capaz. Ao reconhecer a verdadeira natureza do seu medo, ela estava pronta para reconfigurar o papel que ele tinha na sua vida, mas primeiro precisava desenvolver uma verdadeira intimidade com ele. Ela precisava ir ao encontro do próprio medo.

Um dos problemas que identificamos foi que ela não conhecia pessoas que pudessem lhe servir de exemplo. Todos os advogados conhecidos seus praticavam o direito em tempo integral. Ela precisava interagir com gente que tivesse conseguido ter sucesso fazendo algo parecido com o que ela queria fazer, então pedi-lhe que passasse algum tempo conhecendo melhor ex-advogados que estivessem agora exercendo novas atividades que amavam. Ao fazer isso, ela não apenas viu que aquilo com que sonhava era possível, mas também ficou encantada ao descobrir quantas dessas pessoas diziam ainda estar usando competências adquiridas no exercício do direito. No fim das contas, ela não estaria jogando fora todo o seu árduo trabalho. Também lhe pedi que pesquisasse trabalhos que ela poderia considerar fazer. Esse exercício a levou a descobrir que muitas das "competências interpessoais" que tivera de aprender para ser uma advogada de sucesso, como boa comunicação, trabalho em equipe e resolução de problemas, eram altamente requisitadas em outras áreas também. Ao desenvolver essa intimidade com seu medo – ao chegar bem perto dele e examinar o que o despertava –, ela acabou conseguindo informações que a levaram a se sentir mais empoderada e mais animada com a ideia de mudar de carreira.

Nossos padrões de distração do medo se estabelecem quando somos jovens. Como estão profundamente enraizados, descobri-los exige uma boa dose de tempo e esforço. Reconhecer nossos padrões de medo nos ajuda a remontar à sua raiz. A partir daí, podemos decifrar se existe de fato algum motivo para estarmos alarmados ou se nosso medo pode nos levar a identificar oportunidades para vivermos mais alinhados com nossos valores, nossas paixões e nosso propósito.

A CAUSA DO MEDO: APEGO.
A CURA DO MEDO: DESAPEGO

Embora estejamos nos tornando íntimos de nosso medo, queremos vê-lo como uma entidade própria, separada de nós. Quando falamos sobre nossas emoções, em geral nos identificamos com elas. Conversar com nosso medo o separa de nós e nos ajuda a entender que o medo não é algo que nos define, mas apenas algo que estamos vivenciando. Quando você encontra alguém que transmite uma vibração negativa, você sente isso, mas não pensa que essa vibração é você. Com nossas emoções é a mesma coisa: elas são algo que estamos sentindo, mas não são quem somos. Tente passar a dizer "Estou *sentindo* raiva. Estou *sentindo* tristeza. Estou *sentindo* medo." Uma mudança simples, mas profunda, pois coloca nossas emoções em seu devido lugar. Ter esse distanciamento acalma nossas reações iniciais e nos dá espaço para examinar nosso medo e a situação ao redor dele sem julgamentos.

Quando remontamos à origem de nossos medos, a maioria de nós descobre que eles estão intimamente ligados ao apego – à nossa necessidade de possuir e controlar as coisas. Nós nos apegamos a ideias que temos em relação a nós mesmos, aos bens materiais e ao padrão de vida que pensamos que nos definem aos relacionamentos que desejamos que sejam uma coisa mesmo sendo claramente outra. Isso é o modo de pensar da *mente macaco*. A *mente monge* pratica o desapego. Nós percebemos que tudo – desde nossa casa até nossa família – é emprestado.

Quando nos agarramos a coisas temporárias, isso lhes dá poder sobre nós, e elas se tornam fontes de dor e medo. Mas quando *aceitamos* a natureza temporária de tudo na nossa vida, podemos sentir gratidão pela sorte de poder pegá-las emprestadas por algum tempo. Até mesmo o mais permanente dos bens das pessoas mais ricas e poderosas na verdade não lhes pertence. Isso é igualmente verdadeiro para o restante de nós. E para muitos – na verdade, para a maioria de nós – essa impermanência causa um medo enorme. No entanto, como aprendi no *ashram*, nós podemos transformar esse medo numa sensação de liberdade sem limites.

Nossos professores distinguiam entre os medos úteis e os medos nocivos. Eles nos diziam que um medo útil nos alerta para uma situação que podemos mudar. Se o médico lhe diz que a sua saúde está ruim por causa da sua alimentação e você teme alguma limitação ou doença, esse é um medo útil, porque você pode mudar sua dieta. Quando sua saúde melhora em consequência disso, você elimina seu medo. Mas temer os seus pais morram é um medo nocivo, pois nós não podemos mudar esse fato. Nós transformamos medos nocivos em medos úteis nos concentrando naquilo que podemos controlar. Não podemos impedir que nossos pais morram, mas usamos o medo para nos lembrarmos de passar mais tempo com eles. Nas palavras de Śāntideva: "Não é possível controlar todos os acontecimentos externos; mas, se eu simplesmente controlar a minha mente, qual a necessidade de controlar outras coisas?"[5] Isto é desapego: quando você observa as suas próprias reações com distanciamento – com sua mente monge – e toma decisões a partir de uma perspectiva clara.

EXPERIMENTE ISTO: AVALIE SEUS APEGOS

Faça a si mesmo a seguinte pergunta: "O que eu tenho medo de perder?" Comece com as coisas externas: seria seu carro, sua casa, sua aparência? Escreva tudo em que conseguir pensar. Agora pense nas internas: sua reputação, seu status, a sensação de ser parte de algo. Anote isso também. Juntas, essas duas listas serão provavelmente as suas maiores fontes de sofrimento na vida – o medo de serem tiradas de você. Agora comece a pensar em mudar seu relacionamento mental com tudo isso de modo a diminuir seu apego. Lembre-se: você pode continuar amando e aproveitando plenamente seu parceiro, seus filhos, sua casa e seu dinheiro a partir de um lugar de desapego. A questão é aceitar que tudo é temporário e que na verdade não podemos possuir nem controlar nada. Assim conseguimos valorizar plenamente essas coisas e elas podem melhorar a nossa vida em vez de serem fontes de apego e medo. Existe um modo melhor de aceitar que os filhos um dia irão embora viver a própria vida e lhe telefonar uma vez por semana, se você tiver sorte?

Isso é uma prática para a vida inteira, mas, à medida que for aceitando cada vez mais o fato de que na verdade nós não possuímos nem controlamos nada, você vai se pegar realmente aproveitando e valorizando mais as pessoas, coisas e experiências, e tendo mais cuidado ao decidir quais delas incluirá na sua vida.

Existe um equívoco sobre o desapego que eu gostaria de abordar. As pessoas muitas vezes equiparam desapego a indiferença. Elas acham que ver coisas, pessoas e experiências como temporárias ou observá-las com distanciamento diminui nossa capacidade de aproveitar a vida, mas isso não é verdade. Imagine que você está dirigindo um carro de luxo alugado. Você fica pensando que o carro é seu? É claro que não. Sabe que só vai ficar com ele durante uma semana, e num certo sentido isso lhe permite aproveitá-lo ainda mais – você sente gratidão pela oportunidade de pilotar um conversível pela Pacific

Coast Highway *justamente* porque é algo que você nem sempre vai poder fazer. Imagine que você foi se hospedar num AirBnb lindíssimo, com banheira de hidromassagem, uma cozinha gourmet, vista para o mar; é lindo e empolgante. Você não passa cada um de seus instantes lá apreensivo, pensando na sua partida dali a uma semana. Quando reconhecemos que todas as nossas bênçãos são como um carro de luxo alugado ou um lindo AirBnb, ficamos livres para aproveitá-las sem o medo constante de perdê-las. Nós todos somos os sortudos turistas aproveitando as férias no Hotel Planeta Terra.

O desapego é a melhor prática para minimizar o medo. Depois de identificar minha ansiedade em relação a decepcionar meus pais, eu pude me desapegar dela. Entendi que precisava assumir a responsabilidade pela minha vida. Meus pais poderiam ficar chateados ou não – sobre isso eu não tinha controle. Eu só podia tomar decisões com base nos meus próprios valores.

GERENCIANDO OS MEDOS DE CURTO PRAZO

Distanciar-se dos seus medos lhe permite lidar com eles. Anos atrás, um amigo perdeu o emprego. Um emprego representa segurança – e somos todos naturalmente apegados à ideia de pôr comida na mesa. Na mesma hora, meu amigo entrou em pânico. "Como vamos arrumar dinheiro? Eu nunca mais vou ser contratado. Vou ter que arranjar dois ou três bicos para pagar as contas!" Ele não só fez previsões sombrias em relação ao futuro como também começou a questionar o passado. "Eu deveria ter trabalhado melhor. Deveria ter me esforçado mais e feito mais horas extras!"

Ao entrar em pânico, você começa a antecipar desfechos que ainda não aconteceram. O medo nos transforma em escritores de ficção. Nós partimos de uma premissa, de uma ideia, de um medo: o que vai acontecer se... E então piramos, e começamos a inventar possíveis cenários futuros. Quando antecipamos o futuro, o medo nos aprisiona na nossa imaginação. O filósofo estoico romano Sêneca observou: "Nossos medos são mais numerosos do que nossos perigos, e nós sofremos mais em nossa imaginação do que na realidade."

Podemos administrar o estresse agudo se nos desapegarmos na mesma hora. Existe uma antiga parábola taoista sobre um fazendeiro cujo cavalo foge. "Que falta de sorte!", lamenta seu irmão. O fazendeiro dá de ombros. "Se é bom, se é ruim, quem sabe?", diz ele. Uma semana depois, o cavalo fujão volta para casa, e junto dele vem uma linda égua selvagem. "Que incrível!", exclama seu irmão, admirando o novo animal com uma inveja considerável. Mais uma vez, o fazendeiro não se abala. "Se é bom, se é ruim, quem sabe?" Poucos dias depois, o filho do fazendeiro monta na égua na esperança de domar o animal selvagem, mas a égua se assusta e empina; o menino é jogado no chão e quebra uma perna. "Que falta de sorte!", diz o irmão, com um quê de satisfação. "Se é bom, se é ruim, quem sabe?", torna a falar o fazendeiro. No dia seguinte, os rapazes do vilarejo são convocados para o serviço militar, mas, como seu filho está com a perna quebrada, ele é dispensado de se alistar. O irmão diz ao fazendeiro que essa, com certeza, é a melhor notícia de todas. "Se é bom, se é ruim, quem sabe?" Nessa história, o fazendeiro não se perdeu pensando no que poderia acontecer. Em vez disso, ele se concentrou "no que é". Durante a minha formação de monge, fomos ensinados: "Não julguem o momento."

Fiz a mesma recomendação a alguém que tinha perdido o emprego. Em vez de julgar o momento, ele precisava aceitar sua situação e o que quer que ela trouxesse, concentrando-se no que podia controlar. Trabalhei junto a ele primeiro para acalmá-lo e, depois, para reconhecer os fatos: ele havia perdido o emprego, ponto. A partir daí, tinha que escolher: podia entrar em pânico e ficar paralisado ou podia aproveitar essa oportunidade e usar o medo como ferramenta, como um indicador do que realmente importava para ele, e ver que novas oportunidades poderiam surgir.

Quando lhe perguntei do que ele mais tinha medo, ele respondeu que era de não conseguir cuidar da família. Com toda a delicadeza, encorajei-o a ser mais específico. Ele disse que estava preocupado com dinheiro. Então eu o desafiei a pensar em outras maneiras de apoiar sua família. Afinal de contas, sua mulher trabalhava, então eles teriam algum dinheiro entrando; não ficariam na rua. "Tempo", respondeu ele. "Agora eu tenho tempo para ficar com meus filhos, para levá-los e buscá-los na escola, para ajudá-los com o dever de casa. E enquanto eles estiverem na escola eu, na verdade, vou ter tempo para procurar um emprego novo. Um emprego melhor." Como ele se acalmou, aceitou seu medo e pôde avaliá-lo com clareza, conseguiu desarmar seu pânico e ver que o medo na verdade o estava alertando para uma oportunidade. O tempo é outra forma de riqueza. Ele percebeu que, embora tivesse perdido o emprego, tinha ganhado outra coisa muito valiosa. Ao usar esse tempo recém-adquirido, não apenas se tornou mais presente na vida dos filhos, mas acabou encontrando um emprego melhor também. Reavaliar a situação o impediu de gastar energia negativamente e o incentivou a começar a aplicá-la de modo positivo.

Mesmo assim, é difícil não julgar o momento e permanecer aberto a oportunidades quando o futuro desconhecido chega como um furacão fazendo seu corpo e sua mente girarem. Às vezes nossa reação de pânico ou paralisia toma a dianteira e dificulta a suspensão do julgamento. Vejamos algumas estratégias que nos ajudam a lidar com o pânico e o medo.

Provoque um curto-circuito no medo

Felizmente, uma ferramenta simples e poderosa para provocar um curto-circuito na reação de pânico está sempre conosco: nossa respiração. Antes de eu fazer uma palestra, quando estou nas coxias ouvindo alguém me apresentar lá no palco, sinto meu coração bater mais depressa e minhas mãos ficarem úmidas. Já fui coach de pessoas que se apresentam diante de estádios lotados ou que se apresentam diariamente em reuniões e, assim como todos nós, elas sentem a maior parte do seu medo como uma manifestação física. Seja ele ligado a uma apresentação pública ou a cenários sociais, como antes de uma entrevista de emprego ou numa festa, nosso medo se manifesta no corpo, e esse é o primeiro sinal de que o medo está prestes a nos dominar. Entrar em pânico e paralisar são desconexões entre nosso corpo e nossa mente. Ou nosso corpo entra num estado de extremo alerta e se antecipa a nossos processos mentais ou então nossa mente dispara e nosso corpo começa a parar de funcionar. Como monge, aprendi um exercício respiratório simples para ajudar a realinhar meu corpo e minha mente e impedir o medo de me paralisar. Ainda o uso sempre que vou falar diante de um grupo grande, começar uma reunião estressante ou entrar num recinto cheio de pessoas que não conheço.

EXPERIMENTE ISTO: **NÃO ENTRE EM PÂNICO! USE A RESPIRAÇÃO PARA REALINHAR CORPO E MENTE**

Meditação "Respirar para se acalmar e relaxar": (ver página 122)

1. Inspire devagar contando até 4
2. Prenda a respiração contando até 4
3. Expire devagar contando até 4

Repita por dez respirações ou até sentir seu ritmo cardíaco desacelerar.

Sim, é fácil assim. A respiração profunda ativa uma parte do nosso sistema nervoso chamado nervo vago, que por sua vez estimula uma reação de relaxamento do corpo.[6] O simples ato de respirar de modo controlado é como acionar um interruptor que tira nosso sistema nervoso do estado simpático, de lutar-fugir-paralisar, e ativa o estado parassimpático, de descansar-digerir, permitindo que nossa mente e nosso corpo voltem a se sincronizar.

Veja a história toda

A respiração é útil na hora, mas alguns medos são difíceis de dispersar apenas com a respiração. Ao passarmos por um período de instabilidade, tememos o que está por vir. Quando sabemos que faremos uma prova ou uma entrevista de emprego, temos medo do resultado. Na hora não conseguimos ver a situação como um todo, mas, uma vez passado o período de estresse, nunca mais olhamos para trás para aprender com a experiência. A vida não é um apanhado de acontecimentos não relacionados, mas uma narrativa que se estende em direção ao passado e ao futuro. Nós somos contadores de histórias natos, e podemos usar essa inclinação para nos prejudicar – para contar histórias de horror sobre possíveis acontecimentos futuros. Melhor tentar ver a vida como uma história única, longa e contínua, não apenas um apanhado de pedaços desconexos. Quando você for contratado para um emprego, pare um pouco para pensar em todos os empregos perdidos e entrevistas nas quais não passou que conduziram a essa vitória. Você pode pensar neles como desafios necessários no caminho. Quando aprendemos a parar de segmentar experiências e períodos da nossa vida, e em vez disso os vemos como cenas e atos de uma narrativa maior, adquirimos um distanciamento que nos ajuda a lidar com o medo.

Sem dúvida, nossas melhores comemorações são feitas retrospectivamente. Na hora em que estamos passando pelos desafios, é difícil dizer a nós mesmos: "Pode ser que isso acabe se revelando uma coisa boa!" No entanto, quanto mais treinamos olhar no retrovisor e manifestar gratidão pelas dificuldades enfrentadas, mais trabalhamos para mudar nossa programação; a distância entre sofrimento e gratidão se torna cada vez menor; a intensidade do nosso medo nos momentos difíceis começa a diminuir.

> **EXPERIMENTE ISTO: EXPANDA O MOMENTO**
> Pense em algo incrível que aconteceu com você. Pode ter sido o nascimento de um filho ou então a conquista daquele emprego tão sonhado. Permita-se sentir essa alegria por um instante. Agora volte ao que ocorreu pouco antes. O que estava acontecendo na sua vida antes do nascimento do seu filho ou antes de você ser contratado para o tal emprego? Talvez tenham sido meses e meses de tentativas fracassadas para engravidar ou então recusas em três outras vagas às quais você se candidatou. Agora tente ver essa narrativa como uma ideia só – uma progressão do ruim até o bom. Abra-se para a ideia de que talvez o que aconteceu durante a época difícil na verdade tenha aberto caminho para o que você agora está comemorando ou tenha aumentado ainda mais a sua felicidade em relação à experiência que viria depois. Agora reserve um instante para expressar gratidão por esses desafios e incluí-los na trama da sua história de vida.

Revisite medos de longo prazo

É possível lidar com as reações de pânico e paralisia usando a respiração e vendo as circunstâncias de outro ângulo, mas essas são soluções de curto prazo. É muito mais difícil controlar as duas estratégias de longo prazo que usamos para nos distrair do medo: jogar para baixo do tapete e fugir. Uma das minhas metáforas preferidas para entender como funcionam essas estratégias é uma casa pegando fogo. Digamos que você acorde no meio da noite com seu detector de fumaça apitando. Na mesma hora você sente medo, como deveria – o alarme cumpriu sua tarefa, que foi chamar a sua atenção. Em seguida você sente cheiro de fumaça, então reúne sua família e seus animais de estimação e sai de casa, certo? Isso é o medo usado da melhor maneira possível.

E se, ao escutar o detector de fumaça, em vez de avaliar rapidamente a situação e tomar as providências necessárias, você fosse depressa até ele, tirasse a bateria e voltasse para a cama? Como pode imaginar, seus problemas estariam prestes a aumentar. No entanto, é isso que muitas vezes fazemos com o medo. Em vez de avaliar e responder, nós o negamos ou abandonamos a situação. Os relacionamentos são circunstâncias em que é comum usarmos a "solução" da evasiva. Digamos que você esteja tendo um conflito importante com sua namorada. Em vez de se sentar com ela e conversar sobre o que está acontecendo (apagar o incêndio), ou mesmo de chegar à conclusão de que vocês não deveriam estar juntos (tirar todo mundo de casa tranquilamente e com segurança), você finge que está tudo bem (enquanto o incêndio destruidor continua).

Quando negamos o medo, nossos problemas vão atrás de nós. Na verdade, eles provavelmente ficam cada vez maiores, e em determinado momento algo vai nos forçar a lidar com eles. Quando tudo mais fracassa, a dor nos faz prestar atenção. Se nós não aprendemos com os sinais que nos alertam para um problema, vamos acabar aprendendo com os resultados do problema em si, o que é bem menos desejável. Mas, se encaramos nosso medo – se ficamos, lidamos com o incêndio, temos aquela conversa difícil –, consequentemente nos tornamos mais fortes.

A primeira lição que a *Gita* nos ensina é como lidar com o medo. No instante que precede a batalha, quando Arjuna está dominado pelo medo, ele não foge desse sentimento nem o joga para baixo do tapete: ele o encara. No texto, Arjuna é um hábil e corajoso guerreiro, mas nesse instante o que o faz parar para refletir pela primeira vez é o medo. Muitas vezes se diz que quando o medo de continuar igual se torna maior que o medo de mudar, é aí que nós mudamos. Ele pede ajuda na forma de ensinamento e compreensão. Ao agir assim, Arjuna começou a se libertar do controle do medo e passou a compreendê-lo. "Aquilo de que você foge fica mais tempo com você", escreve o autor do romance *Clube da luta*, Chuck Palahniuk, em seu livro *Monstros invisíveis*. "Descubra o que mais lhe dá medo e vá morar lá."[7]

Naquele dia, no subsolo do *ashram*, eu me abri para medos profundos que tinha em relação a meus pais. Raramente na vida tive reações de pânico ou de paralisia, mas isso não significava que eu não tivesse medos – significava que eu os estava reprimindo. Como disse meu professor: "Quando o medo é enterrado, ele se torna algo ao qual nos apegamos, e isso faz tudo parecer tenso porque precisamos suportar o peso das coisas que nunca liberamos." Quer você os abafe ou fuja deles, seus medos e problemas continuam com você – e vão se acumulando. Antigamente nós pensávamos que não tinha importância jogar o lixo em aterros sem ligar para o meio ambiente. Se não pudéssemos vê-lo nem sentir seu cheiro, imaginávamos que a questão fosse simplesmente se resolver sozinha. No entanto, antes dos regulamentos, os aterros poluíam lençóis freáticos, e até hoje são um dos maiores geradores do gás metano produzido pelo homem nos Estados Unidos.[8] Da mesma forma, enterrar nossos medos cobra um preço invisível da nossa paisagem interior.

EXPERIMENTE ISTO: MERGULHE NOS SEUS MEDOS

Como fizemos no *ashram*, mergulhe fundo nos seus medos. No começo alguns medos superficiais virão à tona. Continue o exercício perguntando a si mesmo *Do que eu tenho medo de verdade?*, e medos maiores e mais profundos começarão a se revelar. Essas respostas em geral não aparecem todas de uma vez. Tipicamente levamos algum tempo para ultrapassar as primeiras camadas até a verdadeira raiz dos nossos medos. Esteja aberto à possibilidade de a resposta se revelar com o tempo, talvez nem mesmo durante a meditação ou em algum outro momento de concentração. Pode ser que você um dia esteja no mercado escolhendo abacates quando de repente a compreensão venha. É assim que nós funcionamos.

Percorrer os processos de reconhecer o medo, observar nossos padrões para lidar com ele, abordar e corrigir esses padrões nos ajudam a reprogramar nossa visão do medo de algo inerentemente negativo para um sinal neutro, ou mesmo um indicador de oportunidade. Quando reclassificamos o medo, podemos olhar para além da fumaça e das histórias e ver o que é real – e, ao fazê-lo, revelar verdades profundas e significativas que possam nos informar e nos empoderar. Quando identificamos nossos medos relacionados ao apego e cultivamos o desapego, podemos viver com uma sensação maior de liberdade e contentamento. E quando canalizamos a energia por trás dos nossos medos para servir aos outros, diminuímos nosso medo de não ter o suficiente e nos sentimos mais felizes, mais realizados e mais conectados com o mundo à nossa volta.

Às vezes o medo nos motiva em direção ao que queremos, mas outras vezes, se não tomarmos cuidado, ele nos limita àquilo que, segundo pensamos, vai nos manter seguros.

Agora vamos examinar nossos principais motivadores (o medo é o primeiro de quatro) e como podemos usá-los deliberadamente para construir uma vida plena.

4
INTENÇÃO

Ouro que cega

*Quando existe harmonia entre a mente, o coração
e a resolução, nada é impossível.*[1]
— *Rig Veda*

Nós temos na cabeça a imagem do que seria uma vida ideal: nossos relacionamentos, o modo como gastamos nosso tempo com o trabalho e o lazer, o que desejamos conquistar. Mesmo sem o ruído das influências externas, determinados objetivos nos cativam, e nós moldamos a vida em função de alcançá-los, pois pensamos que eles nos farão felizes. Mas agora vamos entender o que move essas ambições, pensar se elas realmente vão nos tornar felizes e refletir se a felicidade é sequer o alvo certo.

Acabei de sair de uma aula na qual debatemos a ideia de renascimento, Saṃsāra, e agora estou passeando pelo ashram *silencioso na companhia de um monge mais velho e alguns outros alunos. O ashram tem duas sedes: um templo em Mumbai e esta em que estou agora, uma propriedade rural perto de Palghar que se transformará no Govardhan Ecovillage, um lindo retiro.*

Por enquanto, o local tem apenas algumas construções simples espalhadas por um pedaço de terra não cultivada. Trilhas de terra batida cortam os gramados. Aqui e ali, monges sentados em esteiras de palha leem ou estudam. Enquanto caminhamos, o monge mais velho comenta sobre as conquistas dos monges pelos quais passamos. Mostra um que é capaz de meditar durante oito horas seguidas. Alguns minutos depois, indica outro: "Ele jejua por sete dias seguidos." Adiante, ele aponta. "Está vendo o homem sentado debaixo daquela árvore? Ele consegue recitar de cor todos os versos da escritura."

Impressionado, eu digo:

– Queria ser capaz de fazer isso.

O monge para e se vira para mim.

– Você queria ser capaz de fazer isso ou queria ser capaz de aprender a fazer isso? – pergunta ele.

– Como assim?

A essa altura eu já sei que algumas de minhas lições preferidas acontecem não na sala de aula, mas em momentos como esse.

– Pense nas suas motivações – diz ele. – Você quer decorar toda a escritura porque isso é um feito impressionante ou quer a experiência de tê-la estudado? No primeiro caso, tudo o que você quer é o resultado. No segundo, você está curioso em relação ao que poderia aprender no processo.

Esse era um conceito novo para mim e me deixou estarrecido. Desejar um resultado sempre me parecera razoável. O monge estava me dizendo para questionar por que eu queria fazer o que era necessário para alcançar esse resultado.

AS QUATRO MOTIVAÇÕES

Por mais desorganizados que sejamos, todos nós traçamos planos. Temos uma ideia do que precisamos fazer no dia que temos pela frente, provavelmente imaginamos mais ou menos como vai ser o ano ou o que esperamos realizar, e todos temos sonhos para o futuro. Algo motiva cada uma dessas ideias – da necessidade de pagar o aluguel ao desejo de viajar pelo mundo. O filósofo hindu Bhaktivinoda Thakura descreve quatro motivações fundamentais:[2]

1. *Medo*. Thakura o descreve como sendo motivado por "doença, pobreza, medo do inferno ou medo da morte".
2. *Desejo*. A busca da gratificação pessoal por meio do sucesso, da riqueza e do prazer.
3. *Dever*. Motivado pela gratidão, pela responsabilidade e pelo desejo de fazer a coisa certa.
4. *Amor*. Motivado pelo impulso de cuidar dos outros e ajudá-los.

Essas são as quatro motivações de tudo que fazemos. Por exemplo, nós fazemos escolhas porque temos medo de perder o emprego, por querermos conquistar a admiração dos amigos, na esperança de corresponder às expectativas dos pais ou por querer ajudar os outros a terem uma vida melhor.

Vou falar sobre cada motivação individualmente, para termos uma noção de como elas influenciam nossas escolhas.

O medo não é sustentável

Como no capítulo anterior nós abordamos o medo, não vou me estender falando sobre ele aqui. Quando a sua motivação é o medo, você escolhe o que deseja conquistar – uma promoção, um relacionamento, a casa própria – porque acredita que isso lhe trará segurança e estabilidade.

O medo nos alerta e nos desperta. Esse sinal de alerta é útil – como vimos, o medo aponta os nossos problemas e às vezes nos motiva. Por exemplo, o medo de perder o emprego pode motivar você a se organizar.

O problema com o medo é que ele não é sustentável. Quando operamos por muito tempo a partir do medo, não conseguimos acessar nossas capacidades plenas. Nós tememos demais alcançar o resultado errado. Ficamos frenéticos ou então paralisados, e não conseguimos avaliar as situações com objetividade nem correr riscos.

A *māyā* do sucesso

A segunda motivação é o desejo. É quando vamos atrás de gratificação pessoal. Nosso caminho em direção a aventuras, prazeres e confortos muitas vezes assume a forma de objetivos materiais. *Eu quero uma casa de 1 milhão de dólares. Eu quero liberdade financeira. Eu quero um casamento incrível.* Quando peço às pessoas que escrevam seus objetivos, elas muitas vezes dão respostas que descrevem aquilo que a maioria considera sucesso.

Nós pensamos que sucesso é o mesmo que felicidade, mas essa ideia é uma ilusão. A palavra em sânscrito para ilusão é *māyā*, que significa acreditar naquilo que não é. Quando deixamos realizações e aquisições determinarem o curso da nossa vida, vivemos na ilusão de que a felicidade vem de indicadores externos de sucesso, mas muitas vezes descobrimos que, quando finalmente conseguimos o que queremos, quando enfim encontramos o sucesso, ele não leva à felicidade.

Jim Carrey certa vez falou: "Eu acho que todo mundo deveria ficar rico e famoso e fazer tudo que sonhou para poder ver que isso não é a resposta."

A ilusão do sucesso está ligada não apenas à renda e às coisas que compramos, mas a realizações como tornar-se médico, ser promovido ou... decorar as escrituras. Meu desejo na história que contei – ser capaz de recitar todos os versos da escritura – é a versão dos monges para o desejo material. Assim como todos esses "quereres", minha ambição girava em torno de um resultado externo: ter a mesma erudição impressionante daquele outro monge.

Tara Brach, um dos grandes nomes da espiritualidade nos Estados Unidos e fundadora da Insight Meditation Community de Washington, DC, escreve: "Enquanto continuarmos vinculando nossa felicidade aos acontecimentos externos da nossa vida, que estão em constante mudança, estaremos sempre esperando por ela."[3]

Certa vez, como monge, fui visitar um templo em Srirangam, uma das três principais cidades sagradas do sul da Índia. Lá topei com um operário no alto de um andaime aplicando pó de ouro nos intrincados detalhes do teto do templo. Nunca tinha visto nada como aquilo, e parei para assistir. Enquanto olhava para cima, um pouco de pó de ouro caiu nos meus olhos. Saí correndo de lá para lavá-los e então voltei, mas dessa vez mantive uma distância segura. Esse episódio parecia uma lição tirada das escrituras: pó de ouro é lindo, mas se você chegar perto demais ele embaça sua visão.

O pó usado nos templos não é ouro puro – o metal é misturado até virar uma solução. E, como sabemos, é usado para recobrir pedra de modo a fazê-la parecer ouro maciço. Ele é *māyā*, uma ilusão. Da mesma forma, dinheiro e fama não passam de fachada. Isso porque a nossa busca nunca é de uma coisa, mas da sensação que pensamos que essa coisa vai nos proporcionar. Nós todos já sabemos disso: vemos gente rica ou famosa que parece "ter tudo", mas que tem relacionamentos ruins ou sofre de depressão, e é evidente que o sucesso não lhe trouxe felicidade. O mesmo vale para aqueles dentre nós que não são ricos nem famosos. Logo nos cansamos de nossos novos smartphones e queremos o modelo mais recente. Ganhamos um bônus, mas a animação inicial se esgota surpreendentemente depressa quando vemos que nossa vida na verdade não melhora. Achamos que um celular novo ou uma casa maior vai fazer com que nos sintamos melhor de alguma forma – mais descolados ou mais satisfeitos –, mas em vez disso nos pegamos querendo mais.

A gratificação material é exterior, mas a felicidade é interior. Quando monges falam sobre felicidade, eles contam a história do almiscareiro, que é baseada num poema de Kabir, um místico e poeta indiano do século XV.[4] Essa espécie de cervo sente um cheiro irresistível na floresta e vai atrás dele, em busca de sua origem, sem se dar conta de que o cheiro vem de seus próprios poros. Ele passa a vida inteira numa errância inútil. Da mesma forma, nós buscamos a felicidade, considerando que ela nos escapa, quando pode ser encontrada dentro de nós.

Felicidade e plenitude só são possíveis quando dominamos a mente e nos conectamos à nossa alma – não com o acúmulo de objetos ou realizações. Sucesso não garante felicidade, e felicidade não requer sucesso. Eles podem se alimentar mutuamente e nós podemos ter os dois ao mesmo tempo, mas não estão interligados. Após analisar um estudo da Gallup sobre bem-estar, pesquisadores da Universidade de Princeton concluíram oficialmente que dinheiro não compra felicidade depois que as necessidades básicas e outras não tão básicas assim são atendidas.[5] Embora ter mais dinheiro contribua para a satisfação geral com a vida, esse impacto se nivela a partir de determinada faixa salarial. Em outras palavras, quando se trata do impacto que o dinheiro tem sobre a forma como você avalia a sua qualidade de vida, um cidadão norte-americano de classe média se sai mais ou menos tão bem quanto Jeff Bezos.

Sucesso é ter dinheiro, ser respeitado no trabalho, executar projetos de modo fluido, receber elogios. Felicidade é sentir-se bem consigo mesmo, ter relacionamentos próximos, tornar o mundo um lugar melhor. Mais do que nunca, a cultura popular celebra a busca do sucesso. Programas de TV feitos hoje para o público adolescente se concentram mais em imagem, dinheiro e fama do que antigamente. Canções e livros de sucesso usam uma linguagem que promove as conquistas individuais mais do que a conexão comunitária, o pertencimento a grupos e a autoaceitação. Não é de admirar que as taxas de felicidade tenham diminuído de modo constante entre os adultos nos Estados Unidos desde os anos 1970.[6] E isso não se explica somente pela renda. Numa entrevista para *The Washington Post*, Jeffrey Sachs, diretor do Centro para o Desenvolvimento Sustentável e editor do *World Happiness Report*, assinala: "Embora a renda média das pessoas no mundo com certeza afete sua sensação de bem-estar, ela não explica muita coisa, pois outros fatores, tanto pessoais quanto sociais, determinam de modo significativo o bem-estar." Segundo Sachs, embora em geral a renda nos Estados Unidos tenha aumentado desde 2005, os níveis de felicidade caíram, em parte devido a fatores sociais como a diminuição da confiança no governo e nos compatriotas e redes sociais mais frágeis.[7]

Dever e amor

Se o medo nos limita e o sucesso não nos satisfaz, então você provavelmente já adivinhou que dever e amor têm mais a oferecer. Nós temos objetivos diferentes, mas todos queremos basicamente a mesma coisa: uma vida repleta de alegria e significado. Os monges não buscam a parte da alegria: nós não buscamos a felicidade nem o prazer. Nós nos concentramos, isso sim, na satisfação que vem do fato de viver uma vida com significado. A felicidade pode ser algo esquivo; é difícil sustentar um alto nível de alegria. Mas encontrar *significado* mostra que as nossas ações têm propósito. Elas conduzem a um resultado que vale a pena. Nós acreditamos estar deixando uma marca positiva. O que fazemos tem importância, portanto nós temos importância. Coisas ruins acontecem, tarefas chatas precisam ser cumpridas, a vida não é um mar de rosas, mas é sempre possível encontrar significado. Se você perde um ente querido e alguém vem lhe dizer para buscar o lado positivo, para ser feliz, para se concentrar nas coisas boas da sua vida... bom, pode ser que você queira dar um soco nessa pessoa. Mas nós podemos sobreviver às piores tragédias buscando *significado* na perda. Podemos honrar alguém que amamos doando algo ao coletivo. Ou então descobrir uma nova gratidão pela vida que transmitimos àqueles que nos apoiaram. Mais cedo ou mais tarde, esse valor que vemos em nossas ações irá conduzir ao sentimento de significado. No *Atharva Veda* está escrito: "Dinheiro e mansões não são a única riqueza. Acumule a riqueza do espírito. Caráter é riqueza; boa conduta é riqueza; e sabedoria espiritual é riqueza."[8]

Propósito e significado, e não o sucesso, nos levam ao contentamento genuíno. Quando compreendemos isso, nós vemos o valor de sermos motivados pelo dever e pelo amor. Quando você age a partir do dever ou do amor, sabe que está oferecendo algo de valor.

Quanto mais evoluímos, deixando de tentar atender às nossas necessidades egoístas e passando a fazer as coisas para servir ao próximo e a partir do amor, mais podemos conquistar. Em seu livro *O lado bom do estresse*, Kelly McGonigal diz que podemos lidar melhor com o desconforto quando conseguimos associá-lo a um objetivo, um propósito ou uma pessoa de quem gostamos.[9] Por exemplo, na hora de planejar a festa de aniversário do filho, o pai ou a mãe talvez se vejam mais do que dispostos a suportar o incômodo de ficarem acordados até mais tarde. O sono perdido é compensado pela satisfação de ser um pai ou uma mãe amorosos. E quando se trata de trabalhar até mais tarde num emprego que essa mãe detesta? Ela fica arrasada. Nós podemos suportar mais quando estamos fazendo algo por alguém que amamos ou em nome de um propósito no qual acreditamos do que seguindo a ideia equivocada de que vamos encontrar felicidade no sucesso. Quando executamos um trabalho com a convicção de que o que estamos fazendo tem importância, podemos viver intensamente. Sem um motivo para seguir em frente, falta-nos motivação. Quando vivemos com intenção – com uma noção clara do motivo pelo qual aquilo que fazemos tem importância –, a vida tem significado e traz realização: a intenção enche o carro de combustível.

A ESCADA DO "POR QUÊ"

Medo, desejo, dever e amor estão na raiz de todas as intenções. Em sânscrito, a palavra que significa intenção é *sankalpa*, e penso nela como o motivo, formado pelo coração e pela mente, que faz uma pessoa se esforçar para alcançar um objetivo. Em outras palavras, a partir da sua motivação-raiz você desenvolve intenções que o impulsionam para a frente. Sua intenção mostra quem você planeja ser para agir com propósito e sentir que aquilo que você faz tem significado. Assim, se a minha motivação for o medo, minha intenção pode ser proteger minha família. Se a minha motivação for o desejo, minha intenção pode ser conquistar reconhecimento mundial. Se a minha motivação for o dever, minha intenção pode ser ajudar meus amigos, por mais ocupado que eu esteja. Se a minha motivação for o amor, minha intenção pode ser servir aos outros onde sou mais necessário.

POR QUÊ!
POR QUÊ?
POR QUÊ?!
POR QUÊ?
POR QUÊ?!
POR QUÊ?!

CAVE ATÉ CHEGAR AO MAIS PROFUNDO PORQUÊ POR TRÁS DO QUERER

No entanto, não existem regras que vinculem determinadas intenções a determinadas motivações. Você também pode servir para passar uma boa impressão (desejo, não amor). Pode sustentar sua família por amor, não por medo. Pode querer ficar rico para poder servir aos outros. E nenhum de nós tem apenas uma motivação e uma intenção. Quero que aprendamos a fazer escolhas grandes e pequenas de modo intencional. Em vez de ficar escalando para sempre a montanha do sucesso, precisamos descer até o vale do nosso verdadeiro eu para extirpar as falsas crenças.

Para viver com intenção, precisamos chegar ao *mais profundo porquê por trás do querer*. Isso exige fazer uma pausa para pensar não apenas em *por que* queremos algo, mas também em quem somos ou quem precisamos ser para consegui-lo e se ser essa pessoa nos agrada.

A maioria das pessoas está acostumada a buscar respostas. Monges se concentram em perguntas. Quando eu estava tentando me aproximar do meu medo, perguntei a mim mesmo vezes sem conta: "De que eu tenho medo?" Quando estou tentando chegar à raiz de um desejo, eu começo com a pergunta: "Por quê?"

Essa abordagem monástica da intenção pode ser aplicada até mesmo ao mais trivial dos objetivos. Eis um exemplo de objetivo que escolhi porque é algo que nós jamais teríamos cogitado no *ashram* e porque a intenção por trás dele não é evidente: *Eu quero velejar sozinho ao redor do mundo.*

Por que você quer velejar ao redor do mundo?

Vai ser divertido. Vou poder visitar vários lugares e provar a mim mesmo que sou ótimo velejador.

Parece que a sua intenção é gratificar a si mesmo e que a sua motivação é o *desejo*.

E se a sua resposta à pergunta for:

Velejar ao redor do mundo sempre foi o sonho do meu pai. Vou fazer isso por ele.

Nesse caso, a sua intenção é homenagear seu pai, e a sua motivação são o *dever* e o *amor*.

Eu vou velejar ao redor do mundo para poder ser livre. Não terei que dar satisfação a ninguém. Posso deixar todas as minhas responsabilidades para trás.

A intenção desse velejador é fugir – sua motivação é o *medo*.

Agora vamos examinar um querer mais comum:

Meu maior desejo é dinheiro, e lá vem o Jay provavelmente me dizer para eu me tornar bondoso e compassivo. Isso não vai ajudar.

Não há nada de mau em querer a riqueza por si só. Ela com certeza pertence à categoria da gratificação material, então não se pode esperar que proporcione uma sensação interior de plenitude. Apesar disso, os confortos materiais inegavelmente fazem parte do que nós queremos na vida, então, em vez de apenas descartar esse objetivo, vamos descer até sua raiz.

A riqueza é o resultado que você deseja. Por quê?

Não quero nunca mais precisar me preocupar com dinheiro.

Por que você se preocupa com dinheiro?

Não tenho como pagar as férias dos meus sonhos.

Por que você quer essas férias?

Fico vendo todo mundo nas redes sociais fazendo viagens exóticas. Por que os outros podem e eu não?

Por que você quer o que eles querem?

Eles estão se divertindo bem mais do que eu nos fins de semana.

Ah! Então agora estamos na raiz desse desejo. Os seus fins de semana não são satisfatórios. O que está faltando?

Eu quero que a minha vida seja mais empolgante, tenha mais emoção e aventura.

Ok, sua intenção é tornar sua vida mais emocionante. Repare em quanto isso é diferente de "eu quero dinheiro". Sua intenção continua movida pelo desejo de gratificação pessoal, mas você agora sabe duas coisas: primeiro, pode trazer mais aventura para a sua vida agora mesmo, sem gastar nenhum tostão a mais e, segundo, agora você tem a clareza necessária para decidir se isso é algo pelo qual quer trabalhar duro.

Se alguém chegasse para o meu professor e dissesse "Eu só quero ser rico", meu professor perguntaria: "Está fazendo isso para poder servir?" O motivo da pergunta seria chegar à raiz do desejo.

Se o homem respondesse: "Não, eu quero morar numa bela casa, viajar e comprar tudo que eu quiser." Sua intenção seria ter a liberdade financeira para realizar seus desejos materiais.

Meu professor diria: "Que bom que você está sendo honesto consigo mesmo. Vá e ganhe sua fortuna. De toda forma você vai chegar ao servir. Pode ser que leve cinco ou dez anos, mas você vai chegar à mesma resposta." Monges acreditam que o homem não vai se sentir realizado quando tiver juntado sua fortuna e que, se continuar sua busca de significado, a resposta sempre acabará sendo encontrada no servir.

Seja honesto em relação à sua intenção. A pior coisa que você pode fazer é fingir para si mesmo que está agindo em nome do servir ao próximo quando tudo o que você quer é sucesso material.

> **EXPERIMENTE ISTO: UMA MEDITAÇÃO EM PERGUNTAS**
>
> Pegue um desejo que você tenha e pergunte a si mesmo por que você o tem. Continue perguntando até chegar à intenção-raiz.
>
> Respostas frequentes são:
>
> - Para ter boa aparência e me sentir bem
> - Segurança
> - Para servir aos outros
> - Crescimento pessoal
>
> Não negue as intenções que não forem "boas", apenas tenha consciência delas e reconheça que, se a sua razão não é amor, crescimento pessoal ou conhecimento, a oportunidade poderá suprir necessidades práticas importantes, mas você não vai sentir que ela é emocionalmente significativa. Nossa satisfação é maior quando nos encontramos num estado de progresso, aprendizado ou realização.

Quando encontrar os porquês, continue a cavar. Toda resposta suscita questões mais profundas. Às vezes é útil passar um dia ou mesmo uma semana ruminando alguma questão. Muitas vezes você vai descobrir que o que está buscando, em última instância, é uma sensação interior (felicidade, segurança, confiança, etc.). Ou talvez descubra que age movido pela inveja, que não é a mais positiva das emoções, mas é um bom alerta para a necessidade que você está tentando suprir. Por que você está sentindo inveja? Existe alguma coisa – como aventura, por exemplo – que você possa trabalhar para alcançar imediatamente? Quando começar a fazer isso, todos os seus quereres externos ficarão mais disponíveis para você – isso se ainda tiverem importância.

SEMENTES E ERVAS DANINHAS

Como monges, nós aprendemos a esclarecer as nossas intenções por meio da analogia das sementes e das ervas daninhas. Quando você planta uma semente, ela pode se transformar numa árvore frondosa que dá frutos e sombra para todos. É disso que é capaz uma intenção ampla como o amor, a compaixão ou o servir ao próximo. A pureza da sua intenção não tem nada a ver com a carreira que você escolhe. Um guarda de trânsito pode aplicar uma multa por excesso de velocidade para demonstrar poder ou pode instruir você a não ultrapassar o limite de velocidade com a mesma compaixão que um pai ou uma mãe teriam ao dizer para uma criança não brincar com fogo. Você pode ser caixa de banco e executar uma operação simples de modo caloroso. Mas, se as nossas intenções forem vingativas ou motivadas pelo egoísmo, nós cultivamos ervas daninhas. Essas em geral brotam do ego, da ganância, da inveja, da raiva, do orgulho, da competição ou do estresse. Elas até podem parecer plantas normais no início, mas jamais crescerão para se transformarem em algo maravilhoso.

Se você começa a frequentar a academia para ficar com um corpaço e fazer seu ex se arrepender de ter terminado com você, está plantando uma erva daninha. Você não lidou bem com o que deseja (muito provavelmente compreensão e amor, o que claramente pediria outra abordagem). Você vai ficar forte e colher os benefícios à saúde da prática de exercícios, mas o alcance do seu sucesso estará vinculado a fatores externos – provocar seu ex. Se ele não prestar atenção ou não ligar, você continuará sentindo as mesmas frustração e solidão. No entanto, se você começar a malhar porque deseja se sentir fisicamente forte depois do término do relacionamento ou se durante a prática de exercícios sua intenção mudar e se tornar essa, você vai entrar em forma *e* se sentir emocionalmente satisfeito.

Outro exemplo de erva daninha é quando uma boa intenção é vinculada ao objetivo errado. Digamos que a minha intenção seja aumentar minha autoconfiança e que eu decida que conseguir uma promoção é o melhor jeito de fazer isso. Eu trabalho duro, impressiono meu chefe e subo um nível, mas, ao chegar lá, me dou conta de que existe outro nível e continuo sentindo a mesma insegurança. Objetivos exteriores não são capazes de preencher vazios interiores. Nenhum rótulo ou realização externa pode me proporcionar autoconfiança de verdade. Eu preciso encontrá-la dentro de mim mesmo. Na Parte Dois conversaremos sobre como fazer mudanças internas como essa.

OS BONS SAMARITANOS

Monges sabem que não se pode plantar um jardim de lindas flores e deixá-lo à própria sorte esperando que floresça sozinho. Nós precisamos ser os jardineiros da nossa própria vida, plantar apenas sementes de boas intenções, observar para ver em que se transformam e retirar as ervas daninhas que surgirem para atrapalhar.

Num experimento de 1973 chamado "De Jerusalém a Jericó", pesquisadores pediram aos alunos de um seminário que preparassem falas curtas sobre o que significava ser um sacerdote.[10] Alguns deles receberam a parábola do Bom Samaritano para ajudá-los a se preparar. Nessa parábola, Jesus conta sobre um viajante que parou para ajudar um homem necessitado quando ninguém mais queria fazê-lo. Então foi dada alguma desculpa para eles mudarem de sala. No caminho para a nova sala, um ator fingindo precisar de ajuda apareceu num vão de porta. O fato de o aluno ter recebido o material sobre o Bom Samaritano não o influenciou na decisão de parar ou não para ajudar. No entanto, os pesquisadores constataram que, se os alunos estivessem com pressa, sua probabilidade de ajudar era bem menor, e "em várias ocasiões, um aluno prestes a fazer seu discurso sobre a parábola do Bom Samaritano literalmente passou por cima da vítima ao seguir seu caminho, apressado!".

Os alunos estavam tão concentrados no trabalho que tinham em mãos que esqueciam suas intenções mais profundas. Eles decerto estavam estudando num seminário com a intenção de serem compassivos e prestativos, mas nessa hora a ansiedade e o desejo de fazer um discurso impressionante interferiram. Como o monge beneditino Laurence Freeman afirmou em seu livro *Aspects of Love* (Aspectos do amor): "Tudo que você faz durante o dia, de tomar banho a tomar café da manhã, participar de reuniões, dirigir até o trabalho... ver televisão ou, em vez disso, decidir ler um livro... *tudo* que você faz é a sua vida espiritual. Tudo depende do grau de consciência com que você faz essas coisas comuns..."[11]

VIVA SUAS INTENÇÕES

É claro que apenas ter intenções não basta. É preciso tomar uma atitude para ajudar essas sementes a crescerem. Eu não acredito em "manifestações" a partir do pensamento positivo, na ideia de que se você simplesmente acreditar que algo vai acontecer, acontecerá. Não podemos ficar sentados sem fazer nada, com intenções verdadeiras, imaginando que o que queremos vai cair no nosso colo. Tampouco podemos esperar que alguém nos encontre, descubra quão incríveis somos e nos dê de mão beijada nosso lugar no mundo. Ninguém vai criar nossa vida para nós. Martin Luther King falou: "Aqueles que amam a paz precisam aprender a se organizar com a mesma eficiência que aqueles que amam a guerra." Quando as pessoas me procuram em busca de orientação, o que eu mais escuto é: "Eu queria que... eu queria que... eu queria que..." *Eu queria que o meu parceiro fosse mais atencioso. Eu queria ter esse mesmo emprego, só que ganhar mais dinheiro. Eu queria que o meu relacionamento fosse mais sério.*

Nós nunca dizemos: "Eu queria conseguir ser mais organizado e focado e dar duro para ter isso." Não verbalizamos o que é realmente necessário para conseguir o que queremos. **"Eu queria que..." é a senha para "Eu não quero fazer nada diferente".**

Existe uma história apócrifa sobre Picasso que ilustra perfeitamente como não conseguimos reconhecer o trabalho e a perseverança que existem por trás das conquistas. Segundo contam, uma mulher viu Picasso num mercado. Ela foi até ele e perguntou:

– O senhor faria um desenho para mim?

– Claro – respondeu ele, e trinta segundos depois lhe entregou um lindo pequeno esboço. – São 30 mil dólares.

– Mas, Sr. Picasso, como o senhor pode me cobrar tanto? – perguntou a mulher. – Levou só trinta segundos para fazer esse desenho!

– Minha senhora – retrucou Picasso –, eu levei trinta anos.

A mesma coisa vale para qualquer trabalho artístico – ou, na verdade, para qualquer trabalho bem-feito. O esforço por trás dele é invisível. O monge no *ashram* que conseguia recitar todas as escrituras dedicou anos a decorá-las. Eu precisava considerar esse investimento, a vida que ele exigia, antes de fazer daquilo meu objetivo.

Quando nos perguntam quem somos, costumamos dizer o que fazemos: "Eu sou contador." "Eu sou advogado." "Eu sou do lar." "Eu sou atleta." "Eu sou professor." Às vezes isso é apenas um modo prático de iniciar uma conversa com alguém que acabamos de conhecer. Mas a vida tem mais significado quando nos definimos por nossas intenções, não por nossas conquistas. Se você realmente se define pelo seu trabalho, então o que vai acontecer quando perder o emprego? Se você se define como atleta, quando uma lesão põe fim à sua carreira, você não sabe mais quem é. Perder um emprego não deveria destruir nossa identidade, mas com frequência é isso que acontece. Se, em vez disso, vivermos com intenção, conseguiremos manter uma sensação de propósito e significado que não estará vinculada àquilo que realizamos, mas àquilo que somos.

Se a sua intenção é ajudar os outros, você precisa personificar essa intenção sendo gentil, tendo o coração aberto e sendo inovador, reconhecendo-os nas forças de cada um, amparando-os nas suas fraquezas, escutando-os, ajudando-os a crescer, vendo o que eles precisam de você e percebendo quando isso muda. Se a sua intenção é apoiar sua família, talvez você decida que precisa ser generoso, presente, esforçado e organizado. Se a sua intenção for viver sua paixão, talvez você precise ter compromisso, energia e honestidade. (Repare que no Capítulo 1 nós eliminamos o ruído externo para podermos ver nossos valores com mais clareza. As *intenções* de ajudar os outros e servir significam que você *valoriza* o serviço ao próximo. A *intenção* de apoiar sua família significa que você *valoriza* a família. Não é difícil de entender, mas essas palavras são usadas de modo leviano e intercambiável, então é bom saber como elas se conectam e se sobrepõem.)

Viver suas intenções significa deixar que elas permeiem seu comportamento. Por exemplo, se o seu objetivo for melhorar seu relacionamento, talvez você possa planejar programas, dar presentes ao seu parceiro e cortar o cabelo para ter uma aparência melhor. Sua carteira ficará mais magrinha, seu cabelo talvez fique mais bonito e o seu relacionamento pode ou não melhorar. Mas observe o que acontece se você faz mudanças interiores e passa a viver sua intenção. Para melhorar seu relacionamento, você tenta ter mais calma, mais compreensão e mais curiosidade. (Mesmo assim, pode cortar o cabelo.) Se as mudanças que você fizer forem interiores, você vai se sentir melhor em relação a si mesmo e se tornar uma pessoa melhor. Se o seu relacionamento não melhorar, mesmo assim você sairá ganhando.

FAÇA O TRABALHO

Depois que você conhece o *porquê*, considere o *trabalho* que existe por trás do querer. O que vai ser preciso para conseguir a bela casa e o carro de luxo? Você tem interesse nesse trabalho? Está disposto a fazê-lo? Será que o trabalho em si vai lhe proporcionar o sentimento de realização mesmo que você não tenha sucesso rápido – ou nunca tenha sucesso? O monge que me perguntou por que eu desejava aprender todas as escrituras de cor não queria que eu ficasse fascinado com os superpoderes de outros monges e buscasse alcançar as mesmas conquistas por pura vaidade. Ele queria saber se eu estava interessado no trabalho: na vida que iria levar, na pessoa que iria ser, no significado que iria encontrar no processo de aprender as escrituras. O foco está no processo, não no resultado.

> **EXPERIMENTE ISTO: ACRESCENTE "SER" AO "FAZER"**
>
> Junto com a sua lista de coisas a fazer, tente preparar uma lista do que você quer ser. A boa notícia é que você não vai aumentar sua lista – pois esses não são itens que você possa considerar "feitos" –, mas o exercício é um lembrete de que alcançar seus objetivos com intenção significa estar à altura dos valores que guiam esses objetivos.
>
> **EXEMPLO 1**
> Digamos que o meu objetivo seja alcançar a independência financeira. Eis minha lista de coisas a fazer:
>
> - Pesquisar oportunidades de emprego lucrativas que demandem o meu conjunto de competências
> - Refazer meu CV, marcar reuniões para identificar oportunidades de emprego
> - Candidatar-me a todas as vagas abertas que correspondam às minhas pretensões salariais

Mas o que eu preciso *ser*? Eu preciso ser:

- Disciplinado
- Focado
- Apaixonado

EXEMPLO 2

Digamos que eu queira ter um relacionamento melhor. O que eu preciso fazer?

- Planejar encontros
- Fazer coisas legais para meu parceiro
- Melhorar minha aparência

Mas o que eu preciso *ser*?

- Mais calmo
- Mais compreensivo
- Mais curioso em relação ao dia e aos sentimentos do meu parceiro

Os Pais do Deserto foram os primeiros monges cristãos, que viveram como eremitas nos desertos do Oriente Médio. Segundo eles: "Nós não progredimos porque não nos damos conta de quanto podemos fazer. Perdemos o interesse no trabalho que começamos e queremos ser bons sem nem mesmo tentar."[12] Se você não se importa profundamente com o que está fazendo, não conseguirá mergulhar de cabeça no processo. Você não estará agindo pelos motivos certos. Pode até alcançar seus objetivos, conseguir tudo o que sempre quis, ter sucesso segundo os parâmetros de qualquer um, apenas para descobrir que ainda se sente perdido e desconectado. Mas, se você se apaixonar pelo processo cotidiano, então estará agindo com profundidade, com autenticidade e com desejo de causar impacto. Você pode ter o mesmo sucesso em ambos os casos, mas, se o seu motor for a intenção, sentirá extrema alegria.

E se você tiver uma noção clara e segura do motivo pelo qual deu cada passo, será resiliente. Um fracasso não significa que você não tem valor – significa que você precisa procurar outro caminho para alcançar objetivos que valham a pena. A satisfação advém de acreditar no valor daquilo que você faz.

MODELOS DE COMPORTAMENTO

O melhor modo de pesquisar o trabalho necessário para realizar suas intenções é buscar modelos de comportamento. Se você quer riqueza, observe (sem persegui-las!) o que as pessoas ricas que você conhece estão sendo e fazendo, leia livros sobre como conquistaram o lugar delas. Concentre-se sobretudo no que elas fizeram no estágio em que você está hoje para chegarem aonde estão agora.

Você pode visitar o escritório de um empreendedor ou então visitar a plantação de abacates de um expatriado e decidir que é aquilo que você quer, mas isso não lhe revelará nada sobre o caminho trilhado para chegar lá. Ser ator não é aparecer na tela e nas revistas. É ter paciência e criatividade para fazer uma cena sessenta vezes até a diretora conseguir o que quer. Ser monge não é admirar alguém que fica sentado meditando. É acordar na mesma hora que o monge, ter o mesmo estilo de vida que ele, imitar as qualidades que ele demonstra. Acompanhe alguém no trabalho durante uma semana e você terá alguma noção dos desafios que essa pessoa enfrenta, e se são desafios que você quer enfrentar.

Na sua observação de pessoas trabalhando, vale a pena lembrar que pode haver vários caminhos para chegar à mesma intenção. Por exemplo, duas pessoas podem ter a intenção de ajudar o mundo. Uma delas pode fazer isso por meio do direito, trabalhando com a organização sem fins lucrativos Earthjustice; a outra pode fazê-lo por meio da moda, como Stella McCartney, que ajudou a popularizar o couro vegano. No próximo capítulo nós vamos falar sobre usar o método e o caminho que melhor se adapta a você, mas esse exemplo mostra que, se agir com intenção, você expande as opções para alcançar seu objetivo.

Além disso, como vimos no exemplo de velejar ao redor do mundo, dois atos idênticos podem ter intenções bem diferentes por trás deles. Digamos que duas pessoas façam doações generosas à mesma instituição de caridade. Uma delas faz isso porque se importa profundamente com a instituição – uma intenção ampla –, e a outra age assim porque deseja fazer networking – uma intenção estreita. Ambos os doadores são elogiados por suas contribuições. Aquele que realmente deseja fazer diferença fica feliz e orgulhoso e sente que o que fez tem significado. Aquele que quer fazer networking só se importa com o fato de ter conhecido alguém útil para sua carreira ou seu status social. As intenções distintas não fazem diferença para a instituição de caridade – seja como for, as doações são benéficas –, mas a gratificação interior é totalmente diferente.

É preciso dizer que nenhuma intenção é 100% pura. Meus atos de caridade podem ter 88% de intenção de ajudar os outros, 8% de intenção de fazer com que eu me sinta bem comigo mesmo e 4% de intenção de me divertir com meus amigos que praticam caridade. Não há nada intrinsecamente errado com intenções vagas ou multifacetadas. Nós só precisamos lembrar que quanto menos puras elas forem, menor a probabilidade de nos trazerem felicidade, mesmo que elas nos tragam sucesso. Quando as pessoas conseguem o que querem mas não ficam felizes, é porque agiram com a intenção errada.

DESAPEGAR-SE PARA CRESCER

As intenções mais amplas geralmente motivam esforços para ajudar e apoiar outras pessoas. Pais que fazem hora extra para pôr comida na mesa, voluntários que se dedicam a uma causa. Trabalhadores que prestam um bom serviço a seus clientes. Nós podemos sentir essas intenções quando as encontramos, seja no cabeleireiro que quer encontrar um estilo realmente bom para você ou no médico que dedica tempo a fazer perguntas sobre a sua vida. As intenções generosas irradiam das pessoas, e isso é uma coisa linda. Nós vemos repetidamente que, se estamos agindo em nome do resultado exterior, não ficamos felizes. Com a intenção correta, de servir ao próximo, podemos experimentar significado e propósito diariamente.

Viver com intenção significa se afastar de objetivos externos, desapegar-se das definições alheias de sucesso e olhar para dentro. Desenvolver uma prática de meditação com o trabalho da respiração é um modo natural de sustentar essa intenção. Enquanto você se limpa de opiniões e ideias que não fazem sentido para quem você é e o que você quer, recomendo usar a respiração como um lembrete para levar a vida no seu próprio ritmo, no seu próprio tempo. A respiração ajuda você a entender que o seu jeito é único – e é assim que deve ser.

MEDITAÇÃO

RESPIRAÇÃO

A natureza física da respiração ajuda a tirar as distrações da cabeça. O trabalho com a respiração acalma, mas nem sempre é fácil. Na verdade, os desafios que ele apresenta fazem parte do processo.

Estou sentado num chão de estrume de vaca seco, supreendentemente frio. Não é desconfortável, mas tampouco é confortável. Meus tornozelos doem. Não consigo manter a coluna alinhada. Meu Deus, como eu detesto isto, é muito difícil. Já faz vinte minutos e eu ainda não limpei a mente. Deveria estar respirando de forma consciente, mas estou pensando nos meus amigos lá em Londres. Abro o olho um pouquinho para espiar o monge mais perto de mim. Ele está sentado muito ereto. Está arrasando nessa tal de meditação. "Encontrem sua respiração", diz o líder. Eu inspiro. É uma inspiração lenta, bela, calma.

Ah, peraí. Ah, tá. Estou tomando consciência da minha respiração.
Inspira... expira...
Ah, estou chegando lá...
Ah, que legal...
Que interessante.
Tá bem.
Isso...
Funciona...
Peraí, minhas costas estão coçando...
Inspira... expira.
Calma.

Minha primeira estadia no *ashram* durou duas semanas, e eu a passei meditando com Gauranga Das durante duas horas todas as manhãs. Ficar sentado durante todo esse tempo, e com frequência bem mais, é desconfortável, cansativo e, às vezes, entediante. Pior ainda: pensamentos e sensações indesejados começavam a surgir na minha cabeça. Eu ficava com medo de não estar sentado direito, achava que os monges fossem me julgar. Com a frustração, meu ego começava a aparecer: eu queria ser o melhor meditador, a pessoa mais inteligente do *ashram*, aquele que causaria impacto. Esses não eram pensamentos dignos de um monge. A meditação com certeza não estava funcionando como deveria. Ela estava me transformando numa pessoa ruim!

Fiquei chocado e, para ser franco, decepcionado ao ver toda a negatividade mal resolvida que tinha dentro de mim mesmo. A meditação estava apenas me mostrando ego, raiva, luxúria, dor – coisas de que eu não gostava em mim. Seria isso um problema... ou seria esse o objetivo?

Perguntei a meus professores se eu estava fazendo alguma coisa errada. Um deles me disse que todos os anos os monges limpavam meticulosamente o Templo Gundicha, em Puri, verificando cada cantinho, e que, ao fazê-lo, visualizavam a limpeza do próprio coração. Ele disse que, quando eles terminavam, o templo já estava começando a ficar sujo outra vez. É essa a sensação que a meditação provoca, explicou ele. É um trabalho, e esse trabalho nunca tem fim.

Meditar não estava me transformando numa pessoa ruim. Eu precisava encarar uma realidade igualmente desagradável. Com toda aquela quietude e todo aquele silêncio, ela estava amplificando o que já existia dentro de mim. A meditação tinha acendido as luzes no quarto escuro da minha mente.

Ao levar você aonde quer ir, a meditação pode lhe mostrar o que você não quer ver.

Muita gente foge da meditação por achá-la difícil e desagradável. No *Dhammapada*, o Buda diz: "Assim como um peixe capturado por um anzol e deixado sobre a areia se debate ao agonizar, a mente que está sendo treinada para meditar treme inteira."[1] Mas o objetivo da meditação é examinar o que a torna desafiadora. Meditar é mais do que permanecer de olhos fechados quinze minutos por dia. É a prática de dar a si mesmo espaço para refletir e avaliar.

Até hoje já tive muitas lindas meditações. Já ri, já chorei, e meu coração já se sentiu mais vivo do que eu sabia ser possível. O êxtase calmante, flutuante e silencioso acaba chegando. Em última instância, o processo traz alegria tanto quanto seus resultados.

TRABALHO DE RESPIRAÇÃO PARA O CORPO E A MENTE

Como você já deve ter reparado, sua respiração muda conforme as suas emoções. Nós prendemos a respiração quando estamos concentrados e ficamos com a respiração curta quando estamos nervosos ou ansiosos. Mas essas reações são instintivas – não exatamente úteis. Prender a respiração não ajuda realmente a se concentrar, e uma respiração curta na verdade agrava os sintomas da ansiedade. Uma respiração controlada, por sua vez, é um jeito imediato de se estabilizar, uma ferramenta que você pode usar para transformar sua energia na mesma hora.

Durante milênios, os yogues praticaram técnicas de respiração (chamadas *prānāyāmas*) para fazer coisas como estimular a cura, aumentar a energia e se concentrar no momento presente. O *Rig Veda* descreve a respiração como o caminho para além do eu rumo à consciência e afirma que o alento é "a vida, como o próprio filho". Ou, como diz o abade George Burke (também conhecido como Swami Nirmalananda Giri): "É a extensão da nossa vida mais interior."[2] No Mahāsatipaṭṭhāna Sutta, o Buda descreveu o *ānāpānasati* (que se pode traduzir aproximadamente como "consciência da respiração") como um modo de alcançar a iluminação.[3] A ciência moderna sustenta a eficácia dos *prānāyāmas* para diversas finalidades, entre elas melhorar a saúde cardiovascular, diminuir os níveis gerais de estresse e até mesmo melhorar o desempenho acadêmico em provas.[4] As meditações que apresento aqui e em outras partes deste livro são usadas universalmente nos campos da terapia, do coaching e de outras práticas meditativas mundo afora.

Quando você se alinha com a sua respiração, aprende a se alinhar consigo mesmo diante de todas as emoções – acalmando-se, centrando-se, desestressando-se.

Uma ou duas vezes por dia, sugiro que você dedique um tempo ao trabalho com a respiração. Além disso, a respiração é um modo tão eficaz de se acalmar que eu o uso, e sugiro que outros o usem, em determinados momentos do dia quando me sinto ofegante ou quando me pego prendendo a respiração. Não é preciso estar num lugar relaxante para conseguir meditar (embora isso obviamente ajude e seja adequado para o iniciante). Você pode meditar em qualquer lugar: no banheiro de uma festa, ao embarcar num avião ou pouco antes de fazer uma apresentação ou de se reunir com desconhecidos.

EXPERIMENTE ISTO: **TRABALHO COM A RESPIRAÇÃO**

Estes são padrões de respiração poderosos que uso todos os dias. Eles podem ser usados conforme a necessidade para induzir a concentração ou aumentar a calma.

PREPARAÇÃO PARA O EXERCÍCIO COM A RESPIRAÇÃO

Para os exercícios respiratórios calmantes e energizantes que descrevo abaixo, inicie sua prática com os seguintes passos:

1. Encontre uma posição confortável: sentado numa cadeira, numa almofada ou deitado
2. Feche os olhos
3. Baixe o olhar (sim, dá para fazer isso de olhos fechados)
4. Fique à vontade nessa posição
5. Gire os ombros para trás
6. Traga a sua atenção para a(o)

- Calma
- Equilíbrio
- Suavidade
- Imobilidade
- Paz

Sempre que a sua mente divagar, apenas traga-a de volta, com delicadeza e suavidade, para a(o)

- Calma
- Equilíbrio
- Suavidade
- Imobilidade
- Paz

(continua na próxima página)

7. Agora tome consciência do ritmo natural da sua respiração. Não force nem pressione, apenas se torne consciente do seu ritmo respiratório natural

No *ashram* nós aprendíamos a usar a respiração diafragmática. Para fazer isso, ponha uma das mãos na barriga, a outra no peito e

- Inspire pelo nariz e expire pela boca
- Ao inspirar, sinta a barriga se expandir (e não o peito)
- Ao expirar, sinta a barriga se contrair
- Continue assim no seu próprio ritmo, no seu próprio tempo
- Ao inspirar, sinta que está absorvendo energia positiva e revigorante
- Ao expirar, sinta que está soltando qualquer energia negativa e tóxica

8. Aproxime a orelha esquerda do ombro esquerdo ao inspirar... e traga-a de volta ao centro ao expirar
9. Aproxime a orelha direita do ombro direito ao inspirar... e traga-a de volta ao centro ao expirar
10. Sinta realmente a respiração, sem pressa nem esforço, no seu próprio ritmo, no seu próprio tempo

Respirar para se acalmar e relaxar
Faça isto depois de ter feito a preparação acima:

- Inspire pelo nariz, contando até 4, no seu próprio tempo, no seu próprio ritmo
- Prenda a respiração contando até 4
- Expire devagar pela boca contando até 4

Repita por dez respirações ou até sentir seu ritmo cardíaco desacelerar.

Respirar para ter energia e foco (*kapalabhati*)

Faça isto depois de ter feito a preparação acima:

- Inspire pelo nariz contando até 4
- Expire com força pelo nariz em menos de um segundo (você vai sentir uma espécie de motor bombear dentro dos seus pulmões)
- Torne a inspirar pelo nariz contando até 4

Faça isso por dez respirações no total.

Respirar para dormir

- Inspire por 4 segundos
- Expire por mais do que 4 segundos

Faça isso até pegar no sono ou quase.

PARTE DOIS

CRESCIMENTO

5
PROPÓSITO

A natureza do escorpião

Quando você protege o seu dharma,
seu dharma *protege você.*[1]
— *Manusmriti*, 8:15

Vista de fora, a vida de monge parece ter a ver fundamentalmente com o desapego: a cabeça raspada, as vestes, o fato de eliminar as distrações. Na verdade, o asceticismo era para nós menos um objetivo do que um meio para um fim. O desapego abria nossa mente.

Nós passávamos nossos dias servindo; isso também tinha por finalidade expandir nossa mente. Durante esse servir, não devíamos nos aproximar aos poucos de nossas tarefas preferidas, mas ajudar onde e como fosse preciso. Para vivenciar e enfatizar nossa disposição e nossa flexibilidade, fazíamos um rodízio em várias tarefas e atividades em vez de escolher papéis e nos tornarmos especialistas: cozinhar, limpar, jardinar, cuidar das vacas, meditar, estudar, rezar, ensinar, e assim por diante. Foi necessário algum trabalho para eu realmente considerar todas as atividades iguais entre si – eu preferia bem mais estudar a ter que limpar o curral das vacas –, mas nos diziam para ver a sociedade como os órgãos de um corpo. Nenhum órgão é mais importante que outro; todos eles funcionam juntos, e o corpo precisava de todos.

Apesar dessa coexistência equitativa, ficou claro que cada um de nós tinha suas afinidades naturais. Um podia ser atraído por cuidar dos animais (eu não!), outro podia sentir prazer em cozinhar (aqui também não: sou o tipo de sujeito que come para viver), outro podia obter grande satisfação na jardinagem. Nós realizávamos um leque tão grande de atividades que, embora não nos dedicássemos a nossas paixões particulares, podíamos observar e refletir sobre quais eram elas. Podíamos experimentar novas competências, estudá-las, ver o que sentíamos ao nos tornarmos melhores nelas. Do que nós gostávamos? O que nos parecia natural e nos deixava realizados? Por quê?

Se algo me deixava pouco à vontade, como limpar o curral das vacas, em vez de virar as costas, eu me forçava para entender os sentimentos que estavam na raiz do meu desconforto. Rapidamente identifiquei minha aversão a algumas das tarefas mais triviais como um problema do ego. Eu as considerava perda de tempo quando poderia estar aprendendo. Uma vez que reconheci isso para mim mesmo, pude investigar se a limpeza tinha algo a me oferecer. Será que eu conseguiria aprender com um esfregão? Ou recitar poemas em sânscrito enquanto plantava batatas? Enquanto realizava minhas tarefas, observei que os esfregões precisam ser inteiramente flexíveis para conseguir penetrar em cada espaço e em cada cantinho. Algo sólido como uma vassoura não é o mais adequado para todas as tarefas. Para minha mente monge, isso trouxe uma lição que valeu a pena: nós precisamos de flexibilidade para conseguir acessar todos os cantos do estudo e do crescimento. Em relação a plantar batatas, descobri que o ritmo da tarefa me ajudava a me lembrar dos versos, enquanto os versos traziam animação para as batatas.

Explorar nossos pontos fortes e fracos no universo autolimitado do *ashram* ajudou a conduzir cada um de nós ao nosso *dharma*. Como muitos termos em sânscrito, *dharma* não pode ser definido por uma única palavra em inglês ou em português, embora dizer que algo é a "sua vocação" chegue perto. A minha definição de *dharma* é um esforço para torná-lo prático para nossa vida atual. Eu vejo o *dharma* como a combinação de *varna* e *seva*. Pense em *varna* (outra palavra de significado complexo) como paixão e competências. *Seva* é entender as necessidades do mundo e servir aos outros de modo altruísta. Quando seus talentos e paixões naturais (seu *varna*) se conectam com aquilo de que o Universo precisa (*seva*) e se tornam o seu propósito, você está vivendo no seu *dharma*.

Quando você dedica seu tempo e sua energia a viver o seu *dharma*, tem a satisfação de usar suas melhores competências e fazer algo que importa para o mundo. **Viver o seu *dharma* é o caminho certeiro para a realização.**

Na primeira parte deste livro, falamos sobre tomar consciência e desapegar-se das influências e distrações que nos desviam de uma vida plena. Agora vamos reconstruir a vida em torno dos valores que nos guiam e de nossas intenções mais profundas. Esse crescimento começa com o *dharma*.

Dois monges estavam lavando os pés num rio quando um deles viu um escorpião se afogando dentro d'água. Na mesma hora, ele pegou o animal e o pôs na margem do rio. Embora ele tivesse sido rápido, o escorpião picou sua mão. Ele voltou a lavar os pés. O outro monge disse: "Ei, olhe ali! Esse escorpião idiota caiu na água outra vez." O primeiro monge se inclinou, tornou a salvar o escorpião, e mais uma vez foi picado. O outro monge lhe perguntou: "Irmão, por que você fica salvando o escorpião quando sabe que a natureza dele é picar?"

"Porque a minha natureza é salvar", respondeu o monge.

Esse monge é um modelo de humildade – ele não coloca a própria dor acima da vida do escorpião. Mas a lição mais relevante aqui é que "salvar" é tão essencial para a natureza desse monge que ele se vê impelido e fica satisfeito em agir assim, mesmo sabendo que o escorpião vai picá-lo. O monge tem tanta fé no seu *dharma* que está disposto a sofrer para cumpri-lo.

Descobrindo seu *dharma*

É meu primeiro verão no ashram. *Já limpei banheiros, preparei curry de batata, colhi repolhos. Já lavei minhas próprias roupas à mão, o que não é uma tarefa fácil – nossos hábitos são como lençóis, e esfregar as manchas de comida ou de grama poderia muito bem ser considerado uma sessão diária de CrossFit.*

Certo dia, estou esfregando panelas com a energia de um aprendiz cheio de disposição quando um monge mais velho vem falar comigo.

– Gostaríamos que você conduzisse uma aula esta semana – diz ele. – O tema é este verso da Gita: *"Seja qual for a ação realizada por um grande homem, os homens comuns seguem seus passos, e quaisquer padrões que ele estabeleça por seus atos exemplares, o mundo inteiro segue."*

Eu aceito, e ao voltar para minhas panelas fico pensando no que vou dizer. Entendo o sentido geral da escritura: nós ensinamos por meio do exemplo. Isso remete à minha compreensão de que você não é quem diz ser, mas sim o modo como se comporta – o que me faz pensar numa citação muitas vezes atribuída a São Francisco de Assis: "Pregue o Evangelho a todo momento. Quando for preciso, use palavras."

Muitos monges, assim como eu, não entraram no ashram *aos 5 anos. Eles estudaram em escolas convencionais, tiveram namoradas e namorados, viram televisão e filmes. Eles não vão ter dificuldade para entender o significado desse verso, mas estou animado com a perspectiva de encontrar um jeito de fazê-lo parecer novo e relevante para a nossa experiência fora do* ashram.

Os computadores já antigos da nossa biblioteca têm uma conexão de internet insuportavelmente lenta. Eu estou na Índia, no meio do nada, e parece que qualquer imagem leva uma hora para baixar. Depois de ter pesquisado nos velozes computadores de uma biblioteca universitária, acho essa espera dolorosa. Mas sei que, lá na cozinha, outros monges, meus companheiros, estão esperando pacientemente a água ferver. Assim como eles, tento respeitar o processo.

Durante minhas pesquisas, fico fascinado com a psicologia da comunicação.[2] Encontro estudos de Albert Mehrabian que dizem que 55% de nossa comunicação é feita por linguagem corporal, 38% pelo tom de voz e apenas 7% pelas palavras que nós de fato dizemos. (Isso é uma regra geral, mas, mesmo em situações nas quais essas porcentagens mudam, o fato é que a maior parte da nossa comunicação é não verbal.) Perco-me descobrindo como transmitimos nossas mensagens e nossos valores, analisando o estilo de comunicação de vários líderes e tentando entender como tudo isso se une para ter relevância em nossa vida. Entre outras coisas, leio sobre Jane Goodall, que nunca teve a intenção de se tornar uma líder. A primeira vez que ela adentrou as selvas da Tanzânia para estudar os chimpanzés foi em 1960, mas suas pesquisas e seu trabalho duradouro redefiniram de modo significativo o conceito de conservação da vida selvagem, atraíram mulheres para a área e inspiraram centenas de milhares de jovens a se envolverem em iniciativas de conservação.[3]

Nossa turma se reúne numa sala de tamanho médio. Assumo meu lugar num assento elevado e estofado, e os alunos se sentam na minha frente em almofadas. Não me considero superior a eles sob nenhum aspecto, com exceção do meu assento elevado. Nós, monges, já aprendemos que todo mundo é sempre simultaneamente aluno e professor.

Quando termino de dar minha aula, sinto-me satisfeito com o modo como ela transcorreu. Gostei de compartilhar as ideias tanto quanto gostei de pesquisá-las. Os outros me agradecem e me dizem que gostaram dos exemplos e que eu fiz os versos antigos parecerem relevantes. Uma ou duas pessoas perguntam como eu me preparei – elas repararam em quanto me esforcei. Ao saborear os efeitos da minha satisfação e dos seus elogios, estou começando a me dar conta de qual é o meu dharma: *estudar, fazer experiências com o conhecimento e falar.*

Todo mundo tem uma natureza psicofísica que determina em que campo a pessoa floresce e prospera. *Dharma* é usar essa inclinação natural, as coisas para as quais você tem talento, aquilo que o faz prosperar, para servir aos demais. Você deve sentir paixão quando o processo é agradável e sua execução, hábil. E a reação dos outros deve ser positiva, mostrando que a sua paixão tem um propósito. A fórmula mágica do *dharma* é a seguinte:

Paixão + Competência + Utilidade = *Dharma*

Se só ficamos animados quando as pessoas falam bem do nosso trabalho, isso é um sinal de que não temos paixão pelo trabalho em si. Se nos dedicamos a nossos interesses e competências mas ninguém responde a eles, nossa paixão não tem propósito. Se alguma dessas peças está faltando, não estamos vivendo nosso *dharma*.

Quando as pessoas fantasiam sobre o que querem fazer e sobre quem querem ser, com frequência não investigam com profundidade suficiente para saber se suas escolhas são condizentes com o seu *dharma*. As pessoas acham que querem trabalhar com finanças porque sabem que isso dá dinheiro. Ou então querem ser médicas porque é uma profissão respeitada *e* honrada. Mas elas seguem em frente sem ter ideia se essas profissões são adequadas – se elas vão gostar do processo, do ambiente e da energia do trabalho, ou se têm algum talento para ele.

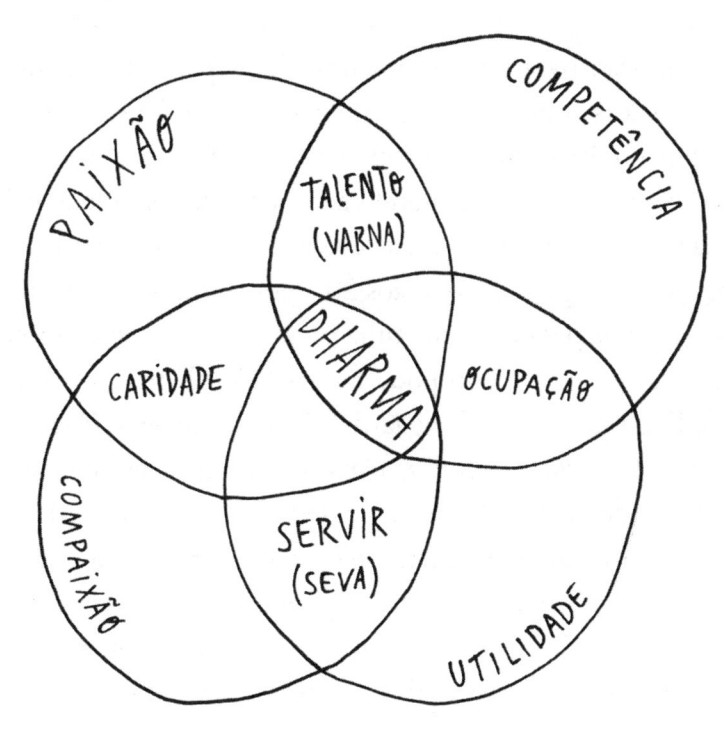

TUDO QUE VOCÊ É

Alguns de nós escutamos duas mentiras quando estamos crescendo. A primeira é: "Você nunca vai ser ninguém na vida." A segunda é: "Você pode ser o que você quiser." A verdade é...
Você não pode ser o que você quiser.
Mas você pode ser tudo que você é.

Um monge é um viajante, só que a viagem é para dentro, e nos leva ainda mais para perto do nosso eu mais autêntico, confiante e poderoso. Não há necessidade alguma de embarcar de fato numa jornada do tipo "Um ano na Provença" para encontrar sua paixão e seu propósito, como se isso fosse um tesouro enterrado num lugar distante esperando para ser descoberto. O seu *dharma* já está com você. Sempre esteve. Ele está entranhado no seu ser. Basta manter a mente aberta e curiosa que nosso *dharma* se anuncia.

Mesmo assim, podem ser necessários anos de exploração para nosso *dharma* se revelar. Um de nossos maiores desafios no mundo de hoje é a pressão para ter um desempenho espetacular agora mesmo. Graças ao sucesso precoce de gente como Mark Zuckerberg, criador do Facebook, e Evan Spiegel, cofundador do Snapchat (que se tornou o mais jovem bilionário do mundo aos 24 anos), somado às celebridades cada vez mais jovens, muitos de nós sentem que, se não encontram sua vocação e chegam ao topo aos 20 e poucos anos, fracassaram.

Submeter as pessoas a tamanha pressão para ter sucesso cedo não apenas é estressante como pode na verdade obstruir o caminho do sucesso. Segundo Rich Karlgaard, editor da revista *Forbes*, em seu livro *Antes tarde do que nunca*, a maioria de nós não chega ao auge assim tão cedo, mas o foco da sociedade no êxito acadêmico, em entrar para as faculdades "certas" e desenvolver e vender um app por milhões antes mesmo de obter o diploma (isso se você não parar de estudar para ir administrar sua empresa multimilionária) está causando altos níveis de ansiedade e depressão não só entre aqueles que não conquistaram o mundo aos 24 anos, mas mesmo entre aqueles que já deixaram uma marca significativa.[4] Muitos que tiveram sucesso cedo sentem uma pressão tremenda para manter o mesmo nível de desempenho.

No entanto, como assinala Karlgaard, existem várias pessoas extraordinariamente bem-sucedidas que chegaram ao auge mais tarde na vida: *O olho mais azul*, primeiro romance de Toni Morrison, só foi publicado quando ela estava com 39 anos. E, depois de passar dez anos na universidade e trabalhar algum tempo como instrutor de esqui, Dietrich Mateschitz tinha 40 quando criou a muitíssimo bem-sucedida empresa de energéticos Red Bull. Preste atenção, cultive a autoconsciência, alimente seus pontos fortes, e você *vai* encontrar seu caminho. E, quando descobrir qual é o seu *dharma*, vá atrás dele.

O *DHARMA* DOS OUTROS

Segundo a *Bhagavad Gita*, é melhor cumprir o próprio *dharma* de maneira imperfeita do que o de outra pessoa com perfeição. Ou, como disse Steve Jobs em seu discurso em Stanford em 2005: "Seu tempo é limitado, então não o desperdicem vivendo a vida de outra pessoa."

Em sua autobiografia, Andre Agassi jogou uma bomba no mundo: o ex-número 1 do tênis mundial, oito vezes campeão do Grand Slam e medalhista de ouro *não gostava de tênis*.[5] Agassi foi pressionado pelo pai a jogar, e, embora fosse um jogador incrível, detestava aquilo. O fato de ele ter tido um sucesso fenomenal e ganhado rios de dinheiro não importava; aquilo não era o seu *dharma*. No entanto, Agassi transformou seu sucesso nas quadras na sua verdadeira paixão: em vez de servir saques nas quadras, ele agora serve aos outros. Além de proporcionar outros serviços básicos para crianças no seu estado natal de Nevada, a Fundação Andre Agassi administra uma escola preparatória para jovens em situação de risco, do jardim de infância ao ensino médio.

Nossa sociedade se constrói sobre o fortalecimento de nossos pontos fracos, não sobre o aprimoramento dos pontos fortes. Na escola, se você tira três notas boas e uma ruim, os adultos à sua volta só conseguem pensar nessa nota ruim. Nossas notas na escola, nossa pontuação em testes padronizados, nossas avaliações de desempenho, até mesmo nossos esforços de aprimoramento pessoal – tudo isso só realça nossas insuficiências e nos incentiva a melhorá-las. Mas o que acontece se pensarmos nessas fraquezas não como fracassos, mas como o *dharma de outra pessoa?* A freira beneditina irmã Joan Chittister escreveu: "É a confiança nos limites do eu que nos leva a nos abrir, e é a confiança nos dons alheios que nos traz segurança. Nós passamos a perceber que não precisamos fazer tudo, que não podemos fazer tudo, que aquilo que eu não sei fazer é o dom e é a responsabilidade de outra pessoa... Minhas limitações abrem espaço para os dons alheios."[6] Em vez de nos concentramos em nossos pontos fracos, devemos nos apoiar em nossos pontos fortes e buscar meios de torná-los centrais em nossa vida.

Porém, eis aqui duas ressalvas importantes: primeiro, seguir seu *dharma* não significa que vale tudo. Quando falamos sobre competências, você deve se apoiar nos seus pontos fortes. Mas, se os seus pontos fracos forem qualidades emocionais como empatia, compaixão, gentileza e generosidade, você nunca deve parar de desenvolvê-las. De nada adianta ser um ás da tecnologia se você não tiver compaixão. Você não tem o direito de ser um babaca só porque tem talento.

Segundo, uma nota ruim na escola não significa que você pode largar por completo a matéria. Precisamos tomar cuidado para não confundir inexperiência com um ponto fraco. Alguns de nós vivem fora do seu *dharma* porque ainda não descobriram qual é. É importante experimentar bastante antes de rejeitar alternativas, e boa parte dessa experimentação se faz na escola e em outros lugares quando somos jovens.

Meu próprio *dharma* surgiu de algumas experiências que considerei extremamente desagradáveis. Antes de dar essa aula no *ashram*, eu não gostava de falar em público. Quando tinha uns 7 ou 8 anos, participei de uma apresentação na escola em que as crianças compartilhavam suas tradições culturais. Minha mãe me vestiu de rei indiano e me enrolou numa roupa parecida com um sári, que não me caía bem e não valorizava em nada meu corpo desengonçado. Assim que pisei no palco, as outras crianças começaram a rir. Eu não consigo cantar afinado nem se a minha vida depender disso e, quando comecei a cantar uma prece em sânscrito transliterado, as pessoas não aguentaram. Não precisei cantar nem dois minutos para quinhentos alunos e todos os professores estarem rindo de mim. Esqueci a letra e olhei para o papel na minha frente, mas não conseguia ler nada de tanto que chorava. Minha professora precisou subir no palco, passar o braço à minha volta e me levar embora enquanto todos continuavam a rir. Foi constrangedor. A partir desse dia, passei a detestar o palco. Então, quando eu estava com 14 anos, meus pais me obrigaram a participar de uma atividade extracurricular de oratória/teatro. Três horas, três vezes por semana, durante quatro anos, me deram as ferramentas necessárias para subir num palco, mas eu não tinha nada para dizer nem sentia prazer nenhum com aquilo. Eu era e continuo sendo tímido, mas esse curso de oratória mudou minha vida porque, uma vez que essa competência se conectou com meu *dharma*, eu fui longe.

Ao final do meu primeiro verão no *ashram*, eu ainda não era monge em tempo integral. Voltei para a faculdade e decidi experimentar dar aulas mais uma vez. Montei uma oficina extracurricular chamada "Pensando em voz alta", em que semanalmente as pessoas iam me ouvir falar sobre um tema filosófico, espiritual ou científico e em seguida debatíamos a questão. O tema do primeiro encontro era "Problemas materiais, soluções espirituais". Eu planejava explorar como nós, humanos, vivenciamos os mesmos desafios, obstáculos e questões na vida, e como a espiritualidade pode nos ajudar a encontrar a resposta. Ninguém apareceu. A sala era pequena e, como ela continuava vazia, eu pensei: *O que posso aprender com isso?* Então fui em frente: dei minha aula para a sala vazia com toda a minha energia, pois sentia que o tema merecia. Desde então, tenho feito a mesma coisa em plataformas diversas – iniciar uma conversa sobre quem somos e como podemos encontrar soluções para nossos desafios diários.

Para o encontro seguinte da oficina "Pensando em voz alta", consegui distribuir mais filipetas e cartazes, e umas dez pessoas apareceram. O tema dessa segunda tentativa era o mesmo, "Problemas materiais, soluções espirituais", e iniciei o debate mostrando um esquete do comediante Chris Rock que falava sobre como a indústria farmacêutica não quer curar doenças – e na verdade quer que nós tenhamos uma necessidade *prolongada* dos remédios que ela produz. Vinculei isso a um debate sobre como procuramos soluções instantâneas em vez de fazer o verdadeiro trabalho de crescimento. Sempre adorei usar exemplos engraçados e contemporâneos para relacionar a filosofia dos monges à vida cotidiana. "Pensando em voz alta" fez exatamente isso, semanalmente, ao longo dos meus três anos seguintes de faculdade. Quando me formei, a oficina tinha chegado a cem pessoas e se tornado um workshop semanal de três horas.

Todos temos um talento especial dentro de nós, mas ele pode não estar no caminho que se abre logo à nossa frente. Pode ser que nem haja um caminho visível. Meu *dharma* não estava em nenhuma das trajetórias de carreira comuns na minha faculdade, mas na oficina que criei lá depois que uma tarefa no *ashram* por acaso me ajudou a ter uma ideia de qual era meu *dharma*. Nosso *dharma* não se esconde, mas às vezes precisamos trabalhar com paciência para reconhecê-lo. Como ressaltam os pesquisadores Anders Ericsson e Robert Pool em seu livro *Direto ao ponto*, a excelência exige muita prática. Mas, se você ama o que está fazendo, você pratica. Picasso testou outras formas de arte, mas manteve o foco na pintura. Michael Jordan experimentou o beisebol durante um tempo, mas foi no basquete que realmente brilhou. Dedique o máximo de esforços à área em que você é mais forte e você alcançará profundidade, significado e satisfação em sua vida.

QUADRANTES de POTENCIAL

1. COMPETÊNCIA SEM PAIXÃO	2. COMPETÊNCIA E PAIXÃO
3. SEM COMPETÊNCIA E SEM PAIXÃO	4. SEM COMPETÊNCIA, MAS COM PAIXÃO

PERGUNTA:
COMO PODEMOS DEDICAR MAIS TEMPO E MAIS ENERGIA AO QUADRANTE 2: AS COISAS NAS QUAIS SOMOS BONS E QUE AMAMOS FAZER?

ALINHE-SE COM A SUA PAIXÃO

Para revelar nosso *dharma*, precisamos identificar nossas paixões – as coisas que amamos fazer e que temos inclinação natural para fazer bem. Qualquer um que olhe para os Quadrantes de Potencial vê claramente que devemos passar o máximo de tempo possível no canto superior direito, no Quadrante 2: fazendo coisas nas quais somos bons e que amamos fazer. Só que a vida nem sempre funciona desse jeito. Na verdade, muitos de nós passam a carreira inteira no Quadrante 1: trabalhando em coisas nas quais são bons, mas que não amam. Quando temos tempo livre, pulamos direto para o Quadrante 4 e nos dedicamos aos hobbies e atividades extracurriculares que amamos, muito embora nunca tenhamos tempo suficiente para nos tornarmos tão bons neles quanto gostaríamos. Todos concordam que queremos passar o menor tempo possível no Quadrante 3. É superdeprimente ficar fazendo coisas que não amamos e nas quais não somos bons. Então a pergunta é: como podemos passar mais tempo no Quadrante 2, dedicando-nos a coisas nas quais somos bons e que amamos fazer? (Você vai perceber que eu não abordo os quadrantes na ordem. Isso porque os quadrantes 1 e 4 oferecem cada um metade do que queremos, então faz sentido começar por eles.)

Quadrante 1: Faço isso bem, mas não amo fazer

Passar daqui para o Quadrante 2 é fácil de falar e difícil de fazer. Digamos que você não ame o seu trabalho. A maioria das pessoas não consegue simplesmente se jogar num emprego que ama e que vem milagrosamente acompanhado de um generoso salário. Uma abordagem mais prática é encontrar modos inovadores de ir em direção ao Quadrante 2 dentro do emprego que já temos. O que você pode fazer para trazer o seu *dharma* para onde você está?

Na primeira vez que voltei do *ashram*, aceitei um emprego de consultor na multinacional de consultoria em gestão Accenture. Nós vivíamos lidando com números, dados e balanços financeiros, e logo ficou claro que ter talento para usar o programa Excel era fundamental para desempenhar meu cargo da melhor maneira. Só que o Excel não era a minha praia. Apesar dos meus esforços, eu não conseguia aprender a usar bem o programa. Aquilo simplesmente não me interessava. No que me dizia respeito, o Excel era pior do que limpar o curral das vacas. Assim, embora eu tenha continuado a dar o melhor de mim, fiquei pensando em como poderia mostrar o que eu fazia bem. Como a minha paixão eram o conhecimento e as ferramentas para a vida, como meditação e mindfulness, propus dar uma aula sobre atenção plena para o meu grupo de trabalho. A diretora executiva adorou a ideia, e a aula que dei foi boa o suficiente para ela me pedir que falasse sobre mindfulness e meditação num evento de verão para analistas e consultores de toda a empresa. Eu iria falar para uma plateia de mil pessoas no estádio de Twickenham, sede do time nacional de rúgbi da Inglaterra.

Chegando ao estádio, descobri que minha vez no palco vinha depois de um pronunciamento do CEO e antes de uma fala de Will Greenwood, uma lenda do rúgbi. Sentado na plateia, quando ouvi a ordem dos palestrantes ser anunciada, eu pensei: *Que droga, todo mundo vai rir de mim. Por que aceitei isso?* Todos os outros palestrantes eram os melhores na sua área e muito articulados. Comecei a hesitar em relação ao que planejara dizer e a como dizê-lo. Então fiz meus exercícios de respiração, me acalmei e, dois segundos antes de subir no palco, pensei: *Seja você mesmo e pronto*. Eu iria cumprir meu próprio *dharma* com perfeição em vez de tentar cumprir o de outra pessoa. Fui lá, dei minha palestra, e as reações não poderiam ter sido melhores. A diretora que havia organizado o evento falou: "Nunca vi uma plateia de consultores e analistas fazer tanto silêncio a ponto de se ouvir um alfinete cair no chão." Mais tarde, ela me convidou para dar aulas de mindfulness na empresa inteira, por toda a Inglaterra.

Isso foi um divisor de águas na minha vida. Entendi que eu não tinha acabado de dedicar três anos a aprender uma filosofia esquisita feita só para monges que era irrelevante fora do *ashram*. Eu podia pegar meus talentos e colocá-los em prática. Podia de fato realizar meu *dharma* no mundo moderno. (P.S. Até hoje não sei usar o Excel.)

Em vez de fazer uma mudança radical de carreira, você pode tentar minha abordagem: buscar oportunidades de fazer o que ama na vida que você já tem. Nunca se sabe aonde isso pode levar. Leonardo DiCaprio não deixou de atuar nem de produzir, mas também dedica uma energia significativa ao ativismo ambiental, porque isso faz parte do *dharma* dele. Um assistente corporativo pode se voluntariar para fazer algum trabalho de design; um barman pode organizar um quiz de conhecimentos gerais. Trabalhei com uma advogada cuja verdadeira paixão era ser confeiteira no reality show de confeitaria amadora *The Great British Bake Off*. Como esse objetivo lhe parecia pouco realista, ela convenceu um grupo de colegas a virarem fãs do programa e, juntos, eles criaram o "Segundas de

Confeitaria", em que toda segunda-feira uma pessoa da equipe levava para o escritório algo que tivesse feito em casa. Ela continuou a trabalhar tanto quanto antes e a se sair bem no emprego que achava um pouco entediante, mas levar sua paixão para os intervalos na empresa fortaleceu sua equipe e a deixou mais disposta ao longo do dia. Se você tem dois filhos e uma hipoteca e não pode largar o emprego, faça como essa advogada e arrume um jeito de levar a energia do seu *dharma* para o seu local de trabalho, ou procure formas de levá-lo para outros aspectos da sua vida, como seus hobbies, sua casa e suas amizades.

Pense também por que você não ama seus pontos fortes. Consegue encontrar um motivo para amá-los? Muitas vezes encontro pessoas em empregos corporativos que têm todas as competências necessárias para fazer um bom trabalho, mas consideram o trabalho insignificante. O melhor jeito de atribuir algum sentido a uma experiência é descobrir como ela pode lhe ser útil no futuro. Se você pensa "Estou aprendendo a trabalhar numa equipe global" ou "Estou adquirindo todas as competências na área de orçamento de que vou precisar se um dia quiser abrir uma loja de skates", então você pode nutrir uma paixão por algo que talvez não seja a sua primeira escolha. Vincule o sentimento de paixão à experiência de aprendizado e crescimento.

A psicóloga Amy Wrzesniewski, da Escola de Gestão de Yale, coordenou uma pesquisa com equipes de higienização hospitalar para entender como elas vivenciavam seu trabalho.[7] Uma das equipes declarou que o trabalho não era particularmente satisfatório e não exigia grande competência ou qualificação. E quando os funcionários explicaram as tarefas que desempenhavam, aquilo basicamente parecia a descrição do emprego que constava no manual do RH. Ao conversarem com a outra equipe de higienização, porém, os pesquisadores ficaram surpresos com o que escutaram. O segundo grupo gostava do trabalho que fazia, achava-o profundamente significativo e o descrevia como altamente qualificado. Quando os funcionários descreveram suas tarefas, o motivo da distinção entre as equipes começou a ficar claro. Os integrantes da segunda equipe falaram não apenas sobre as atividades típicas de zeladoria, mas também sobre observar quais pacientes pareciam especialmente tristes ou recebiam menos visitas, e disseram que faziam questão de puxar conversa com eles ou passar com mais frequência para ver como estavam. Eles relataram incidentes em que haviam acompanhado visitantes idosos pela estrutura do estacionamento para evitar que se perdessem (muito embora, tecnicamente, os funcionários da equipe de limpeza possam ser demitidos por fazerem uma coisa dessas). Uma mulher disse que trocava periodicamente os quadros das paredes entre os quartos. Quando lhe perguntaram se isso fazia parte do seu trabalho, ela respondeu: "Do meu trabalho não. Mas faz parte de mim."

A partir desse estudo e de uma pesquisa subsequente, Wrzesniewski e seus colegas criaram a expressão *job crafting*, algo como "remodelação do trabalho", para se referir "àquilo que os empregados fazem para reconfigurar o próprio emprego de modo a aumentar o engajamento com o trabalho, a satisfação profissional, a resiliência e o bem-estar". Segundo os pesquisadores, podemos reformular nossas tarefas e nossos relacionamentos ou apenas o modo como percebemos o que fazemos (como os responsáveis pela higienização de ambientes hospitalares que se consideram "curadores" e "embaixadores"). A intenção com a qual abordamos nosso trabalho tem um impacto tremendo no significado que obtemos dele e em nosso senso de propósito pessoal. Aprenda a encontrar significado agora e isso lhe será útil pela vida inteira.

Quadrante 4: Não faço isso bem, mas amo fazer

Quando nossa paixão não é lucrativa, nós não lhe damos prioridade. Então ficamos frustrados por amar uma atividade mas não poder realizá-la bem ou com frequência suficiente para de fato aproveitá-la. O caminho mais certeiro para melhorar uma competência é sempre o tempo. Você consegue usar um coaching, fazer um curso ou alguma formação para se tornar melhor naquilo que ama?

"Impossível", você diz. "Se tivesse tempo para fazer isso, acredite, eu faria." Vamos falar sobre como encontrar um tempo que não existe no próximo capítulo, mas por enquanto digo o seguinte: todo mundo tem tempo. Nós vamos e voltamos do trabalho, nós cozinhamos e vemos TV. Podemos não ter três horas, mas temos dez minutos para escutar um podcast ou aprender uma técnica nova num vídeo do YouTube. Dá para fazer muita coisa em dez minutos.

Às vezes, quando começamos a entrar em contato com o nosso *dharma*, ele encontra o tempo para nós. Quando comecei a fazer vídeos, trabalhava neles após chegar em casa do meu emprego corporativo. Durante cinco horas por dia, cinco dias por semana, eu me concentrava em editar vídeos de cinco minutos. Por muito tempo o retorno desse investimento foi sofrível, mas eu não estava disposto a desistir antes de tentar tirar o melhor da minha competência.

Desde então, já vi pessoas monetizarem as coisas mais estranhas. Pesquise sites de venda na internet e você vai se assombrar ao ver quantas pessoas encontraram formas de ganhar dinheiro com suas paixões. Apesar disso, se o mundo estiver lhe mandando uma mensagem muito forte de que não vai recompensar ou, por algum motivo, não precisa ou não quer a sua paixão, tudo bem. Aceite. Existe uma necessidade *enorme* de futebol no mundo, mas não existe necessidade alguma de *eu* jogar futebol. Apesar disso, as partidas de futebol que organizei na Accenture eram o ponto alto da minha semana. Mesmo que não sejam o seu *dharma*, muitas atividades podem lhe trazer contentamento.

Quadrante 3: Não faço isso bem nem amo fazer

Faça tudo que puder para sair desse quadrante devorador de almas. Você sempre vai ter tarefas desagradáveis, mas elas não devem constituir a maior parte da sua vida. Se houver possibilidade, tente terceirizar as tarefas dessa categoria. Esvazie o bolso, poupe a cabeça. E lembre-se: só porque você não gosta, isso não significa que ninguém gosta. Será que você consegue organizar uma troca com um amigo ou colega de trabalho em que cada um assuma as tarefas de que o outro menos gosta?

Se não conseguir se livrar da obrigação, lembre-se da lição que aprendi no *ashram*: toda tarefa é como um órgão essencial. Nenhuma é menos importante que outra, e nenhum de nós é "bom demais" para realizar qualquer uma delas. Se você se considera acima de alguma coisa, está sucumbindo aos piores impulsos egoístas e desvalorizando qualquer um que desempenhe essa tarefa. Quando está satisfeito com seu *dharma*, você é capaz de valorizar outros que têm competências diferentes das suas, sem inveja e sem ego. Eu tenho grande respeito por quem sabe usar o Excel, só não quero fazer isso. Quando encontro médicos, soldados ou pessoas que são de outra carreira, eu penso: *Que coisa extraordinária. Isso é incrível. Mas não é para mim.*

EXPERIMENTE ISTO: **IDENTIFIQUE SEU QUADRANTE DE POTENCIAL**

Talvez você tenha feito este exercício mentalmente enquanto lia sobre os Quadrantes de Potencial. Mesmo assim, quero que faça o exercício de reconhecer quão perto se encontra de viver o seu *dharma* hoje.

- Você gosta do seu trabalho?
- Você ama o seu trabalho?
- Você faz bem o seu trabalho?
- Os outros valorizam o seu trabalho e necessitam dele?
- Sua maior competência ou paixão está fora do seu trabalho?
- Qual é?
- Você sonha em fazer dela o seu trabalho?
- Acha que é um sonho realizável?
- Existe a possibilidade de trazer sua paixão para o seu trabalho?
- Escreva quaisquer ideias que tiver para trazer sua paixão para o Universo.

Quadrante 2: Personalidade védica

Nós queremos viver no Quadrante 2 e passar nosso tempo usando nossos talentos para fazer o que amamos. Se ainda não chegamos lá, vale a pena examinar o problema como um monge faria: em vez de olhar para as competências específicas que você desenvolveu e as atividades específicas que ama, olhe para além delas, para suas raízes. A *Bhagavad Gita* contempla o *dharma* dividindo-nos em quatro tipos de personalidade – os chamados *varnas*. Existem quatro *varnas*, e conhecer o seu o informa sobre sua natureza e suas competências. Na história relativamente recente (século XIX), quando os líderes britânicos impuseram à sociedade indiana seu próprio e rígido sistema de classes, os *varnas* surgiram como a base do sistema de castas.[8] Embora as castas – uma hierarquia de categorias de emprego – fossem baseadas nos *varnas*, isso é uma interpretação equivocada do texto. Não estou me referindo aqui ao sistema de castas – eu acredito que somos todos iguais; apenas temos talentos e competências distintos. Minha discussão sobre os *varnas* trata de como usar essas habilidades e talentos para viver nosso pleno potencial. Os diferentes tipos de personalidade devem funcionar juntos numa comunidade, como os órgãos do corpo – todos essenciais e nenhum deles superior aos outros.

Os *varnas* não são determinados pelo nascimento. Seu objetivo é nos ajudar a compreender nossa verdadeira natureza e nossas inclinações. Você não é criativo só porque seus pais são.

Nenhum *varna* é melhor do que outro. Todos nós buscamos tipos diferentes de trabalho, diversão, amor e serviço ao próximo. Não existe hierarquia nem segregação. Se duas pessoas estão ambas agindo segundo o seu melhor *dharma*, vivendo para servir aos outros, nenhuma é melhor do que a outra. Alguém que faz pesquisas sobre câncer é melhor do que alguém que trabalha apagando incêndios no Corpo de Bombeiros?

> **EXPERIMENTE ISTO: O TESTE DE PERSONALIDADE VÉDICA**
> Este teste simples não é uma determinação absoluta do seu tipo de personalidade, mas vai ajudar você na busca do seu *dharma*.
> Veja o Teste de Personalidade Védica no apêndice, na página 343.

OS VARNAS

Os quatro *varnas* são Guia, Líder, Criador e Fazedor. Essas categorias não estão ligadas diretamente a empregos ou atividades específicas. É claro que algumas atividades nos dão prazer porque cumprem nosso *dharma*, mas existem muitos jeitos diferentes de viver nosso *dharma*. Um Guia, como você verá na página 148, tem inclinação para aprender e compartilhar conhecimento – poderia lecionar ou escrever. Um Líder gosta de influenciar e prover, mas isso não significa que precise ser CEO de uma empresa ou tenente do Exército – pode ser diretor de escola ou gerente de loja. Um Criador gosta de fazer as coisas acontecerem – pode ser numa startup ou numa associação de moradores. Um Fazedor gosta de ver as coisas serem construídas de modo palpável – pode ser programador de TI ou enfermeiro.

PERFIS de DHARMA

OS QUATRO VARNAS

- LÍDER
- FAZEDOR
- CRIADOR
- GUIA

Lembre-se dos *gunas*: *tamas, rajas, sattva* – ignorância, impulsividade, bondade. Para cada um dos *varnas*, descrevo a seguir qual é o seu comportamento segundo a influência de cada *guna*. Nós nos esforçamos para nos aproximar de *sattva*, desapegando-nos da ignorância, trabalhando em nossa paixão e servindo com bondade. Quanto mais tempo passamos em *sattva*, maior é nossa eficácia e mais realizados nos sentimos.

Criadores

Originalmente: mercadores, negociantes
Hoje em dia: marqueteiros, vendedores, profissionais do entretenimento, produtores, empreendedores, presidentes e diretores-gerais de empresas
Habilidades: brainstorming, construção e gerenciamento de redes de contatos, inovação

- Fazem acontecer
- Conseguem convencer a si mesmos e os outros de qualquer coisa
- Excelentes em vendas, negociações, persuasão
- Altamente movidos por dinheiro, prazer e sucesso
- Muito trabalhadores e determinados
- Destacam-se em negócios, comércio e bancos
- Sempre em movimento
- Trabalham muito, divertem-se muito

Modo da ignorância
- Corrompem-se e vendem coisas sem valor; mentem, trapaceiam e roubam para vender algo
- Abatem-se com o fracasso
- Ficam esgotados, deprimidos e mal-humorados devido ao excesso de trabalho

Modo do impulso
- Movidos por status
- Dinâmicos, carismáticos e cativantes
- Correm riscos, são focados em objetivos, incansáveis

Modo da bondade
- Usam o dinheiro para o bem maior
- Criam produtos e ideias que rendem dinheiro, mas que também servem aos outros
- Proporcionam empregos e oportunidades aos outros

Fazedores

Originalmente: artistas, músicos, criativos, escritores
Hoje em dia: assistentes sociais, terapeutas, médicos, enfermeiros, diretores de operações em empresas, diretores de RH, artistas, músicos, engenheiros, programadores de TI, carpinteiros, cozinheiros
Habilidades: inventar, apoiar, implementar

Modo da ignorância
- Deprimem-se quando fracassam
- Sentem-se paralisados e sem valor
- Ficam ansiosos

Modo do impulso
- Exploram e experimentam ideias novas
- Fazem muitas coisas ao mesmo tempo
- Perdem o foco na habilidade e no cuidado; mais focados em dinheiro e resultado

Modo da bondade
- Movidos por estabilidade e segurança
- Geralmente satisfeitos com o status quo
- Escolhem objetivos com significado para perseguir
- Trabalham duro, mas mantêm sempre o equilíbrio com compromissos familiares
- Melhores braços direitos
- Lideram reuniões de equipe
- Apoiam os necessitados
- Muito hábeis em profissões manuais

Conexões
Fazedores e Criadores se complementam

Fazedores levam Criadores a se concentrarem em detalhes, qualidade, gratidão e contentamento

Criadores ajudam Fazedores a pensar grande e a traçar melhor seus objetivos

Guias

Originalmente e hoje em dia: professores, guias, gurus, coaches, mentores

Habilidades: aprender, estudar, compartilhar conhecimento e sabedoria

- São coaches e mentores, não importa o papel que desempenhem
- Querem trazer à tona o melhor das pessoas em sua vida
- Valorizam conhecimento e sabedoria mais do que fama, poder, dinheiro e segurança
- Gostam de ter espaço e tempo para refletir e aprender
- Querem ajudar os outros a encontrar significado, realização e propósito
- Gostam de trabalhar sozinhos
- Apreciam atividades intelectuais em seu tempo livre: leitura, debates, discussões

Modo da ignorância
- Não praticam o que pregam
- Não lideram pelo exemplo
- Têm dificuldade para implementar ideias

Modo do impulso
- Amam debater e derrubar os argumentos alheios
- Usam o conhecimento para ter força e poder
- Intelectualmente curiosos

Modo da bondade
- Usam o conhecimento para ajudar os outros a encontrarem seu propósito
- Aspiram a melhorar a si mesmos para poderem ter mais a oferecer
- Percebem que o conhecimento não é para seu uso pessoal e que estão aqui para servir

Líderes

Originalmente: reis, guerreiros
Hoje em dia: Forças Armadas, Justiça, segurança pública, política
Habilidades: governar, inspirar, mobilizar os outros

- Líderes natos de pessoas, movimentos, grupos e famílias
- Direcionados por coragem, força e determinação
- Protegem os menos privilegiados
- São conduzidos por moral e valores superiores e buscam aplicá-los mundo afora
- Proporcionam estrutura e suporte para o crescimento das pessoas
- Gostam de trabalhar em equipe
- Ótimos em organização, foco e dedicação a uma missão

Modo da ignorância
- Desistem da mudança por corrupção e hipocrisia
- Desenvolvem um ponto de vista negativo e pessimista
- Perdem sua bússola moral na busca do poder

Modo do impulso
- Constroem estrutura e suporte para alcançar fama e dinheiro, mas não significado
- Usam seus talentos para servir a si mesmos, não à humanidade
- Focam objetivos de curto prazo para si mesmos

Modo da bondade
- Lutam por moral, ética e valores superiores
- Inspiram pessoas a trabalharem juntas
- Constroem objetivos de longo prazo para apoiar a sociedade

Conexões
Guias e Líderes se complementam
Guias proporcionam sabedoria a Líderes
Líderes proporcionam estrutura a Guias

A ideia dos *varnas* é ajudar você a entender a si mesmo para poder focar suas competências e inclinações mais fortes. O autoconhecimento lhe oferece mais foco. Quando olho para minhas tendências de Guia, faz sentido para mim eu ter sucesso ao focar estratégia. Como Criadores e Fazedores são melhores em implementação, cerquei-me de pessoas capazes de me ajudar nisso. Um músico pode ser um Fazedor, movido pela segurança. Para ter sucesso, ele talvez precise estar cercado de estrategistas. Invista nos seus pontos fortes e cerque-se de pessoas capazes de preencher suas lacunas.

Quando você conhece o seu *varna* – suas paixões e competências – e o usa para servir aos outros, ele se torna o seu *dharma*.

> **EXPERIMENTE ISTO: EXERCÍCIO: O MEU MELHOR REFLETIDO**
> 1. Escolha um grupo de indivíduos que o conheçam bem – uma mistura diversa de pessoas com quem você trabalhou, parentes e amigos. Três já bastam, mas de dez a vinte são ainda melhor.
> 2. Peça-lhes que escrevam sobre um momento em que você foi o melhor. Peça-lhes que sejam específicos.
> 3. Procure padrões e temas em comum.
> 4. Escreva um perfil seu, agregando os depoimentos como se não estivessem falando sobre você.
> 5. Pense em como pode colocar suas melhores competências em ação. Como você poderia usar essas competências no próximo fim de semana? E em circunstâncias diferentes ou com outras pessoas?

FAÇA UM TEST-DRIVE DO SEU *DHARMA*

O Teste de Personalidade Védica ajuda você a começar a entender o seu *varna*, mas, como um horóscopo, não pode lhe dizer o que vai acontecer amanhã. Cabe a você testar esse *varna* no mundo real por meio da exploração e da experimentação. Se o seu *varna* for Líder, tente assumir esse papel no trabalho ou organizando a festa de aniversário do seu filho. Você experimenta um contentamento genuíno ao fazer isso?

Pense no nível de consciência que temos quando comemos alguma coisa. Nós imediatamente ativamos nossos sentidos e decidimos se gostamos ou não daquilo – e, se nos pedissem, não teríamos dificuldade para classificar esse alimento numa escala de um a dez. Além do mais, podemos ter sentimentos diferentes em relação a ele no dia seguinte. (Quando como meu sundae de brownie de chocolate preferido no domingo à noite, fico bastante feliz, mas na segunda de manhã já não acho mais que ele foi a melhor coisa do mundo para ingerir.) Com a reflexão, tanto imediata quanto a longo prazo, nós formamos opiniões sutis sobre se queremos tornar esse alimento parte da nossa dieta regular. Todos nós fazemos isso com o que comemos, fazemos isso ao sair do cinema ("E aí, gostou?"), e alguns fazem isso escrevendo avaliações sobre estabelecimentos comerciais na internet. Mas não nos ocorre medir nossa compatibilidade e nosso gosto pelo modo como gastamos nosso tempo. Quando adquirimos o hábito de identificar o que nos empodera, temos uma compreensão melhor de nós mesmos e do que queremos da vida. Isso é exatamente o que vamos fazer para refinar a compreensão de nosso *varna*.

A primeira e mais importante pergunta a se fazer quando estiver explorando seu *varna* é:

Eu gostei do *processo* ao fazer isso?

Teste a descrição do seu *varna* em relação à sua experiência para identificar o que lhe agradou no processo. Em vez de dizer "Eu adoro fotografar", encontre a raiz desse sentimento. Você gosta de ajudar as famílias a criarem um cartão de Natal que as deixe orgulhosas? (Guia) Gosta de documentar as lutas da humanidade ou outras situações significativas para promover mudanças? (Líder) Ou gosta dos aspectos técnicos da iluminação, do foco e da revelação do filme? (Fazedor) Como monges, toda vez que completávamos uma atividade ou um exercício de pensamento como os que apresento neste livro, fazíamos a nós mesmos estas perguntas: *O que me agradou nisso? Eu faço isso bem? Tenho vontade de ler sobre isso, aprender sobre isso e gastar muito do meu tempo fazendo isso? Tenho motivação para melhorar? O que me deixou confortável ou desconfortável? Se eu me senti desconfortável, foi de um jeito positivo – um desafio que me fez crescer – ou negativo?* Essa consciência nos dá uma visão bem mais sutil daquilo que nos faz vicejar. Em vez de nos despachar rumo a um caminho único, ela nos abre para novas maneiras possíveis de usar nossas paixões.

> **EXPERIMENTE ISTO: FAÇA UM DIÁRIO DE ATIVIDADES**
> Anote cada atividade da qual você participe ao longo de alguns dias: reuniões, passear com o cachorro, almoçar com um amigo, escrever e-mails, fazer comida, exercitar-se, frequentar redes sociais... Para cada atividade, responda às duas perguntas fundamentais para o *dharma*: Eu gostei do processo? Os outros gostaram do resultado? Não há respostas certas nem erradas. Isso é um exercício de observação para aumentar sua consciência.

ABRACE O SEU *DHARMA*

Nossa mente pode tentar nos convencer de que sempre tomamos apenas as melhores decisões, mas nossa verdadeira natureza – nossa paixão e nosso propósito – não está na nossa cabeça, mas no nosso coração. Na verdade, nossa mente muitas vezes obstrui o caminho das nossas paixões. Veja a seguir algumas das desculpas que usamos para permanecer com a mente fechada:

"Estou velho demais para abrir meu próprio negócio."
"Seria irresponsável fazer uma mudança dessas."
"Não tenho dinheiro para isso."
"Eu já sei disso."
"Sempre fiz isso desse jeito."
"Assim não vai funcionar para mim."
"Eu não tenho tempo."

Crenças do passado, falsas ou autoenganosas, nos impedem de avançar. Medos nos impedem de tentar coisas novas. Nosso ego não nos deixa aprender novas informações e nos abrir para o crescimento. (Falarei mais sobre isso no Capítulo 8.) E ninguém nunca tem tempo para mudar. Mas milagres acontecem quando você abraça o seu *dharma*.

Na juventude, Joseph Campbell não tinha nenhum modelo de carreira que se encaixasse com seus interesses diversos.[9] Quando criança, no início dos anos 1900, ele ficou fascinado pela cultura dos indígenas norte-americanos e estudou tudo que podia sobre o assunto. Na universidade, encantou-se com os rituais e símbolos do catolicismo. Ao estudar no exterior, seus interesses se expandiram e passaram a incluir as teorias de Jung e Freud, e ele desenvolveu interesse pela arte moderna. De volta a Columbia, Campbell disse a seus orientadores de dissertação que desejava misturar histórias antigas sobre o Santo Graal com reflexões sobre arte e psicologia. Eles rejeitaram essa ideia. Campbell então parou de trabalhar na sua tese e, em 1949, arrumou emprego como professor de literatura no Sarah Lawrence College, que manteve por 38 anos. Enquanto isso, publicou centenas de livros e artigos e mergulhou fundo na mitologia e na filosofia indiana antiga. Mas foi em *O herói de mil faces* que ele apresentou pela primeira vez suas inovadoras ideias sobre o que chamou de "a jornada do herói" – conceito que o estabeleceu como uma das maiores autoridades em mitologia e psique humana.

Na condição de alguém que seguiu o próprio *dharma*, não é de admirar que Joseph Campbell seja a fonte original do conselho: "Siga a sua alegria." Ele escreveu: "Cheguei a essa ideia de alegria porque em sânscrito, que é a grande linguagem espiritual do mundo, existem três termos que representam o limiar, o local de onde se salta para o oceano da transcendência: *sat*, *chit* e *ānanda*. A palavra *sat* significa 'ser'. *Chit* significa 'consciência'. *Ānanda* significa 'felicidade', 'êxtase', 'arrebatamento'. Pensei: 'Eu não sei se a minha consciência é a consciência verdadeira ou não; não sei se o que sei sobre o meu ser é meu ser verdadeiro ou não; mas sei onde está o meu arrebatamento. Então vou me ater a ele, e isso me trará tanto a minha consciência quanto o meu ser.' Acho que deu certo." Se você seguir sua alegria, disse ele, "portas se abrirão para você que não teriam se aberto para mais ninguém".

Instintos de autoproteção nos impedem de avançar ou nos direcionam para decisões práticas (Campbell, afinal, lecionou literatura por 38 anos), mas nós podemos ver além deles e seguir nosso *dharma* se soubermos o que procurar.

O *DHARMA* É DO CORPO

Em vez de escutar a nossa mente, precisamos prestar atenção na sensação que uma ideia ou atividade produz no nosso corpo. Em primeiro lugar, quando você se visualiza fazendo alguma coisa, você sente alegria? A ideia do processo o agrada? Em seguida, quando você de fato realiza a atividade, como seu corpo reage? Dá para sentir quando você se encontrou no que está fazendo.

1. *Vivo*. Para algumas pessoas, agir de acordo com o próprio *dharma* as faz sentir uma satisfação calma e confiante. Para outras traz uma emoção de alegria e entusiasmo. Seja como for, você se sente vivo, com um sorriso no rosto. Uma luz se acende.
2. *No fluxo*. No *dharma* existe um "embalo" natural. Você sente que está em casa, nadando a favor da corrente – não que está lutando contra a maré. Quando você está realmente alinhado, tem uma sensação de fluxo: você se desliga um pouco das próprias preocupações e perde a noção do tempo.
3. *Conforto*. No seu *dharma* você não se sente sozinho nem fora de lugar, independentemente de quem venha ou vá ou onde você esteja fisicamente; o lugar em que você está parece certo, mesmo que esse lugar seja viajar pelo mundo. Eu não gosto da sensação de perigo, mas tenho um amigo que adora carros velozes e jet skis. O risco – na pior das hipóteses – é o mesmo para nós dois, mas para ele isso vale a pena. Ou talvez o risco em si já seja uma alegria. Já no meu caso, o palco é o lugar onde eu me encontro, mas para outra pessoa falar em público pode significar ficar paralisada.

4. *Regularidade*. Se você adora praticar mergulho nas férias, isso não significa que essa prática ou, quem sabe, estar de férias seja o seu *dharma*. Estar de acordo com o seu *dharma* exige repetição. Na verdade, o que você faz melhora quanto mais você repete. Mas um acontecimento isolado é uma pista de qual energia mais o agrada e de quando e como você se sente vivo.

5. *Positividade e crescimento*. Quando temos consciência de nossos pontos fortes, somos mais confiantes, valorizamos mais as habilidades dos outros e ficamos menos competitivos. A tendência de se comparar aos outros pode não desaparecer por completo, mas ela encolhe, porque você só se compara às pessoas dentro do seu campo de especialidade. A rejeição e a crítica não são sentidas como ataques. São encaradas como informações que podemos aceitar ou rejeitar ao avaliar se elas nos ajudam a avançar ou não.

O SEU *DHARMA* É RESPONSABILIDADE SUA

Quando tiver uma noção do seu *dharma*, cabe a você organizar sua vida de modo a poder vivê-lo. Nós nem sempre estaremos num lugar ou numa situação em que os outros reconhecem nosso *dharma* e se desdobram para nos ajudar a realizá-lo. Como todos já sentimos na pele em algum momento da vida, os chefes nem sempre aproveitam o potencial de seus empregados. Se você está lendo este capítulo e pensando *Meu gerente precisa entender o* dharma *– aí, sim, ele vai me dar aquela promoção*, você não entendeu nada. Nós nunca estaremos num mundo idílico onde todos vivem o próprio *dharma* com pausas ocasionais para seus chefes ligarem e perguntarem se estão plenamente realizados.

É nossa responsabilidade demonstrar e defender nosso *dharma*. O *Manusmriti* diz que o *dharma* protege aquele que o protege.[10] O *dharma* traz estabilidade e paz. Quando temos a autoconfiança necessária para saber onde prosperamos, encontramos oportunidades para demonstrar isso. Cria-se então um círculo virtuoso. Quando você protege o seu *dharma*, você se esforça constantemente para estar no lugar onde prospera. Quando você prospera, as pessoas percebem, e você colhe recompensas que o ajudam a permanecer no seu *dharma*. Seu *dharma* protege sua alegria e seu propósito, ajudando você a crescer.

ESTIQUE O SEU *DHARMA*

Alguém que não esteja vivendo o próprio *dharma* é como um peixe fora d'água. Você pode dar ao peixe toda a riqueza do mundo, mas, se não for devolvido à água, ele vai morrer. Quando descobrir o seu *dharma*, esforce-se para desempenhar esse papel em todos os aspectos da sua vida. Siga sua paixão no seu local de trabalho. Abrace questões comunitárias usando essas mesmas habilidades. Viva seu *dharma* na sua família, nos esportes, nos relacionamentos, nos dias em que sair com os amigos. Se o meu *dharma* é ser líder, provavelmente sou eu quem vai planejar as férias da família. E eu encontrarei sentido ao desempenhar esse papel. Mas se eu for um líder e não estiver agindo de acordo, vou me sentir insignificante e frustrado.

Pode ser que você esteja pensando: *Jay, não faz sentido se agarrar ao seu* dharma. *Todo mundo sabe que é preciso se superar. Experimentar coisas novas. Aventurar-se e sair da zona de conforto.* Embora o seu *dharma* seja o seu estado natural, seu escopo vai muito além da sua zona de conforto. Por exemplo, se o seu *dharma* for falar em público, você pode passar de uma plateia de dez a uma plateia de cem pessoas, o que aumenta muito a escala do seu impacto. Se você fala para alunos, pode começar a falar para CEOs.

Também é importante esticar o seu *dharma*. Eu não sou a pessoa mais extrovertida do mundo, mas frequento eventos e reuniões porque sei que me conectar com os outros contribui para o meu propósito. Ir contra o seu *dharma* é um pouco como andar de patins. Você fica sem equilíbrio, levemente fora de controle, e termina exausto. No entanto, quanto mais entender a si mesmo, mais firme será sua base. E assim você poderá patinar conscientemente numa nova direção em nome de um propósito maior. Compreender seu *dharma* é crucial para saber quando e como deixá-lo para trás.

Nossos *dharmas* evoluem com a gente. A expatriada britânica Emma Slade vivia em Hong Kong, onde trabalhava como investidora num banco global administrando contas de mais de 1 bilhão de dólares.[11] "Eu adorava", diz ela. "Era veloz, emocionante... Eu vivia mergulhada em balanços." Então, em setembro de 1997, quando ela estava numa viagem de trabalho a Jacarta, na Indonésia, um homem apontou uma arma para seu peito, a roubou e em seguida a fez refém dentro do quarto de hotel. Ela diz que, encolhida no chão, aprendeu o valor da vida humana. Felizmente a polícia chegou antes de Slade se ferir. Mais tarde, quando os policiais lhe mostraram uma foto do agressor esparramado junto à parede do hotel, cercado por respingos de sangue, ela ficou chocada ao sentir tristeza e compaixão por aquele homem. Esse sentimento permaneceu com ela e levou-a a buscar seu verdadeiro propósito.

Slade se demitiu do emprego e começou a explorar o yoga e a natureza da mente. Em 2011, ela foi ao Butão, onde conheceu um monge que lhe deixou uma impressão muito marcante (eu sei bem como é!). Em 2012, se tornou monja budista (ela hoje é conhecida como Pema Deki) e sentiu que finalmente havia encontrado a paz. No entanto, o sentimento de compaixão que tivera pelo seu agressor voltou, e ela se deu conta de que precisava fazer algo para colocar essa compaixão em ação. Assim, fundou em 2015 uma instituição de caridade sediada no Reino Unido chamada Opening Your Heart to Bhutan (Abrindo seu coração para o Butão), que procura suprir as necessidades básicas da população rural do leste butanês. Embora ela tenha encontrado a realização tornando-se monja, seu *dharma* nunca foi passar o resto da vida sentada numa caverna meditando. Ela hoje usa seu conhecimento financeiro de um modo mais benéfico para si e para os outros.

Segundo Slade: "As competências de antigamente foram muito úteis para eu chegar à vida muito significativa e feliz que tenho hoje." Ela compara sua experiência à flor de lótus, que brota na lama e cresce, irrompendo à superfície ao buscar a luz. No budismo, o lótus representa a ideia de que a lama e o lodo dos desafios da vida podem oferecer um solo fértil para nosso desenvolvimento. À medida que cresce, o lótus se ergue acima da água para, então, florescer. O Buda diz: "Assim como um lótus vermelho, azul ou branco – nascido na água, criado na água, que se eleva acima da água – não é maculado pela água, do mesmo modo eu – nascido no mundo, criado no mundo, tendo superado o mundo – vivo sem ser maculado pelo mundo."[12]

"Jacarta foi a minha lama", diz Slade em sua palestra TEDx Talk, "mas foi também a semente do meu desenvolvimento futuro."

Lembre-se da equação completa do *dharma*. *Dharma* não é apenas paixão somada a competências. *Dharma é paixão a serviço dos outros*. Sua paixão é para você. Seu propósito é para os outros. Sua paixão se torna propósito quando você a usa para servir aos outros. Seu *dharma* precisa atender a uma necessidade no mundo. Como eu disse, os monges acreditam que você deve estar disposto a fazer o que for preciso para atender a um propósito maior (e os monges vivem isso), mas, se você não é um monge, o modo de ver essa questão é pensar que o prazer que você sente ao realizar sua paixão deve ser equivalente ao valor que os outros dão a isso. Se os outros não acham que você é eficaz, então sua paixão é um hobby – algo que pode tornar sua vida mais rica.

Isso não significa que qualquer atividade fora do seu *dharma* seja perda de tempo. Para todos nós, existem atividades na vida que desenvolvem nossas competências e atividades que constroem nosso caráter. Na primeira vez que me pediram que desse palestras, eu desenvolvi competência no que é o meu *dharma*. Mas quando me pediram que tirasse o lixo, isso construiu meu caráter. Desenvolver competências sem prestar atenção no caráter é narcisista, e construir caráter sem aprimorar nossas competências é algo desprovido de impacto. É preciso trabalhar as duas coisas para contribuir para a nossa alma e para um propósito elevado.

Conhecer e realizar seu propósito é mais fácil e mais produtivo quando você usa seu tempo e sua energia com sabedoria todos os dias. No próximo capítulo, vamos falar sobre começar bem o seu dia e seguir a partir daí.

6

ROTINA

Os lugares têm energia; o tempo tem memória

Todos os dias, ao acordar, pense: eu hoje tenho a sorte de estar vivo, tenho uma vida humana preciosa, não vou desperdiçá-la.
— Dalai Lama

Somos doze pessoas dormindo no chão, talvez mais, cada qual em um fino tapete do tipo usado para praticar yoga coberto por um simples lençol. As paredes do quarto são de taipa feita com estrume de vaca, que tem a textura de um gesso grosseiro e dá ao recinto um cheiro terroso que não é desagradável. O chão de pedra sem acabamento está liso de tão gasto, mas é muito distante de um colchão de espuma viscoelástica. Não há janelas acabadas neste prédio – estamos num cômodo interno que nos mantém secos na estação das chuvas e tem várias portas para ventilação.

Embora eu durma aqui todas as noites, não há nenhum espaço que considere "meu". Nós, monges, aqui passamos ao largo da noção de propriedade – não temos bens, não temos apegos materiais. No momento, o quarto está escuro como uma caverna, mas pelo canto dos pássaros lá fora nosso corpo já sabe que são quatro da manhã – hora de acordar. Precisamos estar na prece coletiva em meia hora. Sem dizer nada, vamos até o vestiário, onde alguns de nós tomam um banho de chuveiro e outros apenas vestem as túnicas. Fazemos fila para escovar os dentes numa das quatro pias comunitárias. Ninguém do mundo exterior é testemunha da nossa atividade, mas, se fosse, veria um grupo de homens aparentemente descansados, todos parecendo perfeitamente satisfeitos por estarem se levantando assim tão cedo.

Nem sempre foi tão fácil assim. Todas as manhãs meu cérebro, desesperado para permanecer desligado só mais um pouquinho, pensava numa desculpa diferente para dormir mais. Mas eu me forcei a adotar essa nova rotina porque estava comprometido com o processo. O fato de ser difícil foi uma parte importante da jornada.

Acabei aprendendo um truque infalível para conseguir acordar mais cedo: *eu precisava ir dormir mais cedo.* E pronto. Havia passado a vida inteira forçando os limites de cada dia, sacrificando o amanhã porque não queria perder o hoje. Mas, quando finalmente desapeguei-me disso e comecei a ir dormir mais cedo, acordar às quatro foi se tornando cada vez mais fácil. E, à medida que foi se tornando mais fácil, descobri que, para acordar cedo, eu não precisava de ajuda alguma exceto de meu próprio corpo e do mundo natural à sua volta.

Foi uma experiência reveladora para mim. Eu me dei conta de que nunca, em toda a minha vida, eu tinha começado meu dia sem sobressaltos. Quando era adolescente, meu chamado matinal era minha mãe gritando no andar de baixo: "Jay, acorda!" Mais recentemente, um despertador cumpria a mesma tarefa ingrata. Todos os dias da minha vida começavam com uma intromissão súbita e violenta. Agora, porém, eu estava acordando com o barulho dos pássaros, com as árvores farfalhando ao vento, com um regato correndo. Estava acordando com os sons da natureza.

Finalmente passei a entender o valor que isso tinha. O objetivo de acordar cedo não era nos torturar, mas iniciar o dia com paz e tranquilidade. Pássaros. Um gongo. O barulho de água corrente. E nossa rotina matinal era sempre a mesma. A simplicidade e a estrutura das manhãs no *ashram* nos poupavam da complexidade estressante das decisões e variações. Começar o dia de modo tão simples era como uma chuveirada mental. Isso nos limpava dos desafios do dia anterior e nos dava o espaço e a energia necessários para transformar ganância em generosidade, raiva em compaixão, perda em amor. Por fim, isso nos proporcionava determinação, uma noção de propósito para levarmos pelo restante do dia.

No *ashram*, todos os detalhes da nossa vida eram programados para facilitar o hábito ou ritual que tentávamos praticar. Por exemplo, nossas túnicas: ao acordar, nós nunca precisávamos pensar no que vestir. Como Steve Jobs, Barack Obama e Arianna Huffington, três pessoas conhecidas por usarem um uniforme básico, os monges simplificam o vestuário de modo a não gastar energia nem tempo ao se vestirem para o dia. Cada um de nós tinha duas túnicas – uma para usar, outra para lavar. Da mesma forma, levantar cedo tinha o objetivo de iniciar o dia com a disposição correta. Era um horário ingrato, mas espiritualmente enriquecedor.

Eu jamais acordaria a essa hora, você pode estar pensando. *Não consigo pensar num jeito pior de começar o dia.* Antes eu me sentia assim mesmo, então entendo esse ponto de vista! Mas vamos dar uma olhada no modo como a maioria das pessoas costuma começar o dia: os pesquisadores do sono dizem que 85% delas precisam de um despertador para acordar para trabalhar.[1] Quando acordamos antes de o nosso corpo estar pronto, a melatonina, hormônio que ajuda a regular o sono, em geral continua funcionando, e esse é um dos motivos pelos quais esticamos o braço para apertar o botão de soneca.

Infelizmente, nossa sociedade movida pela produtividade nos incentiva a viver assim. Maria Popova, escritora e curadora do site *Brain Pickings*, alerta: "Tendemos a considerar nossa capacidade de dormir poucas horas uma espécie de medalha de honra que valida nossa ética profissional. Mas o que ela *representa realmente* é uma profunda falta de respeito por nós mesmos e o fracasso das nossas prioridades."[2]

E aí, depois de ter dormido pouco, quase um quarto das pessoas faz outra coisa que é como começar o dia com um segundo pé esquerdo: *nós estendemos a mão e pegamos o celular menos de um minuto depois de acordar.*

Nos primeiros dez minutos do dia, mais da metade das pessoas já checou as mensagens no celular.[3] A maioria passa do sono ao processamento de toneladas de informação em questão de minutos todas as manhãs.

Só existem seis carros capazes de ir de 0 a 100 quilômetros por hora em menos de dois segundos.[4] Como a maior parte dos carros, os humanos não foram feitos para esse tipo de transição repentina, seja ela física ou mental. E a última coisa que você precisa fazer quando acabou de acordar é dar de cara com a tragédia e a dor das manchetes de jornal e os amigos reclamando do engarrafamento a caminho do trabalho. Checar seu telefone assim que acorda é como convidar cem desconhecidos tagarelas para o seu quarto antes mesmo de você tomar banho, escovar os dentes e pentear o cabelo. Somando o despertador e o mundo dentro do seu celular, você se vê imediatamente sob uma avalanche de estresse, pressão e ansiedade. Você realmente acha que, ao começar assim, vai ter um dia agradável e produtivo?

No *ashram*, nós começávamos todas as manhãs no espírito do dia que planejávamos ter e nos treinávamos para manter essa atenção e esse foco ao longo de todo o dia. Claro, tudo isso é muito fácil se a sua programação do dia for rezar, meditar, estudar, servir ao próximo e realizar tarefas domésticas, mas o mundo lá fora é mais complexo.

QUEM CEDO MADRUGA

Eis minha primeira recomendação: acorde uma hora antes do habitual. "Sem chance!", dirá você. "Por que eu iria querer acordar uma hora antes? Eu já não durmo o suficiente do jeito que está. Além do mais, credo!" Mas ouça o que eu vou dizer. Ninguém quer ir para o trabalho cansado e depois chegar ao fim do dia com a sensação de que poderia ter feito mais. A energia e a disposição da manhã perduram durante todo o dia, então tornar a vida mais significativa começa aí.

Estamos acostumados a acordar pouco antes de sair para trabalhar, para ir à aula, para ir malhar ou para despachar as crianças para a escola. Nós contamos o tempo justo suficiente para tomar uma ducha, tomar café da manhã, arrumar a bolsa, etc. Mas ter tempo "justo suficiente" significa *não* ter tempo suficiente. Você se atrasa. Pula o café da manhã. Deixa a cama por fazer. Não consegue aproveitar o banho, escovar os dentes direito, terminar o café ou pôr tudo no lugar para quando voltar encontrar a casa arrumada. Não é possível fazer as coisas com propósito e cuidado se você precisa fazer tudo com pressa. Quando você começa a manhã com altos níveis de pressão e estresse, está programando seu corpo para operar nesse modo pelo restante do dia – nos seus compromissos, conversas, reuniões...

Acordar cedo leva a um dia mais produtivo. Pessoas de grande sucesso nos negócios já entenderam isso. Tim Cook, CEO da Apple, começa o dia às 3h45 da manhã. Richard Branson acorda às 5h45. Michelle Obama acorda às 4h30.[5] Mas é importante notar que, embora várias pessoas importantes acordem cedo, também existe um movimento entre altos executivos para recuperar o sono. Jeff Bezos, CEO da Amazon, prioriza ter oito horas de sono todas as noites, pois diz que dormir menos pode lhe dar mais tempo para produzir, porém com menos qualidade. Portanto, se você vai acordar cedo, precisa ir dormir num horário que lhe permita ter uma noite de sono completa.

A vida se complica um pouco se você tem filhos ou trabalha à noite. Se essas ou outras circunstâncias tornam inconcebível a ideia de acordar uma hora mais cedo, não se desespere. Comece fazendo o possível (veja o *Experimente isto* adiante). E repare que eu não menciono um horário específico no qual você deve acordar. Não estou sugerindo que seja às quatro da manhã. Não precisa nem ser cedo – o objetivo é você ter tempo suficiente para agir com intenção e terminar tudo que começar. Esse espírito irá perdurar ao longo do dia.

Crie um tempo no início do seu dia, senão vai passar o resto dele à procura desse tempo. Eu lhe garanto que você nunca encontrará tempo extra no meio do dia. Roube-o do seu sono matinal e devolva esse sono a si mesmo à noite. Veja o que muda.

EXPERIMENTE ISTO: COMECE A ACORDAR MAIS CEDO SUAVEMENTE

Esta semana, acorde apenas quinze minutos mais cedo do que de costume. Provavelmente vai ser preciso um despertador, mas escolha um toque suave. Use luz baixa assim que acordar; ponha uma música tranquila. Não pegue o celular pelo menos durante esses quinze minutos de bônus. Dê tempo ao seu cérebro para decidir qual vai ser o tom do dia que está começando. Após fazer isso durante uma semana, passe a acordar quinze minutos ainda mais cedo. Agora você tem meia hora só para si. O que vai decidir fazer com esse tempo? Pode tomar um banho mais demorado. Saborear seu chá. Ir dar uma volta. Meditar. Passar alguns minutos arrumando as coisas antes de sair porta afora para suas tarefas. À noite, desligue a televisão e o celular e vá para cama assim que sentir os primeiros sinais de cansaço.

O QUE FAZER COM ESSE TEMPO

Depois que você criar esse espaço de tempo pela manhã, ele será só seu; ninguém poderá controlar sua forma de usá-lo. Considerando quanto do nosso tempo é determinado pelas nossas obrigações – trabalho, família, etc. –, esse tempo livre é um dos maiores presentes que podemos dar a nós mesmos. Você pode seguir sua rotina normal, apenas sentindo o espaço e o conforto que esse tempo a mais proporciona. Pode ser que consiga fazer seu próprio café em vez de tomá-lo na rua. Pode ter uma conversa durante o café da manhã, ler o jornal ou então usar esse tempo recém-conquistado para se exercitar. Se quiser meditar, pode começar o dia com uma prática de visualização de gratidão. Talvez, como os especialistas de saúde gostam de recomendar, você passe a estacionar um pouco mais longe do trabalho para caminhar um pouco a cada manhã. Quando criar esse espaço, vai perceber que ele se preenche com aquilo que mais lhe falta: tempo para si mesmo.

> **EXPERIMENTE ISTO: UMA NOVA ROTINA MATINAL**
>
> Todo dia de manhã, crie tempo para:
>
> - *Gratidão.* Expresse gratidão por alguém, algum lugar ou alguma coisa diariamente. Isso inclui pensar, anotar e compartilhar essa gratidão. (Ver Capítulo 9.)
> - *Conhecimento.* Informe-se lendo o jornal, um livro ou ouvindo um podcast.
> - *Meditação.* Passe quinze minutos sozinho, respirando, fazendo uma visualização ou meditando com som. (Sobre meditação com som, ver o final da Parte Três.)
> - *Exercício.* Nós, monges, fazíamos práticas de yoga, mas você pode fazer alguns alongamentos básicos ou um treino de ginástica.
>
> Gratidão. Conhecimento. Meditação. Exercício. Um jeito novo de ganhar tempo toda manhã.

A ROTINA NOTURNA

No *ashram* aprendi que a manhã é definida pela noite. É natural tratarmos cada manhã como um novo começo, mas a verdade é que nossos dias formam um ciclo. Você não regula seu despertador de manhã – faz isso na noite anterior. Consequentemente, se quiser acordar com intenção pela manhã, precisa estabelecer uma rotina noturna saudável e restauradora – assim, a atenção que dedicamos às manhãs começa a se expandir e a definir o dia inteiro.

"Sem chance" de você ter tempo para acordar uma hora mais cedo, mas quantas vezes você liga a TV, escolhe um ou outro programa e acaba assistindo até depois da meia-noite? Você vê TV porque está "relaxando". Está cansado demais para fazer qualquer outra coisa. Mas ir dormir mais cedo pode melhorar sua disposição.[6] O hormônio do crescimento humano (ou GH, inicial em inglês para *growth hormone*) é muito potente. Ele desempenha um papel crucial no crescimento, na regeneração celular e no metabolismo, e sem ele nós podemos até morrer mais cedo. Até 75% do GH em nosso corpo é liberado durante o sono, e pesquisas mostram que nossas taxas mais elevadas de GH ocorrem tipicamente entre as dez da noite e a meia-noite. Se você está acordado nesse horário, portanto, está se privando de GH.[7] Se tiver um emprego que só termina depois da meia-noite ou crianças pequenas que não deixam você dormir, fique à vontade para ignorar o que estou dizendo, mas acordar antes de as demandas do seu dia começarem não deve significar que você não terá uma noite completa de sono. Se você descansar de verdade entre dez e meia-noite, não será tão difícil assim encontrar essas horas pela manhã.

No *ashram*, começávamos a noite estudando e lendo e íamos dormir entre oito e dez. Dormíamos no escuro total, sem nenhum aparelho eletrônico no quarto. Íamos nos deitar de camiseta e short, nunca de túnica, pois essa roupa carregava a energia do dia.

As manhãs estabelecem o tom do dia, mas um início de noite bem planejado prepara você para a manhã. Numa entrevista para o programa *Make It*, da CNBC, o astro de *Shark Tank* Kevin O'Leary contou que, antes de ir dormir, anota três coisas que quer fazer na manhã seguinte antes de falar com qualquer um que não seja da sua família.[8] Siga essa dica, e antes de ir dormir pense nas primeiras coisas que deseja realizar no dia seguinte. Saber o que vai encarar primeiro simplificará sua manhã. Você não precisa pressionar nem forçar sua mente quando ela acabou de acordar. (E, de quebra, essas tarefas não vão tirar seu sono se você souber que vai cuidar delas.)

Em seguida, encontre a sua versão de túnica de monge, um uniforme que vai vestir de manhã. Eu hoje tenho uma coleção maior de roupas e, para o alívio da minha esposa, nenhuma delas é uma túnica laranja, mas gosto de usar combinações parecidas de peças em cores diferentes. O objetivo é diminuir os desafios da manhã. Por mais insignificante que isso possa parecer, se você passa suas manhãs decidindo o que comer, o que vestir e de que tarefas cuidar primeiro, o acúmulo de escolhas complica desnecessariamente as coisas.

Do alto de seus quarenta anos de experiência, Christopher Sommer, ex-técnico da equipe nacional norte-americana de ginástica artística, recomenda a seus atletas limitarem o número de decisões que precisam tomar, pois cada decisão é uma oportunidade de se desviar do seu caminho.[9] Se você gasta sua manhã tomando decisões sem importância, está desperdiçando essa energia. Crie padrões e tome decisões na noite anterior, assim começará o dia preparado e será mais capaz de tomar decisões focadas ao longo dele.

Por fim, considere quais são seus últimos pensamentos antes de ir dormir. Eles são *Estou ficando vesgo e já não vejo a tela, melhor desligar o celular* ou *Esqueci de dar parabéns para a minha mãe*? Não se programe para acordar com uma energia ruim. Todas as noites, quando estou pegando no sono, eu digo a mim mesmo: "Sinto-me relaxado, energizado e focado. Sinto-me calmo, entusiasmado e produtivo." Escrito num papel, isso soa como uma espécie de yoga robotizada, mas para mim funciona. Estou programando minha mente para acordar com energia e convicção. **A emoção com a qual você pega no sono à noite é muito provavelmente a mesma com a qual vai acordar pela manhã.**

UMA PEDRA NO CAMINHO

O objetivo de toda essa preparação é proporcionar intencionalidade para o dia inteiro. Assim que você sair de casa haverá imprevistos, seja qual for o seu trabalho. Você vai precisar da energia e do foco que cultivou ao longo de toda a manhã. Monges não têm apenas rotinas matinais e rotinas noturnas: nós usamos rotinas de tempo e lugar a cada instante do dia. Irmã Joan Chittister, a freira beneditina sobre quem já falei, diz: "Pessoas que moram nas cidades e têm uma condição boa de vida podem fazer escolhas sobre o modo como vivem, embora a maioria não veja isso, pois está condicionada a agir sempre no automático... Imaginem por um instante como seriam os Estados Unidos, imaginem o nível de serenidade que teríamos, se os laicos tivessem algo comparável ao programa diário da vida no claustro. Nele existem horários fixos para a prece, o trabalho e a recreação."[10] **As rotinas nos enraízam.** As duas horas que passo meditando sustentam as outras 22 do meu dia, do mesmo modo que as outras 22 horas influenciam minha meditação. A relação entre as duas coisas é simbiótica.

EXPERIMENTE ISTO: VISUALIZAÇÃO PARA O DIA DE AMANHÃ
Assim como um inventor precisa visualizar uma ideia antes de construí-la, nós podemos visualizar a vida que queremos, a começar pela visualização de como queremos que seja nosso dia de amanhã.

À noite, após fazer um exercício de respiração para acalmar sua mente, quero que você se visualize como a melhor versão de si mesmo. Visualize-se acordando pela manhã saudável, descansado e cheio de energia. Imagine a luz do sol entrando pelas janelas. Você se levanta e, ao sentir seus pés tocarem o chão, é tomado por uma sensação de gratidão por mais um dia. Sinta de fato essa gratidão, então diga mentalmente: "Sinto-me grato pelo dia de hoje. Estou animado com o dia de hoje. Estou alegre com o dia de hoje."

Veja-se escovando os dentes, sem pressa, prestando atenção em cada um. Então, quando entrar no chuveiro, visualize-se sentindo calma, equilíbrio, suavidade, tranquilidade. Ao sair do chuveiro, por já ter escolhido na noite anterior o que vai usar, vestir-se não é um problema. Agora veja-se estabelecendo suas intenções e escrevendo: "Minha intenção hoje é manter o foco. Minha intenção hoje é ter disciplina. Minha intenção hoje é servir."

Torne a visualizar a manhã inteira do modo mais realista que conseguir. Você pode acrescentar um pouco de exercício ou de meditação. Acredite nisso tudo. Sinta isso tudo. Acolha isso tudo na sua vida. Sentindo-se revigorado, sentindo-se abastecido.

Agora visualize-se continuando seu dia como a sua melhor versão. Veja-se inspirando os outros, liderando os outros, compartilhando com os outros, escutando os outros, aprendendo com os outros, mostrando-se aberto aos outros, às suas reações e opiniões. Veja-se nesse ambiente dinâmico, dando o melhor de si e recebendo também o melhor.

Visualize-se chegando em casa no fim do dia. Você está cansado, mas feliz. Quer sentar-se e descansar, mas está grato por tudo que tem, seja o que for: um emprego, uma família, amigos, um lar. Veja-se no início da noite: em vez de estar no celular ou assistindo a um programa na TV, você inventa novas maneiras de ocupar esse tempo de forma significativa.

Ao se visualizar indo para cama num bom horário, veja-se olhando para cima e dizendo: "Eu sinto gratidão pelo dia de hoje. Acordarei amanhã me sentindo saudável, cheio de energia e descansado. Obrigado." Então visualize-se fazendo uma varredura por todo o seu corpo, de cima a baixo, agradecendo a cada parte dele por ter ajudado você a atravessar o dia.

Quando estiver pronto, no seu tempo, no seu ritmo, abra os olhos devagar e com toda a delicadeza.

Observação: A vida atrapalha nossos planos. O dia de amanhã não vai correr como você o visualizou. A visualização não muda sua vida, mas muda a forma como você a vê. Você pode construir sua vida retornando ao ideal que imaginou. Toda vez que sentir sua vida se desalinhando, realinhe-a com a visualização.

No *ashram*, nós fazíamos a mesma caminhada de meia hora na mesma trilha pelo menos uma vez por dia. Diariamente, o monge nos pedia que prestássemos atenção em algo diferente, algo que nunca tivéssemos visto naquele caminho que havíamos percorrido na véspera, na antevéspera e também nos outros dias.

Reparar em algo novo a cada dia em nossa caminhada conhecida era um lembrete para mantermos o foco no caminho, para vermos o frescor de cada "rotina", para estarmos conscientes. Ver algo não é a mesma coisa que percebê-lo.[11] Pesquisadores da UCLA perguntaram a docentes, funcionários e alunos do Departamento de Psicologia se eles sabiam onde ficava o extintor de incêndio mais próximo. Apenas 24 em cada cem conseguiram se lembrar do local exato, muito embora, para 92 de cada cem participantes, houvesse um extintor de incêndio a poucos metros de onde eles responderam à pesquisa (que foi em geral na própria sala ou então numa sala de aula que eles visitavam com frequência). Um dos professores não tinha percebido que havia um extintor de incêndio a poucos centímetros da sala que ele havia ocupado nos últimos 25 anos.

Reparar de verdade no que está à nossa volta impede o nosso cérebro de entrar no piloto automático. No *ashram*, nós éramos treinados a fazer isso em nossa caminhada diária.

Eu já fiz esta mesma caminhada em centenas de dias diferentes. Está calor, mas com a túnica que estou usando não é desagradável. A floresta é densa e fresca, o caminho de terra batida é acolhedor sob nossos pés. Hoje um monge mais velho nos pediu que procurássemos uma pedra nova, na qual nunca tenhamos reparado. Fiquei um pouco decepcionado. Na última semana ou algo assim, vinham nos pedindo que procurássemos uma flor nova todo dia, e eu ontem tinha localizado uma extra para o dia de hoje, uma minúscula flor azul com uma gota de orvalho dentro que parecia piscar para mim como se estivesse a par do meu plano. Mas não: nosso líder deu um jeito de descobrir a minha intenção e mudou o exercício. Agora a caçada começou.

Monges entendem que a rotina liberta nossa mente, mas a maior ameaça a essa liberdade é a monotonia. As pessoas reclamam de ter a memória ruim, mas eu já ouvi dizer que nós não temos um problema de *re*tenção; nós temos um problema de *a*tenção. Ao buscar o novo, você está lembrando ao seu cérebro que preste atenção e reprogramando-o para reconhecer que em tudo existe algo a aprender. A vida não é tão previsível quanto supomos.

Como posso defender ao mesmo tempo a criação de rotinas e a busca de novidade? Não são coisas contraditórias? Mas é exatamente fazer o conhecido que cria espaço para a descoberta. O saudoso Kobe Bryant sabia disso.[12] A lenda do basquete começou a mostrar seu lado criativo e desenvolveu livros e uma série de vídeos. Como Bryant me disse no meu podcast, *On Purpose*, ter uma rotina era crucial para o seu trabalho. "Muitas vezes a criatividade vem da estrutura. Quando você tem esses parâmetros e essa estrutura, então você pode ser criativo dentro deles. Se você não tem estrutura, está apenas fazendo coisas a esmo." Regras e rotinas aliviam nosso fardo cognitivo de modo a deixar espaço para a criatividade. Estruturas potencializam a espontaneidade. E as descobertas revigoram a rotina.

Essa abordagem conduz ao deleite com as pequenas coisas. Temos tendência a criar expectativa em relação aos grandes eventos da vida: férias, promoções, festas de aniversário. Colocamos pressão nesses eventos para que eles fiquem à altura do que esperávamos. Mas, se procurarmos pequenas alegrias, não precisamos esperar o dia chegar. Em vez disso, elas nos esperam diariamente se nos dermos o tempo necessário para buscá-las.

E eu encontrei! Ali, uma curiosa pedra meio laranja, que pareceu surgir do nada de ontem para hoje. Viro-a na palma da mão. Encontrar a pedra não é o fim do nosso processo de descoberta. Nós a observamos profundamente, descrevemos sua cor, seu formato, mergulhamos nela de modo a entendê-la e apreciá-la. Então podemos descrevê-la de novo para ter certeza de que a experimentamos plenamente. Isso não é um exercício: é real. Uma experiência profunda. Sorrio antes de recolocar a pedra na beira do caminho, meio escondida, mas disponível para outra pessoa encontrá-la.

Percorrer o mesmo velho caminho e encontrar uma pedra nova significa abrir sua mente.

MASTIGUE O QUE VOCÊ BEBE E BEBA O QUE VOCÊ COME

A formação de monge não envolvia apenas identificar o novo. Envolvia também fazer coisas conhecidas de modo consciente.

Certa tarde, um monge mais velho nos disse:

– Hoje nós vamos almoçar em silêncio. Lembrem-se de mastigar o que estão bebendo e de beberem o que estão comendo.

– Como assim? – perguntei.

– Nós não nos damos o tempo necessário para consumir nossa comida direito – respondeu ele. – Ao beber o que está comendo, você tritura os sólidos até virarem líquido. Ao mastigar o que está bebendo, em vez de engolir o líquido de uma vez, você sorve cada gole como se fosse um bocado a ser saboreado.

EXPERIMENTE ISTO: O DE SEMPRE COMO SE FOSSE NOVO
Procure algo novo numa rotina que você já tem. O que pode ver no seu trajeto de casa para o trabalho que nunca viu antes? Tente iniciar uma conversa com alguém que vê com frequência, mas com quem nunca interagiu. Faça isso com uma pessoa nova por dia e veja como a sua vida muda.

Se um monge pode prestar atenção num simples gole d'água, imagine como isso se estende ao restante da sua vida diária. Como você pode redescobrir o cotidiano? Quando se exercita, é capaz de ver o caminho que percorre durante a corrida ou sentir de modo diferente os ritmos dos exercícios? Você vê a mesma mulher passeando com o cachorro todos os dias? Pode cumprimentá-la com um meneio de cabeça? Quando vai às compras, pode prestar atenção para escolher a maçã perfeita – ou a mais fora do comum? Consegue ter uma interação pessoal com o caixa?

No seu espaço físico, como você pode enxergar as coisas com um olhar novo? Há objetos espalhados em nossa casa e em nosso ambiente de trabalho que nós pusemos ali porque nos agradam: fotos, bibelôs, objetos de arte. Examine os seus com atenção. Eles são um reflexo verdadeiro daquilo que lhe traz alegria? Há outros objetos preferidos que merecem ganhar os holofotes e podem trazer um pouco de novidade a um lugar já conhecido? Ponha flores num vaso ou então rearrume os móveis para dar novos frescor e propósito aos objetos conhecidos. O simples fato de escolher um lugar diferente para a correspondência pode ser suficiente para torná-la parte de uma vida organizada.

Nós podemos despertar a familiaridade do lar modificando as coisas. Ponha música para tocar quando seu parceiro chegar em casa, se isso for algo que você não costuma fazer. Ou vice-versa: se você geralmente põe música ou um podcast ao chegar em casa, tente experimentar o silêncio. Traga uma fruta diferente do mercado e coloque-a no centro da mesa de jantar. Sugira um tema de conversa para seus companheiros de jantar ou revezem-se para contar três momentos surpreendentes do dia. Troque a lâmpada para uma luz mais suave ou mais forte. Vire o colchão. Durma do lado "errado" da cama.

> **EXPERIMENTE ISTO: TRANSFORME O TRIVIAL**
>
> Até mesmo uma tarefa tão cotidiana quanto lavar a louça pode se transformar se você permitir. Permita-se estar diante da pia, comprometido com uma tarefa de cada vez. Em lugar de pôr música, concentre todos os seus sentidos na louça: observe suas superfícies sujas ficarem limpas, sinta o cheiro do detergente, sinta a água. Perceba a satisfação de ver a pia cheia ficar vazia. Existe um *koan* zen que diz: "Antes da iluminação, cortar lenha, carregar água. Depois da iluminação, cortar lenha, carregar água." Por mais que cresçamos, nunca estaremos livres das tarefas e rotinas cotidianas. Iluminar-se significa abraçá-las. O exterior pode parecer igual, mas por dentro você se transformou.

Valorizar o cotidiano não precisa envolver alguma mudança. Basta encontrar valor nas atividades cotidianas. Em seu livro *At Home in the World* (Em casa no mundo), o monge Thich Nhat Hanh escreve: "A meu ver, a ideia de que lavar a louça é desagradável só pode ocorrer quando você não está lavando a louça... Se eu for incapaz de lavar a louça com alegria, se quiser terminar depressa para poder comer a sobremesa ou tomar um chá, serei igualmente incapaz de apreciar minha sobremesa ou meu chá quando finalmente os estiver consumindo... Todo pensamento, toda ação se tornam sagrados quando iluminados pela consciência. Sob essa ótica, não existe fronteira entre o sagrado e o profano."[13]

A TODO INSTANTE DO DIA

Já falamos sobre pegar um instante comum, conhecido, e encontrar novas formas de apreciá-lo. Para levar essa presença a outro nível, tentamos juntar sucessivos instantes como esse de modo a não mais discriminar e escolher determinadas caminhadas ou lavagens de louça para tornar especiais – e elevar nossa consciência de todo instante, de todo momento.

Todos nós conhecemos a ideia de viver no momento presente. Não é difícil ver que, se você está numa corrida, não vai poder voltar e mudar a velocidade na qual estava correndo no quilômetro 2. Sua única oportunidade de ter sucesso é neste momento específico. Quer você esteja numa reunião de trabalho ou jantando com amigos, as conversas que você tem, as palavras que escolhe – você nunca mais vai ter outra oportunidade exatamente igual a essa. Neste instante, você não pode mudar o passado e está decidindo o futuro, então é melhor ficar onde está. Kālidāsa, o grande poeta e dramaturgo do século V, escreveu: "O ontem não passa de um sonho. O amanhã é apenas uma visão. Mas um hoje bem vivido transforma cada ontem num sonho de felicidade e cada amanhã numa visão de esperança."[14]

Todos nós podemos concordar que viver no presente faz sentido, mas a verdade é que só estamos dispostos a ter uma *presença seletiva*. Estamos dispostos a estar presentes em determinados momentos – durante nosso programa de TV preferido, a aula de yoga, ou mesmo durante a tarefa trivial que decidimos elevar –, mas ainda queremos estar distraídos quando *decidimos* estar distraídos. Ficamos no trabalho sonhando com as férias na praia, mas depois, quando estamos na praia com aquele tão esperado drinque na mão, nos irritamos ao constatar que não conseguimos parar de pensar em trabalho. Monges aprendem que essas duas cenas estão conectadas. Uma distração desejada no trabalho se transformam em uma distração indesejada nas férias. Uma distração no almoço se estende pela tarde adentro. Assim treinamos nossa mente para estar onde não estamos fisicamente. Se você se permitir sonhar acordado, estará sempre distraído.

Estar presente é a única forma de viver uma vida verdadeiramente rica e plena.

LUGARES TÊM ENERGIA

É mais fácil ver o valor de estar presente durante toda a extensão de um dia comum e estar de fato presente se você compreende e valoriza os benefícios que a rotina tem a oferecer. Rotinas não têm a ver apenas com ações; têm a ver também com os lugares em que essas ações acontecem. Existe um motivo para as pessoas estudarem melhor em bibliotecas e trabalharem melhor em escritórios. Nova York contagia com sua agitação e seu movimento, enquanto Los Angeles deixa você mais relaxado. Cada ambiente – da maior das cidades ao menor cantinho de uma sala – tem sua própria energia. Cada local transmite um sentimento diferente, e o seu *dharma* prospera – ou definha – em ambientes específicos.

Nós estamos constantemente vivenciando toda uma gama de atividades e ambientes, mas não paramos para pensar naqueles que mais nos agradam. Você prospera em ambientes movimentados ou na solidão? Gosta da segurança de nichos aconchegantes ou de bibliotecas espaçosas? Prefere estar cercado de obras de arte e músicas estimulantes ou uma simplicidade sem distrações ajuda mais a sua concentração? Você gosta de debater ideias com os outros ou de receber feedback só após concluir um trabalho? Prefere a familiaridade ou uma mudança de cenário? Ter essa consciência de si é bom para o seu *dharma*. Isso significa que, quando você chega para fazer uma entrevista de emprego, tem uma noção melhor de como vai se sair no trabalho e se ele lhe convém. Significa que, quando você planeja um encontro, pode escolher um espaço onde vai se sentir mais à vontade. Quando você imagina outras carreiras dentro do seu conjunto de competências, sabe quais são as mais adequadas às suas sensibilidades.

> **EXPERIMENTE ISTO: CONSCIÊNCIA ESPACIAL**
>
> Para cada ambiente em que você passar algum tempo esta semana, faça a si mesmo as seguintes perguntas. Se possível, faça-as logo após a experiência e depois novamente no final da semana.
>
> - Quais eram as principais características do espaço?
> - Silencioso ou barulhento?
> - Grande ou pequeno?
> - Vibrante ou simples?
> - No centro de um local movimentado ou afastado?
> - Próximo de outras pessoas ou isolado?
> - Como eu me senti nesse espaço? Produtivo? Relaxado? Distraído?
> - A atividade que eu estava fazendo se encaixava bem no lugar?
> - Eu estava com a melhor disposição mental para o que me propus a fazer?
> - Se a resposta for não, existe algum outro lugar onde eu me sinta mais confortável realizando o que planejei?

Quanto mais seus espaços pessoais forem dedicados a finalidades únicas e claras, mais benéficos eles serão para você, não apenas na realização do seu *dharma*, mas também em sua disposição e sua produtividade. Da mesma forma que o quarto em que nós, monges, dormíamos era feito apenas para dormir, todos os outros lugares do *ashram* eram dedicados a uma única atividade. Nós não líamos nem meditávamos onde dormíamos. Não trabalhávamos no refeitório.

No mundo fora do *ashram*, assistir à Netflix e comer no seu quarto confundem a energia desse espaço. Se você levar essas energias para o seu quarto, será mais difícil dormir lá. Até mesmo no menor dos apartamentos é possível dedicar cada espaço a uma atividade diferente. Toda casa deveria ter um lugar para comer, um lugar para dormir, um lugar sagrado que ajuda você a se acalmar e um espaço reconfortante para quando você estiver com raiva. Crie espaços que lhe proporcionem a energia equivalente à sua intenção. Um quarto deve ter poucas distrações, cores calmas, iluminação suave. Idealmente ele não deve incluir seu espaço de trabalho. Já o ambiente de trabalho, por sua vez, deve ser bem iluminado, organizado e funcional, com obras de arte que lhe tragam inspiração.

Depois de identificar onde você prospera, concentre-se em expandir essas oportunidades. Caso sinta atração pela energia de uma casa noturna no seu tempo livre, será que se sairia melhor numa carreira igualmente vibrante? Se você é um músico de rock que prospera no silêncio, talvez devesse estar compondo, não se apresentando ao vivo. Se você tem o "emprego perfeito" trabalhando em casa mas prefere a atividade de um escritório, pense em realizar suas tarefas num café ou num espaço de trabalho compartilhado. A ideia é ter consciência do ambiente onde você prospera, onde se sai melhor, e entender como passar o máximo de tempo nesse lugar.

É claro que todos nós somos obrigados a fazer atividades que consideramos desagradáveis em ambientes não ideais – principalmente o trabalho – e todo mundo conhece as energias negativas que essas atividades geram. Com um nível de consciência elevado, podemos compreender o que nos deixa impacientes, estressados ou esgotados e desenvolver diretrizes para o que significa viver no nosso *dharma*, no ambiente correto, com a energia correta. Esse deveria ser nosso objetivo a longo prazo.

Faça o design de som da sua vida

Sua localização e seus sentidos interagem entre si. Isso é mais evidente quando pensamos nos sons com os quais lidamos todos os dias. Na vida de monge, os sons que escutamos se relacionam diretamente com o que estamos fazendo. Nós acordamos com o som de passarinhos e do vento. Quando entramos numa meditação, ouvimos cânticos. Não existe ruído doloroso.

Só que o mundo moderno está ficando cada vez mais barulhento. Aviões rugem no céu, cães latem, furadeiras chiam. Somos submetidos a barulhos incontroláveis o dia inteiro. Pensamos estar ignorando as buzinas e os estrondos da vida diária, mas tudo isso aumenta a carga a que nosso sistema cognitivo é submetido. O cérebro processa o som mesmo quando não temos consciência disso. Em casa, muitos de nós se refugiam no silêncio, de modo que vivemos entre os extremos de silêncio e ruído.

Em vez de eliminar o ruído da sua vida, faça o seu design de som. Comece escolhendo o melhor toque de despertador do mundo. Inicie o seu dia com uma música que lhe traga felicidade. No seu caminho até o trabalho, escute um audiolivro que você ame, seu podcast preferido ou sua playlist de sempre. Escolha sons que façam você se sentir mais feliz e mais saudável, e assim você estará mais perto de replicar a vida altamente regrada de um *ashram*.

O TEMPO TEM MEMÓRIA

Quando estabelecemos finalidades específicas para cada lugar, somos mais capazes de invocar os tipos certos de energia e atenção. O mesmo se aplica ao tempo. Fazer algo no mesmo horário todos os dias ajuda a nos lembrarmos de fazê-lo, a nos comprometermos com a atividade e a realizá-la com habilidade e facilidade cada vez maiores. Se você tem o costume de ir à academia todas as manhãs no mesmo horário, tente ir um dia à noite e veja como é desafiador. Quando fazemos algo no mesmo horário todos os dias, esse horário guarda essa memória para nós. Ele mantém a prática. Ele reserva o espaço. Quando quiser incorporar um hábito novo à sua rotina, como a meditação ou a leitura, não dificulte o processo tentando fazer a atividade toda vez que tiver um momento livre. Aloque-a no mesmo horário diariamente. Melhor ainda, vincule a nova prática a algum hábito já estabelecido. Uma amiga minha queria incorporar a prática diária de yoga em sua rotina, então passou a deixar o tapetinho bem ao lado da cama. Ela literalmente saía da cama diretamente para a prática. "Casar" hábitos é um bom jeito de evitar as desculpas.

Lugares têm energia; o tempo tem memória.

Se você faz algo no mesmo horário todos os dias, isso se torna mais fácil e natural.

Se você faz algo no mesmo lugar todos os dias, isso se torna mais fácil e natural.

UMA TAREFA DE CADA VEZ

O horário e o lugar nos ajudam a maximizar o momento, mas existe um componente essencial para estar plenamente presente: fazer uma tarefa de cada vez. Estudos revelaram que apenas duas em cada cem pessoas conseguem ser eficazes ao fazer mais de uma tarefa ao mesmo tempo; a maioria faz isso muito mal, principalmente quando uma das tarefas exige muito foco.[15] Quando pensamos que estamos fazendo várias coisas ao mesmo tempo, o que em geral está acontecendo é que estamos passando rapidamente de uma tarefa a outra, ou seja, executando "tarefas em série". Essa atenção fragmentada na verdade prejudica nossa capacidade de concentração, de modo que fazer apenas uma coisa por vez sem distração se torna mais difícil.[16] Pesquisadores da Universidade Stanford dividiram um grupo de alunos em dois subgrupos: os que alternam frequentemente entre diferentes tipos de mídia (e-mails, redes sociais e sites de notícias, por exemplo) e os que não fazem isso.[17] Eles apresentaram aos grupos uma série de tarefas ligadas a atenção e memória, como recordar sequências de letras e se concentrar em determinadas formas coloridas, ignorando outras. Os que alternavam entre múltiplas mídias se saíram consistentemente pior. Saíram-se pior inclusive num teste em que precisavam fazer mais de uma coisa ao mesmo tempo.

No intuito de tornar mais fácil fazer uma coisa de cada vez, eu tenho zonas e horários "livres de tecnologia". Minha esposa e eu não usamos eletrônicos no quarto de dormir nem na mesa de jantar, e tentamos não usá-los entre as oito da noite e as nove da manhã. Eu tento fazer até mesmo as atividades triviais uma de cada vez, de modo a fortalecer o hábito. Antes eu escovava os dentes sem prestar atenção. Eles eram bem brancos; pareciam ótimos. Mas o dentista então me disse que eu tinha danificado minhas gengivas. Hoje passo quatro segundos em cada dente. Fico contando na cabeça, *um, dois, três, quatro*, e isso me dá algo para fazer. Continuo gastando o mesmo tempo para escovar os dentes, mas agora faço isso de modo mais eficaz. Se penso em trabalho quando estou escovando os dentes ou no chuveiro, o banho não é enriquecedor e revigorante e eu não cuido direito das minhas gengivas. Quando você estiver escovando os dentes, faça apenas isso. Quando estiver tomando banho, faça apenas isso.

Não precisamos ter o foco de um raio laser em todas as tarefas o tempo inteiro. Tudo bem ouvir música enquanto você limpa o banheiro ou conversar com seu parceiro enquanto vocês jantam. Da mesma forma que alguns instrumentos soam bem juntos, determinados hábitos se complementam. Mas fazer uma tarefa de cada vez sempre que possível mantém o cérebro habituado a se concentrar numa coisa só. E, para fortalecer essa habilidade, você pode escolher algumas atividades rotineiras para realizar com concentração total, como passear com o cachorro, usar o celular (um aplicativo por vez!), tomar banho ou dobrar a roupa lavada.

INDO ATÉ O FIM

Rotinas se tornam mais fáceis se você faz cada coisa de modo imersivo. Se quiser incluir uma nova habilidade na sua vida, recomendo começar com um foco bem específico durante um curto período de tempo. Se eu passo uma hora por dia jogando pingue-pongue, com certeza vou melhorar meu jogo. Se você quiser iniciar uma meditação diária, um retiro de meditação de uma semana irá lhe proporcionar uma sólida base inicial. Ao longo deste livro, sugiro muitas mudanças que você pode fazer na sua vida. Mas, se você tentar implementar todas ao mesmo tempo, elas serão equivalentes e nenhuma será prioridade. A mudança acontece com pequenos passos e alta prioridade. Escolha uma coisa para mudar, torne-a sua prioridade, e vá até o fim antes de passar para a seguinte.

Monges procuram fazer tudo de modo imersivo. Nós sempre almoçávamos em silêncio. Nossas meditações eram longas. Não fazíamos nada em apenas cinco minutos. (A não ser tomar banho. Nós não tomávamos banhos imersivos.) Dispúnhamos do luxo do tempo, e o usávamos para fazer uma coisa de cada vez durante horas a fio. Esse mesmo nível de imersão não é possível no mundo moderno, mas quanto maior o investimento, maior o retorno. Se algo é importante, merece ser vivenciado em profundidade. E tudo é importante.

Todos nós procrastinamos e nos distraímos, até mesmo os monges, mas, se você se der mais tempo, poderá se distrair e depois retomar o foco. Na sua rotina matinal, ter um tempo limitado para tudo significa que você está a um telefonema ou a um café derramado de se atrasar para o trabalho. Se aprender uma nova competência, compreender um conceito ou montar um móvel estiver lhe causando frustração, seu instinto será se afastar, mas vá até o fim e você conseguirá realizar mais do que pensava ser possível.

Na realidade, períodos de foco profundo também são bons para o cérebro. Quando passamos compulsivamente de uma tarefa a outra (como os participantes multitarefa do estudo de Stanford que demonstraram memória e foco ruins), isso vai minando nossa capacidade de concentração. Nós superestimulamos o canal da dopamina (o sistema de recompensa do cérebro).[18] Como essa também é a rota do vício, nos sentimos compelidos a estimulá-lo mais ainda para obter a mesma sensação, e isso nos leva a cada vez mais distração. Porém, ironicamente, a sensação boa da dopamina nos deixa para baixo – dopamina em excesso pode impedir nosso cérebro de fabricar e processar serotonina, o neurotransmissor que gera alegria. Se você já passou um dia entrando e saindo de ligações, entrando e saindo de reuniões, encomendando o livro tal na Amazon e checando o Snapchat, sabe aquela sensação de exaustão que fica depois de tudo? É uma ressaca de dopamina.

Quando nos permitimos ter experiências imersivas – por meio da meditação, de períodos de trabalho focado, pintura, palavras-cruzadas, jardinagem e muitas outras formas de *tarefa única contemplativa* –, não apenas ficamos mais produtivos como de fato nos sentimos melhor.

Existem várias matérias de revistas e aplicativos de celular que nos incentivam a meditar cinco minutos por dia. Não sou contra essas coisas, mas também não ficarei surpreso se elas não adiantarem nada. Na nossa cultura, é comum dedicar de cinco a dez minutos por dia a algum tipo de prática diária, mas a verdade é que dá para realizar pouquíssima coisa em cinco minutos. Já ouvi mais de um amigo reclamar comigo: "Jay, faz sete meses que eu estou meditando cinco minutos por dia e não está adiantando nada."

Imagine se lhe dissessem que você poderia passar cinco minutos por dia durante um mês inteiro com alguém por quem se sentisse atraído. Ao final desse mês, você continuaria mal conhecendo a pessoa e certamente não estaria apaixonado. Existe um motivo pelo qual nós queremos conversar a noite inteira com alguém quando estamos nos apaixonando. Às vezes talvez até aconteça o contrário: nós nos apaixonamos *porque* passamos a noite inteira conversando com alguém. O oceano é repleto de tesouros, mas se você nadar na superfície não vai encontrar nenhum. Se iniciar uma prática de meditação com a ideia de que vai conseguir acalmar a mente na mesma hora, você logo vai aprender que a imersão exige tempo e prática.

Quando comecei a meditar, eu levava uns bons quinze minutos para me aquietar fisicamente e outros quinze para aquietar o falatório mental. Venho meditando de uma a duas horas por dia há treze anos, e *ainda* levo dez minutos para acalmar a mente. Não estou dizendo que você precisa meditar duas horas por dia durante treze anos para colher os benefícios. Não é essa a questão. Estou seguro de que qualquer processo pode funcionar se você o realizar de modo imersivo. Quando rompe a barreira e se compromete totalmente, é aí que você começa a sentir os benefícios. Você perde a noção do tempo. A sensação de estar plenamente envolvido muitas vezes é tão gratificante que, quando chega a hora de parar, você quer retornar à experiência.

Recomendo usar a experiência imersiva como pontapé inicial ou revigorante para uma prática regular. Para meu amigo frustrado com sua prática de meditação de cinco minutos diários, eu disse: "Entendo. É difícil encontrar tempo, mas, se você sente que isso não está lhe trazendo benefícios suficientes, tente fazer uma aula de uma hora. Depois volte para sua prática de dez minutos. Talvez você constate que ela ficou mais intensa. Se quiser, você pode fazer um retiro de um dia." Conversei com ele sobre se apaixonar, sobre como depois de algum tempo você não sente mais aquele impulso de passar a noite inteira em claro porque já conhece a pessoa. Cinco minutos funcionam muito melhor quando você já está casado. "Talvez fosse bom você e a meditação terem um fim de semana romântico", acrescentei.

Rotinas são contraintuitivas: em vez de ser algo chato e repetitivo, fazer as mesmas tarefas no mesmo horário e no mesmo lugar abre espaço para a criatividade. A energia consistente do lugar e a memória do tempo nos ajudam a nos manter no momento presente e a nos comprometer profundamente com as tarefas em vez de nos distrair e nos frustrar. Crie rotinas e treine a si mesmo como os monges fazem para encontrar foco e alcançar a imersão profunda.

Uma vez eliminadas as distrações externas, podemos começar a tratar das mais sutis e mais potentes de todas: as vozes dentro da nossa cabeça.

7
A MENTE
O dilema do charreteiro

Quando os cinco sentidos e a mente estão imóveis, quando o intelecto descansa em silêncio, aí começa o caminho supremo.
— Katha Upanishad

Está chovendo. Embora seja setembro e a época das monções já tenha passado, chove muito. Eu realmente preciso de um banho antes da meditação da manhã. Cerca de cem de meus companheiros monges e eu chegamos aqui ao sul da Índia à noite, após viajar dois dias de trem partindo de Mumbai. Compramos as passagens mais baratas de todas, claro, dormimos lado a lado com desconhecidos, e os banheiros eram tão imundos que decidi jejuar durante a viagem inteira para não precisar usá-los. Estamos em peregrinação, hospedados numa construção semelhante a um armazém perto do mar. Depois da meditação da manhã iremos direto para as aulas, então agora é a minha melhor oportunidade para tomar um banho.

Pergunto onde fica o chuveiro e uma pessoa aponta para uma trilha molhada e cheia de lama pelo meio dos arbustos baixos.

– Fica a uns vinte minutos a pé.

Baixo os olhos para meus chinelos. Meus pés vão ficar ainda mais sujos.

Então uma segunda voz surge na minha mente: "Não seja preguiçoso. Você precisa se preparar para a meditação da manhã. Vá tomar banho logo."

Encolho a cabeça e começo a seguir pela trilha. Tento não escorregar enquanto chapinho pela lama. Cada passo é desagradável, não só por causa das condições, mas porque a primeira voz na minha mente não para de me desencorajar, dizendo: "Viu? Você está ficando todo sujo de lama no caminho até lá, e vai ficar todo sujo outra vez na volta."

A outra voz me incentiva a seguir: "Você está fazendo a coisa certa. Honre seu compromisso."

Finalmente chego aos chuveiros, uma fileira de cabines brancas. Abro a porta e ergo os olhos. A chuva cai torrencialmente do céu ainda escuro. Não há telhado. É sério isso? Entro na cabine e não me dou nem o trabalho de abrir a torneira. Nós tomamos banho frio, mesmo, e é exatamente isso que a chuva está proporcionando.

Em pé no chuveiro, pergunto-me que diabos estou fazendo ali. Ali naquele projeto ridículo de chuveiro, naquele trem imundo na véspera, naquela viagem, vivendo aquela vida. Poderia estar quentinho e confortável num belo apartamento em Londres, ganhando 50 mil libras por ano. A vida poderia ser bem mais fácil.

No caminho de volta, porém, a segunda voz retorna com algumas ideias interessantes sobre o valor do que acabei de realizar. Ir até o chuveiro debaixo de chuva não foi uma conquista notável. Não exigiu força física nem coragem. Mas testou minha capacidade de tolerar dificuldades externas. Deu-me uma ideia de quanta frustração eu podia tolerar numa manhã. O banho pode não ter me limpado nem me refrescado, mas fez algo ainda mais valioso: fortaleceu minha determinação.

A MENTE MACACO

No *Hitopadeśa*, um antigo texto indiano de autoria de Nārāyana, a mente é comparada a um macaco bêbado picado por um escorpião e assombrado por um fantasma.[1]

Nós, humanos, temos aproximadamente setenta mil pensamentos diferentes por dia.[2] Ernst Pöppel, psicólogo e neurocientista alemão, mostrou, por meio das suas pesquisas, que nossa mente só permanece no momento presente durante cerca de três segundos de cada vez.[3] No restante do tempo, nosso cérebro vive pensando no que está à frente e no que ficou para trás, completando as ideias do momento presente com base no que vivemos no passado e na expectativa do que está por vir. Como descreve num podcast Lisa Feldman Barrett, autora de *How Emotions Are Made* (Como se formam as emoções), na maior parte do tempo "seu cérebro não está reagindo aos acontecimentos do mundo, mas prevendo... constantemente tentando adivinhar o que vai acontecer a seguir".[4] O *Samyutta Nikaya* descreve cada pensamento como um galho, e nossa mente como um macaco pulando de galho em galho, muitas vezes aleatoriamente.[5] Parece até divertido, mas, como todos sabemos, é tudo menos isso. Esses pensamentos em geral são medos, preocupações, negatividade e estresse. O que vai acontecer esta semana no trabalho? O que vou comer no jantar? Será que economizei o suficiente para tirar férias este ano? Por que a pessoa com quem marquei um encontro está cinco minutos atrasada? O que estou fazendo aqui? São todas perguntas genuínas que merecem resposta, mas nenhuma delas vai se resolver enquanto estivermos pulando de galho em galho, de pensamento em pensamento. Essa é a selva da mente destreinada.

O *Dhammapada* é uma coletânea de estrofes provavelmente compiladas pelos discípulos do Buda. Nele, o Buda diz: "Assim como os irrigadores levam água aonde querem, assim como os arqueiros fazem suas flechas alinhadas, assim como os carpinteiros esculpem a madeira, os sábios moldam a própria mente."[6] O verdadeiro crescimento exige a compreensão da mente. É ela que filtra, julga e dirige todas as nossas experiências, mas, como pode ser evidenciado pelo meu conflito na aventura do chuveiro, nós nem sempre temos uma opinião só. Quanto mais avaliarmos, compreendermos, treinarmos e fortalecermos nossa relação com a mente, maior será nosso sucesso em lidar com a vida e superar os desafios.

Essa batalha mental é travada em relação tanto às menores tarefas cotidianas (preciso acordar agora?) quanto às maiores (será que devo terminar esse relacionamento?). Todos nós enfrentamos batalhas assim todos os dias da nossa vida.

Um monge mais velho certa vez me contou uma história cherokee sobre esses dilemas que deixam todos nós angustiados:

– Um ancião diz ao neto: "Toda escolha na vida é uma batalha entre dois lobos dentro de nós. Um representa a raiva, a inveja, a ganância, o medo, a mentira, a insegurança e o ego. O outro representa a paz, o amor, a compaixão, a gentileza, a humildade e a positividade. Eles estão sempre competindo pela supremacia."

"E qual lobo ganha?", pergunta o neto. "O que você alimentar", responde o ancião.

– Mas como alimentamos os lobos? – perguntei a meu professor.

O monge respondeu:

– Com o que lemos e escutamos. Com as pessoas com quem convivemos. Com o que fazemos com o nosso tempo. Com as coisas em que concentramos nossa energia e nossa atenção.

A *Bhagavad Gita* afirma: "Para aquele que conquistou a mente, a mente é a melhor das amigas; mas para aquele que não conseguiu fazê-lo, a própria mente será sua maior inimiga."[7] A palavra *inimiga* pode parecer demasiado forte para descrever a voz da discordância na nossa mente, mas a definição parece exata: segundo o dicionário, um inimigo é "alguém ativamente contrário ou hostil a uma pessoa ou coisa" e "aquilo que prejudica ou enfraquece alguma coisa".[8] Às vezes nossa mente trabalha contra nós. Ela nos convence de algo e depois nos leva a sentir culpa ou arrependimento, muitas vezes porque o que fizemos não estava de acordo com nossos valores ou nossa moral.

Dois pesquisadores da Universidade de Princeton e da Universidade de Waterloo mostraram que o peso de uma decisão ruim não é apenas metafórico.⁹ Eles pediram a alguns participantes do estudo que recordassem uma ocasião em que houvessem feito algo antiético e, em seguida, pediram que classificassem sua percepção do próprio peso corporal. As pessoas a quem foi pedido que recordassem uma ação antiética disseram se sentir fisicamente mais pesadas do que aquelas a quem foi pedido que se lembrassem de algo neutro.

Em certas ocasiões, queremos nos concentrar em alguma coisa – um projeto profissional, um empreendimento artístico, um reparo doméstico, um novo hobby – e nossa mente simplesmente não deixa. Quando procrastinamos, há um conflito entre o que os pesquisadores chamam de nosso "eu-deveria-fazer",[10] ou o que sentimos que deveríamos fazer porque é bom para nós, e nosso "eu-quero-fazer", o que de fato queremos fazer naquele momento. "Sei que eu *deveria* começar aquele plano de negócios, mas eu *quero* assistir às quartas de final do US Open."

Antes de eu virar monge, minha mente me impedia de fazer o que eu amava porque era arriscado demais. Ela me permitia comer uma barra de chocolate e tomar um litro de refrigerante por dia, muito embora eu quisesse ser saudável. Ela fazia com que eu me comparasse com os outros em vez de me concentrar no meu próprio crescimento. Eu não me permitia procurar quem eu havia magoado porque não queria parecer fraco, mas me permitia sentir raiva de pessoas que amava porque estava mais preocupado em estar certo do que em ser bondoso. Na introdução à sua tradução do *Dhammapada*, Eknath Easwaran escreve que, em nosso turbilhão diário de pensamentos, "nós não temos uma ideia melhor de como a vida realmente é do que um pintinho antes de sair do ovo. Entusiasmo e depressão, sorte e infortúnio, prazer e dor, tudo isso são tempestades num reino minúsculo, particular e encapsulado que nós acreditamos ser a existência inteira".[11] Faz sentido, portanto, que quando o Buda finalmente chegou "ao reino que está situado mais além do alcance do pensamento", ele tenha descrito haver experimentado a sensação de um pintinho rompendo a casca do ovo.

No *ashram* aprendi algo que tem sido fundamental para conter esses pensamentos perigosos e autodestrutivos. Nossos pensamentos são como nuvens passageiras. O eu, assim como o sol, está sempre lá. Nós não somos a nossa mente.

PAI E FILHO

Como meus professores explicaram, visualizar a mente como uma entidade distinta nos ajuda a trabalhar nossa relação com ela – podemos pensar nessa interação como fazer um amigo ou negociar a paz com um inimigo.

Assim como em qualquer interação, a qualidade de nossa comunicação com a mente se baseia no histórico de nosso relacionamento com ela. Nós somos combatentes de cabeça quente ou somos teimosos e não queremos lidar com o conflito? Temos as mesmas discussões vezes sem conta ou escutamos e fazemos concessões? A maioria das pessoas não conhece o histórico desse relacionamento interior porque nunca se detém para refletir a respeito disso.

A mente macaco é uma criança e a mente monge é um adulto. Uma criança chora quando não consegue o que quer, ignorando o que já tem. Uma criança tem dificuldade para avaliar o verdadeiro valor das coisas – ela ficaria feliz em trocar um certificado de acionista por um punhado de balas. Quando algo nos desafia de alguma forma, a mente infantil reage na hora. Pode ser que você se ofenda e faça uma cara feia ou que fique na defensiva. Uma reação condicionada e automática como essa é ideal caso alguém puxe uma faca. Você sente medo e reage. Mas ela não é ideal se estamos sendo emocionalmente reativos porque alguém disse algo que não queríamos ouvir. Nós não queremos ser controlados por reações automáticas o tempo todo. Tampouco queremos eliminar por completo a mente infantil, pois ela nos permite ser espontâneos, criativos, dinâmicos – qualidades de valor inestimável –, mas, se ela nos domina, pode causar a nossa ruína.

A mente infantil, impulsiva e movida pelo desejo, é temperada pela mente adulta, judiciosa e pragmática, que diz, "Isso não é bom para você" ou então "Espere mais um pouco". A mente adulta nos lembra de parar e considerar o quadro mais amplo, avaliando sem pressa a reação automática, decidindo se ela é adequada e sugerindo alternativas. O pai inteligente sabe do que o filho precisa embora ele queira outra coisa, e pode decidir o que é melhor para ele a longo prazo.

Encarar o conflito interior dessa forma – em termos de pai e filho – sugere que, se a mente infantil está totalmente no controle, é porque nossa mente monge não foi desenvolvida, fortalecida ou ouvida. A criança se frustra, faz pirraça, e nós rapidamente cedemos. E depois ficamos com raiva de nós mesmos. *Por que estou fazendo isso? Qual é o meu problema?*

O pai é a voz mais inteligente. Se bem treinada, ela tem autocontrole, bom senso e sabe debater como ninguém. Mas ela só pode usar a força que nós lhe damos. E fica enfraquecida quando estamos cansados, com fome ou quando a ignoramos.

Quando o pai não está olhando, o filho sobe na bancada perto do fogão quente para pegar o pote de biscoitos, e o resultado pode ser desastroso. Por outro lado, se o pai for excessivamente controlador, o filho se torna amargurado, ressentido e avesso ao risco. Como em todo relacionamento entre pai e filho, acertar esse equilíbrio é um desafio constante.

Este é, portanto, o primeiro passo para entender nossa mente: simplesmente estar consciente das diferentes vozes dentro de nós. Começar a diferenciar o que está ouvindo vai ajudá-lo imediatamente a tomar decisões melhores.

CONDUZA O CARRO DA MENTE

Quando você começa a distinguir as múltiplas vozes dentro da sua cabeça, o nível de conflito pode surpreendê-lo. Isso não faz sentido.

Nossa mente *deveria* trabalhar pelo nosso bem. Por que iríamos confundir a nós mesmos? A complicação é que estamos sempre considerando dados de fontes distintas: nossos cinco sentidos, que nos dizem o que nos agrada na hora; nossas lembranças, que recordam o que vivenciamos no passado; e nosso intelecto, que sintetiza e avalia a melhor decisão a longo prazo.

Além do modelo pai-filho, os ensinamentos dos monges têm outra analogia para as vozes concorrentes na nossa mente. Nas Upanishads, o funcionamento da mente é comparado a um carro sendo puxado por cinco cavalos.[12] Nessa analogia, o carro é o corpo, os cavalos são os cinco sentidos, as rédeas são a mente e o charreteiro é o intelecto. É claro que essa descrição da mente é meio complicada, mas preste atenção.

Na mente sem treino algum, o charreteiro (o intelecto) está dormindo, então os cavalos (os sentidos) têm o controle das rédeas (a mente) e conduzem o carro (o corpo) para onde querem. Se deixados por sua própria conta, os cavalos reagem ao que está à sua volta. Se eles veem um arbusto de aspecto saboroso, abaixam-se para comê-lo. Se algo os assusta, eles saem correndo. Da mesma forma, nossos sentidos são ativados na hora por comida, dinheiro, sexo, poder, influência, etc. Se os cavalos estiverem no controle, o carro sai da estrada na direção do prazer temporário e da gratificação instantânea.

Na mente treinada, o charreteiro (o intelecto) está acordado, consciente e atento, e não deixa os cavalos conduzirem. Ele usa as rédeas da mente para guiar cuidadosamente o carro pela estrada correta.

DOMINE OS SENTIDOS

Pense naqueles cinco cavalos desgovernados, atrelados ao carro de um charreteiro preguiçoso, resfolegando e balançando a cabeça com impaciência. Lembre-se que eles representam os cinco sentidos, que são sempre nosso primeiro ponto de contato com o mundo exterior. Os sentidos são responsáveis por nossos desejos e apegos, e nos puxam na direção da impulsividade, da paixão e do prazer, desestabilizando a mente. Os monges acalmam os sentidos para assim acalmar a mente. Como diz Pema Chödrön: "Você é o céu. Todo o resto é apenas o tempo que está fazendo."

Os monges shaolin são um exemplo maravilhoso de como podemos treinar a mente para dominar os sentidos.[13] (Observação: eu nunca vivi nem fui treinado como monge shaolin, embora talvez queira tentar!)

O Templo Shaolin na China tem mais de 1.500 anos, e os monges shaolin regularmente demonstram o impossível. Eles se equilibram no fio de uma espada, quebram tijolos com a cabeça e se deitam em camas de pregos e facas sem esforço ou ferimento aparente. Parece magia, mas os monges shaolin de fato superam os próprios limites através de rigorosos regimes de treinamento físico e mental.

As crianças podem começar os estudos no monastério shaolin já aos 3 anos. Elas passam longos dias em treinamento e meditação. Por meio de técnicas respiratórias e de *qi gong*, uma técnica de cura milenar, os monges desenvolvem a capacidade de realizar feitos de força sobre-humanos e de suportar situações desconfortáveis – de ataques a ferimentos. Ao cultivar a calma interior, eles conseguem afastar o estresse mental, físico e emocional.

Os monges shaolin não são os únicos a demonstrar um incrível controle dos próprios sentidos. Pesquisadores reuniram em um grupo monges e pessoas que nunca tinham meditado e prenderam um estimulador térmico no pulso de cada um – um aparelho feito para causar dor por meio de um calor intenso.[14] A chapa aquecia devagar, ficava na temperatura máxima por dez segundos e depois esfriava. Durante o experimento, assim que a placa começava a esquentar, a matriz da dor no cérebro dos não monges disparava loucamente, como se a placa já estivesse na temperatura máxima. Os pesquisadores chamam isso de "ansiedade antecipatória". Com os monges isso não acontecia; enquanto a placa esquentava, a atividade cerebral deles permanecia praticamente a mesma. Quando a placa chegava à temperatura máxima, aí, sim, a atividade no cérebro dos monges disparava, mas apenas nas áreas que registravam as sensações físicas da dor. Veja bem, para a maioria de nós, a dor é uma sensação dupla – nós sentimos parte dela fisicamente e parte emocionalmente. Para os monges, o calor causava dor, mas eles não atribuíam sentimentos negativos à experiência. Eles não sentiam *dor emocional*. O cérebro deles também se recuperava da dor física mais depressa do que o dos não meditadores.

Isso constitui um nível notável de controle sensorial – mais do que a maioria de nós se compromete a desenvolver –, mas, por favor, pense nos seus sentidos como caminhos para a mente. A maior parte da nossa vida é governada pelo que vemos, ouvimos, cheiramos, tocamos e saboreamos. Se você sente o cheiro da sua sobremesa preferida, quer comê-la. Se vê a foto de uma praia, começa a sonhar com as férias. Você escuta determinada expressão e, na mesma hora, pensa na pessoa que costumava dizê-la o tempo todo.

A mente macaco é reativa, mas a mente monge é proativa. Digamos que, toda vez que quer entrar no YouTube para assistir a um vídeo, você acabe caindo num poço sem fundo. Vai passando de um vídeo fofinho de animais para uma compilação de ataques de tubarão, e antes de se dar conta já está assistindo a um apresentador comer comida picante junto com um convidado famoso. Os sentidos transportam a nossa mente de modo inconsequente para longe do lugar onde queremos que ela esteja. Não provoque seus sentidos. Não se sabote. Um monge não frequenta boates de strip-tease. Nós queremos minimizar as tendências reativas da mente, e o jeito mais fácil de fazer isso é deixar o intelecto conduzir proativamente os sentidos para longe de estímulos que podem fazer a mente reagir de um jeito difícil de controlar. Cabe ao intelecto saber quando você está vulnerável e puxar as rédeas, da mesma forma que um charreteiro faz ao passar por um pasto de capim saboroso.

Qualquer estímulo sensorial pode provocar emoções – um lembrete tentador, perturbador ou triste, que atrai esses cavalos selvagens para fora do caminho escolhido pelo charreteiro. As redes sociais podem sugar um tempo que você queria gastar com outra coisa; uma fotografia pode lhe lembrar um amigo perdido num momento em que você não tem tempo para a tristeza; o moletom de um ex pode partir novamente o seu coração. Dentro do limite do razoável, eu recomendo retirar gatilhos sensoriais indesejados da sua casa (ou deletar os aplicativos). Ao fazê-lo, visualize-se retirando-os da sua mente. Você pode fazer a mesma coisa quando se deparar com um gatilho mental indesejado – uma palavra que costumava ouvir de seu pai ou de sua mãe, uma música do seu passado. Visualize-se afastando isso da sua vida como faria com um objeto físico. Quando você elimina os gatilhos mentais e físicos, pode parar de ceder a eles. É desnecessário dizer que nós nunca conseguiremos remover todos os sentidos e todos os gatilhos. Tampouco iríamos querer fazer isso. Nosso objetivo não é silenciar a mente, nem mesmo imobilizá-la. Nós queremos entender o significado de um pensamento. É isso que nos ajuda a nos desapegarmos. Temporariamente, porém, enquanto estivemos fortalecendo a relação com a nossa mente, podemos tentar evitar locais e pessoas que servem de gatilho e ajustar o que vemos, escutamos, lemos e assimilamos.

Do ponto de vista de um monge, o maior dos poderes é o autocontrole para treinar a mente e a energia, para se concentrar no seu *dharma*. Idealmente, você pode enfrentar qualquer coisa que pareça difícil, desafiadora ou divertida com os mesmos equilíbrio e equanimidade, sem se animar demais com o prazer nem se deprimir demais com a dor.

Normalmente, nosso cérebro diminui o volume dos estímulos repetidos, mas, quando treinamos a mente, desenvolvemos a capacidade de nos concentrar no que queremos, independentemente das distrações.

A meditação é uma ferramenta importante que nos permite regular os estímulos sensoriais, mas também podemos treinar a mente construindo a relação entre a mente infantil e a mente adulta. Quando um pai diz "Arrume o seu quarto!" e a criança não obedece, é como se a sua mente monge estivesse dizendo "Mude de rumo!" e a mente macaco dissesse "Não, obrigada, prefiro ficar ouvindo música alta no meu fone de ouvido". Se o pai se zanga com a criança e diz "Eu falei para você arrumar o quarto! Por que ainda não arrumou?", a criança se retrai mais ainda. No fim, ela pode até obedecer à ordem, mas a troca não gerou conexão nem diálogo.

Quanto mais um pai frustrado e uma criança petulante se enfrentam, mais distantes um do outro eles se sentem. Quando você está travando uma batalha interior, sua mente macaco é um adversário. Tente considerá-la um colaborador e você poderá passar da batalha ao vínculo, de inimigo rejeitado a amigo de confiança. Um vínculo tem seus próprios desafios – ainda pode haver desavenças –, mas pelo menos todos os envolvidos querem o mesmo desfecho.

Para alcançar uma colaboração assim, nosso intelecto precisa prestar mais atenção nos padrões automáticos e reativos da mente – também conhecidos como o subconsciente.

O TEIMOSO SUBCONSCIENTE

A mente já possui determinados padrões instintivos que nós nunca escolhemos de modo consciente. Imagine que você tenha um alarme no seu celular marcado para tocar no mesmo horário todo dia de manhã. É um sistema excelente, até chegar um feriado nacional e o alarme tocar do mesmo jeito. Esse alarme é como o nosso subconsciente. Ele já está programado, e volta aos mesmos pensamentos e ações dia após dia. Nós passamos grande parte da vida seguindo o mesmo caminho que sempre seguimos, seja ele bom ou ruim, e esses pensamentos e comportamentos nunca irão mudar, a menos que façamos uma reprogramação ativa.

Joshua Bell, um violinista de renome internacional, decidiu tocar em frente a uma estação de metrô de Washington durante o horário de pico matinal.[15] Usando um instrumento raro e precioso, ele abriu seu estojo para receber doações e executou algumas das mais difíceis peças já escritas para violino. Em cerca de 45 minutos, quase ninguém parou para escutar ou fazer uma doação. Ele arrecadou cerca de 30 dólares. Três dias antes dessa apresentação em frente ao metrô, ele havia tocado o mesmo violino no Symphony Hall de Boston, onde os assentos razoáveis foram vendidos a 100 dólares.

Existem muitos motivos pelos quais as pessoas podem não ter parado para escutar um músico genial tocar, mas um deles com certeza é o fato de estarem no piloto automático, abrindo caminho pela multidão no horário de pico. Quantas coisas nós perdemos quando estamos no piloto automático?

"Loucura é fazer a mesma coisa várias vezes e esperar resultados diferentes." (Essa citação costuma ser atribuída a Einstein, embora não haja nenhuma prova de que ele algum dia tenha dito isso.) Quantos de nós fazem a mesma coisa, ano após ano, na esperança de que a vida vá se transformar?

Pensamentos se repetem na nossa mente, reforçando nossas crenças em relação a nós mesmos. Nosso consciente não está acordado para dar sua opinião. A narrativa que se desenrola em nossa mente fica presa às nossas crenças sobre relacionamentos, dinheiro, a opinião que temos de nós, o modo como devemos nos comportar. Todos nós já ouvimos alguém dizer: "Você hoje está muito bonito." E nosso subconsciente responder: "Não estou, não. Ele só está dizendo isso para me agradar." Quando alguém diz "Você mereceu!", talvez você pense: "Ah, não, não sei se eu conseguiria fazer de novo." Nossos dias estão coalhados dessas reações habituais. A mudança começa com as palavras dentro da nossa cabeça. Vamos trabalhar a escuta, a organização, a seleção e a substituição desses pensamentos.

> **EXPERIMENTE ISTO: ACORDE O SUBCONSCIENTE**
>
> Anote todos os ruídos que escutar na sua mente todos os dias. Ruídos que você sabe que não quer ouvir. Não é para ser uma lista dos seus problemas. Anote as mensagens negativas e autodepreciativas que a sua mente está lhe enviando, como:
>
> - Você não é bom o bastante.
> - Você não consegue fazer isso.
> - Você não tem inteligência para isso.
>
> É nesses momentos que o charreteiro está dormindo.

INVISTA NA MENTE CONSCIENTE

Da mesma forma que você não é sua mente, você não é seus pensamentos. Dizer a si mesmo "Eu não mereço ser amado" ou "Minha vida é uma droga" não faz disso um fato, mas esses pensamentos autodepreciativos são difíceis de mudar. Todos nós temos um histórico de dor, decepção amorosa e desafios, qualquer que seja sua natureza. Só porque vivenciamos algo e esse algo está seguramente no passado, isso não significa que acabou. Pelo contrário, o que nós vivemos vai persistir de alguma forma – muitas vezes, como pensamentos autodepreciativos – até nos ensinar aquilo que precisamos mudar. Se você não resolveu sua relação com seus pais, vai continuar escolhendo parceiros que espelham essas mesmas questões não resolvidas. Se você não mudar deliberadamente o seu mindset, sua disposição mental, está fadado a repetir e recriar a dor que já suportou.

Isso pode soar bobo, mas a melhor forma de sobrepujar as vozes na sua mente é começar a conversar com elas. Literalmente.

Comece a falar consigo mesmo todos os dias. Fique à vontade para se chamar pelo seu nome e fazer isso em voz alta sempre que se sentir confortável (talvez não num primeiro encontro nem numa entrevista de emprego). O som é algo poderoso, e ouvir seu próprio nome vai prender sua atenção.

Se a sua mente disser "Você não consegue fazer isso", responda dizendo a si mesmo: "Você consegue, sim. Tem capacidade. Tem tempo para isso."

Falar consigo mesmo ao realizar um projeto ou uma tarefa aumenta seu foco e sua concentração. Quem faz isso funciona de modo mais eficiente. Numa série de estudos, pesquisadores mostraram a voluntários conjuntos de imagens, em seguida lhes pediram que localizassem itens específicos entre os que tinham sido mostrados.[16] Pediu-se à metade dos participantes que repetisse em voz alta o nome dos itens à medida que procuravam, e à outra metade pediu-se que ficasse em silêncio. As pessoas que repetiram os itens foram consideravelmente mais rápidas do que as silenciosas. Os pesquisadores concluíram que falar sozinho não apenas estimula a memória, mas também ajuda a concentração. A psicóloga Linda Sapadin afirma ainda que falar sozinho "ajuda a clarear os pensamentos, cuidar do que é importante e consolidar quaisquer decisões que a pessoa esteja considerando".[17]

Vamos analisar como você pode encontrar uma nova perspectiva para modificar seu modo de pensar de maneira produtiva.

REFORMULE

Se você for igual à maioria dos outros seres humanos, seu intelecto é muito bom em apontar à sua mente onde ela está errando, mas raramente se dá o trabalho de reconhecer quando ela acerta. Que tipo de pai é esse?

Nada vai melhorar.
Ninguém me entende.
Eu não sou bom o bastante.
Eu não sou bonito o bastante.
Eu não sou inteligente o bastante.

Nós procuramos o que há de pior em nós e dizemos a nós mesmos que isso nunca vai mudar. Essa é a abordagem menos estimulante que poderíamos escolher. Existem três caminhos para a felicidade, todos eles centrados no conhecimento: aprendizado, progresso e realização. Sempre que estamos crescendo, nos sentimos felizes e livres de anseios materiais. Se você está insatisfeito, vive se criticando ou se sente desesperado, não deixe que isso o impeça de avançar. Identifique os pontos nos quais está progredindo e você vai começar a ver, sentir e apreciar o valor do que está fazendo.

Reformule sua autocrítica em termos de conhecimento. Toda vez que se ouvir dizer "Que tédio, estou devagar, não consigo fazer isso", responda a si mesmo: "Você está se esforçando para melhorar e está melhorando." Isso é um lembrete para si mesmo de que você está progredindo. Construa uma relação com essa voz infantil pessimista. Sua voz adulta vai ficar mais forte à medida que você for lendo, pesquisando, aplicando e testando. Aumente o volume na hora de reconhecer os acertos da sua mente. Em vez de amplificar seus fracassos, amplifique seu progresso. Se você conseguiu acordar cedo em dois dias da semana, incentive-se como faria com uma criança que acabou de iniciar uma mudança. Se você conseguiu realizar metade do que planejou, encare isso como um copo meio cheio.

Além de ampliar nosso progresso, podemos também usar a "instrução positiva" para reformular pensamentos indesejados. Nossa mente macaco muitas vezes cria ruídos do tipo "Eu não consigo fazer isso". Essa frase pode ser reformulada: "Eu consigo fazer isso se..."

"Eu não consigo fazer isso" vira "Eu consigo fazer isso se…".

"Eu sou ruim nisso" vira "Estou investindo o tempo necessário para melhorar".

"Eu não mereço ser amado" vira "Estou conhecendo pessoas novas para criar novas conexões".

"Eu sou feio" vira "Estou fazendo o possível para ser mais saudável".

"Eu não consigo dar conta de tudo" vira "Estou estabelecendo prioridades e eliminando itens da minha lista".

Dar ênfase à solução na sua afirmação lembrar você de ser proativo e assumir responsabilidade em vez de ficar só pensando no que poderia ser sem tomar nenhuma atitude.

Nós podemos agir em vez de usar apenas palavras para reformular nosso estado mental. Um modo simples de fazer isso é aprender algo novo todo dia. Não precisa ser nada grandioso. Você não precisa aprender programação nem mecânica quântica. Pode só ler um texto sobre alguém, sobre uma cidade ou uma cultura, e isso lhe dará uma injeção de autoestima. Na próxima conversa que tiver, você terá algo a dizer. Mesmo se aprender apenas uma única palavra nova… por exemplo: a palavra inuíte *iktsuarpok* designa o sentimento de expectativa que você tem quando está esperando uma visita e não para de ir até a janela para ver se ela já chegou. O simples fato de compartilhar uma palavra nova numa conversa pode animar a mesa do jantar.

Muitas das frustrações que nós suportamos podem ser vistas como bênçãos, pois elas nos incentivam a crescer e nos desenvolver. Tente colocar os pensamentos e as circunstâncias negativas numa escala de perspectiva. Da mesma forma que os médicos avaliam a dor, eu peço às pessoas que classifiquem uma preocupação individual numa escala de um a dez. Zero significa nenhuma preocupação. Dez é a pior coisa do mundo, algo ruim do tipo "Eu tenho medo de que toda a minha família morra". Está bem. Certo. Isso provavelmente é nível onze. Mas você entendeu.

A ESCALA da PERSPECTIVA

← CLASSIFIQUE SUA PREOCUPAÇÃO →

0 ⊏⊐⊏⊐⊏⊐⊏⊐⊏⊐ 10

TOLERÁVEL   ARRASADORA

COMO VOCÊ CLASSIFICARIA AS SEGUINTES COISAS

- PERDA DE EMPREGO
- MORTE DE UM ENTE QUERIDO
- ROUBO DE UM BEM VALIOSO
- LESÃO ESPORTIVA
- COMPUTADOR QUEBRADO
- BICHO de ESTIMAÇÃO PERDIDO
- GRANDE ROMPIMENTO AMOROSO
- OPORTUNIDADE PERDIDA

Pode parecer que problemas de todo tipo merecem um dez, principalmente no meio da noite. Não ser promovido parece merecer um dez. Perder um relógio que você adora – outro dez. Mas, se você já passou pela dor de perder um ente querido (e todos nós já passamos ou vamos passar por isso), a escala muda; sua perspectiva inteira muda. De repente perder o emprego já não é tão grave, parece tolerável. O relógio se foi, mas era apenas um objeto. Seu corpo pode não ser perfeito, mas lhe proporcionou algumas experiências incríveis. Use a consciência do que é de fato uma dor profunda para relativizar as perturbações menores. E quando você precisar enfrentar um dez realmente devastador, reconheça esse fato e não tenha pressa de se curar. Não se trata de reduzir o impacto de todas as experiências negativas; trata-se de ter uma visão mais clara delas. E às vezes um dez é mesmo um dez.

DESACELERE

Às vezes, a reformulação funciona melhor por escrito. Imagine um macaco pulando de galho em galho em velocidade máxima. É preciso esforço para conseguir chamar sua atenção e forçá-lo a se concentrar. Quando a sua mente estiver ansiosa e acelerada, quando seus pensamentos forem repetitivos e improdutivos, quando você sentir que precisa apertar o botão de pausa, separe quinze minutos para anotar tudo que lhe vier à cabeça.

Em um estudo, um grupo de universitários passou quinze minutos por dia durante quatro dias anotando seus "pensamentos e sentimentos mais profundos"[18] em relação às experiências mais traumáticas de suas vidas. Os alunos não apenas relataram ter considerado a experiência valiosa como 98% disseram que gostariam de repeti-la. E, além de terem gostado de escrever, isso também melhorou sua saúde. Alunos que escreveram sobre experiências traumáticas fizeram menos visitas ao centro médico da universidade após o estudo. Os pesquisadores concluíram que um dos benefícios da escrita pode ter sido ajudá-los a formular suas piores experiências na forma de uma narrativa coerente. Distanciar-se assim do momento lhes permitiu ver as experiências de modo objetivo e, com sorte, encontrar um final feliz.

A escritora Krysta MacGray tinha pânico de avião.[19] Ela tentou enfrentar esse medo. Tentou combatê-lo com a lógica. Tentou até tomar alguns drinques antes de voar. Mesmo assim, sempre que precisava pegar um avião, passava semanas sofrendo por antecipação, imaginando como seria a vida dos filhos depois que ela morresse num terrível acidente aéreo. MacGray começou a escrever um blog sobre esse medo como uma forma de tentar encará-lo sob uma nova perspectiva, e foi então que percebeu que estava se transformando na própria avó, que se recusava a voar de avião e perdeu muita coisa por causa disso. Ela então começou a listar tudo que queria fazer na vida e que valia a pena voar para realizar. Embora não tenha superado totalmente seu medo, ela conseguiu ir passar as sonhadas férias na Itália com o marido. Escrever por si só não resolve todos os nossos problemas, mas talvez nos ajude a obter um distanciamento crítico que podemos usar para encontrar soluções.

Se você não gosta de escrever, pode falar ao celular, depois escutar o arquivo de áudio ou ler a transcrição (muitos celulares conseguem transcrever palavras em texto). Gravar a própria voz o coloca num mindset de observador, o que o ajuda a lidar consigo mesmo de modo mais objetivo.

Uma alternativa é repetir mentalmente vezes sem conta um antigo ditado samurai que os monges usam: "Tornar minha mente minha amiga." Quando você repete uma frase, ela silencia a rede de modo padrão – a área do cérebro associada aos devaneios mentais e aos pensamentos referentes a si. O macaco vai ser obrigado a parar e escutar.

ENCONTRE AUTOCOMPAIXÃO

Quando a ansiosa mente macaco para para escutar, você pode ajustar o monólogo interno usando a autocompaixão. Quando pensamentos ansiosos surgem, em vez de nos rendermos a eles nós devemos reagir com compaixão. "Eu sei que você está preocupado e aborrecido, achando que não consegue lidar com o que está acontecendo, mas você é forte. Você consegue." Lembre-se: o importante é observar seus sentimentos sem julgá-los.

Junto a meus amigos da empresa de *branding* Shareability, fiz um exercício com um pequeno grupo de meninas adolescentes e suas irmãs. Pedi às meninas que anotassem os pensamentos negativos que tinham e que afetavam sua autoestima. Elas escreveram coisas como "Você está com medo", "Você não vale nada", "Você não é importante". Então lhes pedi que lessem para as irmãs o que tinham escrito, como se aquilo tudo fosse sobre elas.

> **EXPERIMENTE ISTO: NOVOS ROTEIROS PARA O CHARRETEIRO**
> 1. Escreva uma lista das coisas negativas que você diz para si mesmo. Ao lado de cada uma, anote como você apresentaria essa mesma ideia para alguém de quem gosta. Por exemplo, estes são os pensamentos negativos que as meninas escreveram sobre si mesmas ao lado da maneira como poderiam tê-los apresentado às suas irmãs:
>
> | | |
> |---|---|
> | "Você está com medo." | "Tudo bem ficar com medo. Como posso ajudar você nisso?" |
> | "Você não vale nada." | "Você está se sentindo desvalorizada – vamos falar sobre o que você ama em si mesma." |
> | "Você não é importante." | "Essas coisas levam você a sentir que não é importante. Antes de conversarmos sobre como mudar isso, vamos listar as coisas que levam você a se sentir importante." |
>
> 2. Imagine que você tenha descoberto que seu filho, melhor amigo, primo ou alguém de quem gosta muito está se divorciando. Qual é a sua primeira reação? O que você diria a essa pessoa? Que conselho lhe daria? Você poderia dizer: "Eu sinto muito, sei que é uma fase difícil." Ou então: "Parabéns. Sei que você está passando por muita coisa, mas as pessoas raramente se arrependem de um divórcio." Nós nunca diríamos a alguém que amamos: "Você é um idiota. Deve ser mesmo um fracassado para ter se casado com essa pessoa." Nós damos amor e apoio – e, quem sabe, oferecemos ideias e soluções. É assim que devemos falar com nós mesmos.

Todas se recusaram. "Não é uma coisa muito legal de dizer." Uma delas observou que na sua cabeça aquilo era normal, mas, quando ela o dizia em voz alta, era algo completamente diferente.

Dizemos a nós mesmos o que jamais diríamos a alguém que amamos. Todos conhecemos a Regra de Ouro: trate os outros como você gostaria de ser tratado. A isso eu acrescentaria: **Trate a si mesmo com os mesmos amor e respeito que deseja demonstrar aos outros.**

Somos definidos pela narrativa que escrevemos para nós mesmos diariamente. É uma história de alegria, perseverança, amor e gentileza ou de culpa, acusações, amargura e fracasso? Encontre um vocabulário novo que se encaixe melhor com os sentimentos e emoções que deseja que norteiem a sua vida. Fale consigo mesmo com amor.

ESTEJA PRESENTE

Pode ser difícil saber o que dizer à sua mente macaco quando ela está remoendo o passado ou se precipitando no futuro. Frei Richard Rohr escreve: "Todo ensinamento espiritual – e não se trata aqui de uma simplificação exagerada – ensina a estar presente no momento... Mas o problema é que nós quase sempre estamos em outro lugar: revivendo o passado ou nos preocupando com o futuro."[20]

Todos nós temos lembranças felizes que gostamos de revisitar e lembranças dolorosas das quais não conseguimos nos desapegar. Mas tanto a nostalgia quanto o remorso podem ser armadilhas que nos isolam das novas experiências e nos mantêm presos no passado não resolvido ou nos bons velhos tempos. Assim como é impossível mudar o passado, é impossível conhecer o futuro. Certa dose de planejamento é uma preparação útil e boa para os diversos cenários que podem estar por vir, mas, quando esses pensamentos se transformam em ansiedade e preocupação repetitivas ou então em aspirações pouco realistas, eles deixam de ser produtivos.

Quer você tenha a sensação de que o mundo está desabando na sua cabeça ou esteja apenas tendo um dia ruim no trabalho, os desafios à presença são muitos. Para ser realista, você nunca vai chegar a um ponto na vida em que estará presente 100% do tempo – o objetivo não é esse. Afinal, pensar nos bons momentos que tivemos ou em lições valiosas que aprendemos no passado e planejar nosso futuro são usos excelentes da nossa "banda larga" mental. O que não queremos fazer é perder tempo com arrependimentos ou preocupações. Treinar estar presente nos ajuda a fazer o que aconselhou o mestre espiritual Ram Dass: *"Estar aqui agora."*[21]

Quando sua mente fica voltando continuamente a pensamentos do passado ou do futuro, procure pistas no presente. Sua mente está fazendo isso para proteger ou distrair você? Em vez de pensar no que teve importância no passado ou no que o futuro pode reservar conduza sua mente com toda a delicadeza de volta ao presente. Faça a si mesmo perguntas sobre o agora.

O que está faltando neste momento?
O que há de desagradável no dia de hoje?
O que eu gostaria de mudar?

Idealmente, quando conversamos com nós mesmos sobre o presente, nós rememoramos os elementos negativos e positivos do passado e a estrada imperfeita que nos trouxe até o ponto em que estamos – uma vida que aceitamos e a partir da qual ainda podemos crescer. E idealmente pensamos também no futuro em relação ao presente – uma oportunidade para concretizar a promessa de hoje.

NADA É SEU DONO

Quando falamos com nós mesmos da mesma forma que falaríamos com alguém que amamos e quando observamos a discussão entre a mente infantil e a mente adulta, estamos criando uma distância entre nós e a nossa mente para conseguir ver as coisas com mais clareza. Já falamos sobre essa abordagem; em vez de reagir emocionalmente, os monges conseguem se distanciar, afastando-se da situação de modo a se tornarem observadores objetivos. No Capítulo 3, falamos sobre tomar certo distanciamento do medo e demos um nome a essa ação: desapego.

A garça fica parada dentro d'água ignorando todos os peixes pequenos que passam. Sua imobilidade lhe permite capturar os peixes grandes.

O desapego é uma forma de autocontrole que tem incontáveis benefícios em todas as formas de desenvolvimento da consciência que menciono neste livro, mas a sua origem está sempre na mente. A *Gita* define o desapego como fazer a coisa certa só por fazer, porque é preciso fazê-la, sem se importar com sucesso ou fracasso.[22] Parece algo muito simples, mas pense no que é necessário para fazer a coisa certa só por fazer. Isso implica desapegar-se do seu interesse egoísta, da necessidade de ter razão, da vontade de ser visto de determinada forma, daquilo que você quer agora. Desapegar-se significa escapar do poder dos sentidos, dos desejos terrenos, do mundo material. Assim você ganha a perspectiva de um observador objetivo.

Somente com desapego podemos realmente controlar a mente.

Fiz um remix de algumas histórias zen, incluindo novos personagens para torná-las mais familiares ao leitor. Uma delas é sobre uma monja que chega à entrada de um palácio. Como ela é uma conhecida mulher santa, é levada à presença do rei, que lhe pergunta o que ela quer.

– Eu gostaria de dormir neste hotel hoje à noite – diz a monja.

O rei fica um pouco surpreso com essa falta de respeito inesperada.

– Isto aqui não é um hotel, é o meu palácio! – corrige ele, altivo.

– De quem era este palácio antes de ser seu? – pergunta ela.

O rei cruza os braços.

– Do meu pai. Eu sou o herdeiro do trono – declara ele.

– Ele está aqui agora?

– Não. Ele já morreu. Aonde a senhora quer chegar?

– E antes do seu pai, quem era o dono?

– O pai *dele*! – grita o rei.

A monja aquiesce.

– Ah – diz ela. – Então quer dizer que as pessoas que vêm a este lugar passam um tempo aqui e depois seguem viagem? A mim me parece um hotel.

Essa história aponta para a ilusão de permanência com a qual todos nós vivemos. Algo mais recente que também faz isso é o programa de TV *Ordem na casa com Marie Kondo*, em que Kondo ajuda as pessoas a se livrarem das "tralhas" em suas vidas. No fim de todos os episódios, vemos as pessoas chorando de alívio e de alegria por terem se livrado de tanta coisa. Isso acontece porque elas acabaram de diminuir radicalmente a quantidade de coisas às quais são *apegadas*. O apego gera sofrimento. Se você acha que possui ou que é alguma coisa, quando isso lhe é tirado você sente dor.

Uma citação de Alī, primo e genro do profeta Maomé, explica melhor a ideia do desapego: "Desapego não é o fato de você não ser dono de nada, mas de nada ser dono de você."[23] Adoro como isso resume o desapego de um modo que não é explicado com frequência. Em geral, as pessoas veem o desapego como não se ligar a nada, não se importar. Marie Kondo não está dizendo às pessoas para pararem de se importar – ela está lhes dizendo para procurar alegria. Na verdade, o maior desapego é estar perto de tudo sem deixar que isso consuma e possua você. Essa é a verdadeira força.

Como a maior parte dos esforços de um monge, o desapego não é um destino ao qual a pessoa chega, mas um processo que se deve realizar constantemente, de forma consciente. Já é difícil o suficiente conseguir estar desapegado num *ashram*, onde os monges não possuem nada além de suas ideias e sua identidade. No mundo moderno, podemos nos esforçar para alcançar o desapego – sobretudo diante de um desafio, como uma discussão ou uma decisão a tomar – e ter esperança de ocasionalmente sentir seu gostinho.

NÃO TENTE ISSO EM CASA

Os monges chegam a extremos para alcançar o desapego. Não espero que você faça algo assim, mas depois de vermos como isso funciona vamos falar sobre maneiras mais práticas, divertidas, até, de experimentar o desapego e os benefícios que ele proporciona.

Experimentos com desconforto – como jejuns, silêncio, meditação no calor ou no frio e outros sobre os quais falamos – ajudam você a se desapegar do corpo, pois o obrigam a perceber quanto desse desconforto está na mente. Outro modo de nós, monges, testarmos o desapego era viajar sem nada. Sem comida, sem abrigo, sem dinheiro. Tínhamos que nos virar e reconhecer que precisávamos de bem pouca coisa para viver. Isso também nos tornava mais gratos por tudo que tínhamos. Todos esses exercícios nos ajudavam a nos forçar até o limite – mental e físico – de modo a aumentar nossas determinação, resiliência e coragem, e a fortalecer nossa capacidade de controlar a própria mente.

Na primeira vez que fiquei o dia inteiro em jejum, sem comida nem água, passei as primeiras horas desesperado de fome. Nós não devíamos tirar cochilos enquanto estivéssemos jejuando – a ideia era passar pela experiência, não evitá-la dormindo. Tive que usar meu intelecto para me tranquilizar. Tive que me entreter com algo elevado para parar de pensar em comida.

À medida que o dia foi passando, percebi que, como meu corpo não precisava pensar em que comer, se preparar para fazer uma refeição, consumi-la ou digeri-la, eu na verdade dispunha de mais energia, só que de um tipo diferente.

Quando jejuamos, nos desapegamos do corpo e de todo o tempo que passamos cuidando das suas demandas. Quando retiramos o ato de comer, podemos abrir mão da fome e da saciedade, da dor e do prazer, do fracasso e do sucesso. Nós redirecionamos nossa energia e nossa atenção para nos concentrarmos na mente. Em jejuns subsequentes, adquiri o hábito de usar essa energia para estudar, pesquisar, tomar notas ou preparar uma palestra. Jejuar tornou-se um momento de criação, livre de distrações.

Ao final do jejum, eu me sentia fisicamente cansado, mas mentalmente fortalecido. Ao passar aquele tempo sem algo de que meu corpo dependia, eu havia quebrado um limite que existia na minha mente. Conquistei flexibilidade, adaptabilidade e um leque maior de recursos. Essa experiência com o jejum se alastrou para o resto da minha vida.

Jejuar é um desafio físico conduzido pelo intelecto. Passar longos períodos em silêncio trouxe à tona questões totalmente distintas: quem eu era quando me distanciava dos outros?

Estou no Dia 9 de trinta dias de silêncio, e acho que estou ficando louco. Antes disso, eu com certeza nunca tinha passado um dia inteiro de boca fechada, quanto mais um mês. Agora, junto do grupo de monges que entrou para o ashram *ao mesmo tempo que eu, já passei mais de uma semana sem falar, assistir, escutar ou me comunicar de qualquer outra forma. Eu sou uma pessoa que fala. Amo compartilhar e ouvir as experiências dos outros. No silêncio, minha mente está enlouquecendo. Em rápida sucessão, penso em:*

- *letras de músicas de rap que não escuto há algum tempo;*
- *tudo que preciso ler e aprender para a escola de monges;*
- *como todos os outros podem estar conseguindo aguentar isso;*
- *uma conversa aleatória que tive certa vez com uma ex-namorada;*
- *o que eu estaria fazendo neste exato momento se tivesse arrumado um emprego em vez de me tornar um monge, em contagem regressiva para o dia em que poderei voltar a falar.*

Tudo isso em dez minutos.

No meu retiro de silêncio de um mês, não há válvula de escape. Não tenho alternativa a não ser me voltar para dentro. Preciso encarar minha mente macaco e puxar assunto com ela. Faço perguntas a mim mesmo: por que preciso falar? Por que não posso simplesmente ficar com meus pensamentos?

O que posso encontrar no silêncio que não posso conseguir em nenhum outro lugar? Quando minha mente se distrai, eu volto aos questionamentos.

No início, constato que o silêncio e a imobilidade me ajudam a descobrir detalhes novos em rotinas conhecidas. Outras revelações se seguem, não na forma de palavras, mas de experiências: percebo estar em sintonia com cada parte do meu corpo. Sinto o ar contra a minha pele, a respiração a percorrer meu corpo. Minha mente se esvazia.

Com o tempo, outras perguntas vão surgindo: eu quero conversar com alguém. Por quê? Quero me conectar com os outros. Por quê? Preciso de amizade para me sentir pleno. Por que sinto essa amizade como uma necessidade imediata, não um reconforto a longo prazo? Meu ego usa as amizades para se sentir seguro com as minhas escolhas. E eu então vejo o que preciso trabalhar no meu ego.

Com frequência, no vazio, repito para mim mesmo "Torne sua mente sua amiga" e imagino que a minha mente e eu estamos num evento de networking. O lugar é barulhento, caótico, há muitas coisas acontecendo, mas o único jeito de construir uma amizade é puxar papo. E é isso que eu faço.

O jejum e as outras austeridades que os monges praticam nos lembram que podemos suportar dificuldades maiores do que pensávamos ser possível e que, com autocontrole e determinação, podemos superar as exigências dos sentidos. Não importa de qual fé, a maioria dos monges pratica o celibato, alimenta-se com uma dieta altamente restrita e vive separado da sociedade em geral. Existem também os extremos. O monge jainista Shri Hansratna Vijayji Maharaj Saheb jejuou durante 423 dias (com algumas pausas).[24] *Sokushinbutsu* é o nome de um estilo japonês de automumificação em que os monges se alimentavam de uma dieta composta por agulhas de pinheiro, casca de árvore e resina, paravam de comer e de beber água e seguiam entoando mantras até o corpo deles finalmente se petrificar.[25]

Não é preciso fazer votos nem comer agulhas de pinheiro para explorar seus limites. Muitas vezes, tudo que nos impede de alcançar o impossível é acreditar que é impossível. De 1850 (quando foram construídas as primeiras pistas de corrida circulares medidas com exatidão) a 1954, o recorde para correr uma milha não caiu abaixo de quatro minutos. Ninguém tinha corrido essa distância em menos tempo e pensava-se que pessoa alguma conseguiria. Então, em 1954, o campeão olímpico britânico Roger Bannister se propôs a fazê-lo. Ele correu uma milha em 3 minutos e 59,4 segundos, quebrando pela primeira vez a barreira dos quatro minutos.[26] Desde então, corredores têm quebrado recordes subsequentes num ritmo bem mais veloz. Quando as pessoas perceberam que não havia limite, começaram a ir cada vez mais longe.

Também há quem use as austeridades no cotidiano para melhorar sua performance. Pessoas relatam constantemente que a experimentação com extremos as ajuda a serem mais sensíveis e mais positivas na vida diária. Vamos descobrir como você pode usar as austeridades para se desapegar.

COMO SE DESAPEGAR

Todas as formas de treinamento da mente que abordamos envolvem o desapego: tornar-se um observador objetivo das vozes que competem dentro da sua cabeça, ter novas conversas com a mente consciente para reformular pensamentos, ter compaixão por si mesmo, estar no momento presente. Em vez de fazer reativamente o que queremos, nós avaliamos proativamente a situação e fazemos o que é certo.

Pense nas austeridades como uma colônia de férias do desapego. Desconecte-se das ideias limitadoras, abra a mente para novas possibilidades e, assim como um soldado treinando para uma batalha, você vai ver que seu intelecto se fortalece. Vai ver que é capaz de ir além do que jamais imaginou.

Existe um número infinito de austeridades ou desafios que você pode tentar: parar de ver televisão ou de olhar o celular, de comer doce ou de beber; encarar um desafio físico; abster-se de fofocas, reclamações e comparações. Para mim, a austeridade mais poderosa foi meditar no frio ou no calor. O único jeito de fugir do frio era me voltar para dentro. Tive que aprender a redirecionar minha atenção do desconforto físico conversando com minha mente. Ainda uso essa técnica na academia. Se estou fazendo abdominais, levo minha consciência para uma parte do corpo que não esteja doendo. Só não recomendo isso para a dor psicológica – eu não sou nada estoico! Mas a habilidade de se distanciar da dor física permite que você a tolere de um jeito positivo. Quando você sabe que a dor tem valor – você está ficando mais forte na academia; está servindo comida para crianças num dia de muito calor –, consegue se superar mental e fisicamente. Pode se concentrar no que é importante em vez de se deixar distrair pelo seu desconforto.

Tudo começa com a consciência. Identifique o apego. Quando você o sente? Quando está mais vulnerável a ele? Digamos que você queira desapegar-se da tecnologia. Você usa seus dispositivos eletrônicos por tédio, por preguiça, por medo de perder alguma coisa, por solidão? Se quiser parar de beber, observe com que frequência e a que horas bebe. Está usando a bebida para relaxar, para se conectar, como uma recompensa ou como uma fuga?

Uma vez diagnosticado o apego, o passo seguinte é parar para repensá-lo. O que você quer acrescentar e o que quer diminuir? Quanto tempo quer dedicar à tecnologia, e de que forma? Existem determinados aplicativos que deseja eliminar por completo ou quer apenas limitar o tempo que passa no celular? Em relação à bebida, você pode examinar se acha que precisa parar totalmente, se quer experimentar ficar um mês sem beber para ver o que aprende sobre si mesmo ou se quer limitar seu consumo.

O terceiro passo é implementar o novo comportamento. Há duas abordagens gerais que eu recomendo; escolha a que melhor se adapta à sua personalidade. Os monges optam por fazer isso de uma vez só. Se a imersão e os extremos funcionam melhor no seu caso, você pode se comprometer a eliminar por completo as redes sociais por uma semana ou um mês. Ou então, como mencionei acima, pode passar um mês sem beber. Se parar de modo lento e gradual for melhor no seu caso, você pode limitar o tempo que se permite passar on-line ou, quem sabe, limitar alguns aplicativos, sem eliminá-los por completo.

Decida como quer passar esse tempo que acabou de criar. Se quiser minimizar sua permanência no YouTube, procure outra forma de relaxar ou descomprimir. Minha primeira escolha é a meditação. Se você estiver limitando as redes sociais, que tal passar esse tempo interagindo com amigos na vida real em vez de on-line? Talvez você possa se dedicar a escolher quais fotos do seu Instagram merecem ir para um álbum ou para as paredes da sua casa. Use o tempo que ganhou para preencher a mesma necessidade ou para realizar os projetos e afazeres que sempre ficam para depois.

No início, quando fazemos uma mudança, a mente pode se rebelar. Busque modos de facilitar a transição. Se eu quiser comer menos açúcar, ler estudos que vinculam açúcar e câncer fortalece meu intelecto e me motiva a persistir. Ao mesmo tempo, minha esposa monta o que eu chamo de "a pior gaveta de guloseimas de todos os tempos". Não há nada de "ruim" nela, nenhuma comida processada ou que faça mal. Assim, meus sentidos não têm acesso a guloseimas. Eu também busco hábitos naturais que controlem meu desejo. Reparo que, depois de ir à academia, como menos açúcar. Para mim, ir à academia acorda o charreteiro. Ao perceber que recorro ao açúcar para aumentar minha energia e melhorar minha disposição, procuro outras atividades mais saudáveis que tenham um efeito semelhante.

Quando os espasmos iniciais do desejo cederem, você vai começar a sentir os benefícios do desapego. Vai encontrar clareza e perspectiva renovadas. Vai sentir que tem um controle maior sobre a mente macaco, mas também vai parar de tentar controlar o que é impossível controlar. A mente vai se aquietar e você vai tomar decisões sem medo, sem ego, inveja ou ganância. Vai se sentir confiante e livre da ilusão. Embora a vida continue imperfeita, você a aceita como ela é e vê um caminho claro à frente.

MANUTENÇÃO DA MENTE

Desapegar-se não significa ignorarmos por completo nosso corpo e nossa mente. O corpo é um receptáculo. Ele nos contém e, portanto, é importante. Precisamos cuidar dele, alimentá-lo, mantê-lo saudável, mas o receptáculo é só um "meio de transporte". O que tem valor de verdade é o que é transportado. E a mente, como já dissemos, é importante para contrabalançar o controle e a restrição do intelecto. Sem o carro, os cavalos e as rédeas, as opções do charreteiro ficam limitadas. Ele fica lento. Ou não consegue ir muito longe sozinho. Ou não consegue pegar um viajante cansado e ajudá-lo em sua jornada. Não queremos eliminar as vozes na nossa cabeça nem o corpo que as transporta – queremos apenas guiá-los na direção certa. Mas isso significa que o trabalho do charreteiro nunca termina.

Acordamos com bafo, fedorentos, cansados. Todos os dias de manhã, aceitamos a necessidade de escovar os dentes e tomar banho. Não nos julgamos por precisar tomar banho. Quando sentimos fome, não dizemos a nós mesmos: *Ai, meu Deus, que horror. Por que estou com fome outra vez?* Lance mão da mesma paciência e da mesma compreensão quando estiver com pouca motivação, com pouco foco, sofrendo de ansiedade ou confusão e o charreteiro estiver fraco. Acordá-lo é como tomar uma ducha e se alimentar: uma prática diária.

Matthieu Ricard, o "homem mais feliz do mundo", me disse que devemos cultivar a paz interior como uma competência, uma habilidade. "Se você ficar remoendo a tristeza e a negatividade", explicou ele, "isso vai reforçar a tristeza e a negatividade. Mas se cultivar a compaixão, a alegria e a liberdade interior, construirá uma espécie de resiliência e será capaz de encarar a vida com confiança."[27] Quando lhe perguntei como fazer para cultivar essa competência, ele respondeu: "Nós treinamos o cérebro. No fim, é a sua mente que traduz o mundo exterior em felicidade ou infelicidade."

A boa notícia é que quanto mais prática você tiver em entrar em sintonia com a própria mente, menos esforço isso vai exigir. Como um músculo que você exercita com regularidade, a competência se fortalece e fica mais confiável. Se trabalharmos diariamente para purificar nossos pensamentos, redirecionando com delicadeza aqueles que não nos servem, nossa mente estará pura e calma, pronta para o crescimento. Seremos capazes de lidar com novos desafios antes de eles se multiplicarem e se tornarem impossíveis de administrar.

Como aconselha a *Bhagavad Gita*: "Cultive *buddhi*, sua inteligência e seu discernimento, para identificar o verdadeiro conhecimento e pratique a sabedoria para saber a diferença entre verdade e inverdade, entre realidade e ilusão, entre o seu eu verdadeiro e o falso, entre as qualidades divinas e as demoníacas, entre o conhecimento e a ignorância, e para saber como o verdadeiro conhecimento ilumina e liberta, enquanto a ignorância oculta o conhecimento e mantém você prisioneiro."[28]

Muitas vezes é nosso ego que nos afasta do verdadeiro conhecimento, guiando a mente em direção ao impulso e às impressões dos sentidos. A seguir, vamos examinar como ele influencia a mente e como podemos domá-lo.

8

EGO

Prenda-me se for capaz

*Livres para sempre são aqueles que renunciam
a todos os desejos egoístas e se libertam
da jaula do ego do "eu", do "mim" e do "meu".*[1]
— *Bhagavad Gita*, 2:71

A palavra sânscrita *vinayam* significa "humildade" ou "modéstia". Quando temos humildade estamos abertos ao aprendizado, pois compreendemos quanto não sabemos. Consequentemente, o maior obstáculo ao aprendizado é considerar-se um sabichão. Essa falsa autoconfiança está enraizada no ego.

A *Bhagavad Gita* faz uma distinção entre o ego e o falso ego.[2] O verdadeiro ego é a nossa própria essência – a consciência que nos permite perceber as coisas e estar despertos para a realidade. O falso ego é uma identidade fabricada para preservar a ideia de que somos o mais significativo, o mais importante, aquele que sabe tudo. Quando você confia no falso ego para protegê-lo, é como usar uma armadura que você pensa ser de aço, mas que na verdade é de papel. Você marcha campo de batalha adentro confiante em que ela vai lhe oferecer proteção, mas qualquer faca sem ponta já é suficiente para feri-lo com facilidade.

O *Sama Veda* diz: "O orgulho da riqueza destrói a riqueza, o orgulho da força destrói a força e, da mesma forma, o orgulho do conhecimento destrói o conhecimento."[3]

O EGO É UMA MÁSCARA

Um ego desmedido nos prejudica. Em nossa ânsia de passar a imagem de que somos os melhores, os mais inteligentes, nós ocultamos nossa verdadeira natureza. Já mencionei a persona que apresentamos ao mundo. Ela é uma mistura complexa formada por quem somos, quem queremos ser, como esperamos ser vistos (como abordamos no Capítulo 1) e aquilo que estamos sentindo num determinado momento. Nós somos determinada pessoa em casa, sozinhos, mas apresentamos ao mundo outra versão de nós mesmos. Idealmente, a única diferença entre as duas deveria ser que a nossa persona pública se esforça mais para ser sensível, atenciosa e generosa. Só que às vezes o nosso ego se intromete na história. A insegurança nos leva a tentar nos convencer – e convencer os outros – de que somos especiais, então criamos uma versão desonesta de nós mesmos para parecer mais sabidos, mais realizados, mais confiantes. Apresentamos às outras pessoas esse eu inflado, e fazemos o possível para proteger esse eu que desejamos que os outros vejam. O monge do século IV Evágrio Pôntico (também chamado de Evágrio, o Solitário, porque às vezes os monges recebem apelidos legais) escreveu que o orgulho é "a causa da mais terrível ruína da alma".[4]

A vaidade e o ego caminham de mãos dadas. Nós fazemos um esforço tremendo para refinar a aparência do eu que apresentamos ao mundo. Quando nos vestimos e cuidamos da aparência para nós mesmos, é por querermos nos sentir confortáveis e adequados (o que pode ser facilmente alcançado com um "uniforme" cotidiano), ou até mesmo por apreciarmos a cor ou o estilo de determinadas roupas. Mas o ego quer mais: ele quer que os outros prestem atenção na nossa aparência, quer uma reação forte, quer elogios. Ele sente confiança e alegria ao impressionar os outros. Existe um meme com uma foto de Warren Buffet e Bill Gates um ao lado do outro. A legenda diz: "US$ 162 bilhões numa única foto e nenhum cinto da Gucci à vista." Não tenho nada contra cintos da Gucci, mas a questão é que, se você está satisfeito com quem é, não precisa provar seu valor para ninguém.

Para refletir sobre a diferença entre você e sua persona, pense nas escolhas que faz quando está sozinho, quando não há ninguém para julgá-lo nem ninguém que você esteja tentando impressionar. Só você sabe se meditou ou assistiu à Netflix, se tirou um cochilo ou saiu para correr, se vestiu calça de moletom ou peças de grife. Só você sabe se comeu salada ou uma fileira inteira de cookies. Reflita sobre o seu eu que surge quando não há ninguém por perto, ninguém para impressionar, ninguém com nada para lhe oferecer. Isso é um vislumbre de quem você realmente é. Como diz o ditado: "Você é quem é quando ninguém está olhando."

O EGO NOS LEVA A MENTIR

Às vezes o ego se esforça tanto para impressionar os outros que faz mais do que apenas nos autopromover um pouquinho. Ele nos leva a mentir e, ao contrário do que esperávamos, todo esse esforço acaba nos levando a passar uma impressão ruim. A equipe de filmagem do quadro "Lie Witness News", do programa de Jimmy Kimmel, foi até o festival de música Coachella perguntar aos espectadores que estavam chegando o que eles achavam de algumas bandas inteiramente fictícias. A entrevistadora diz para duas jovens:

– Uma das minhas bandas preferidas este ano é Dr. Schlomo and the GI Clinic.

– É, eles são sempre demais – diz uma das meninas.

– Pois é, estou superanimada para vê-los ao vivo – completa a outra.

– Acho que essa vai ser uma das bandas que vão ser bem legais ao vivo.

– Vocês viram quando eles tocaram no Lollapalooza?

– Não, não vi. Fiquei arrasada!

Ela então pergunta a um grupo de três pessoas:

– Estão animados como eu para ver Obesity Epidemic?

Um dos rapazes responde, entusiasmado:

– Eu adoro o estilo deles, tipo, o gênero todo dos caras é ótimo. Eles são inovadores e originais.

O ego anseia por atenção, reconhecimento, elogios; anseia por ter razão, por rebaixar os outros, por nos puxar para cima. O ego não quer ser o melhor. Ele quer ser *visto* como o melhor. Quando passamos a vida blefando, fingindo ser quem não somos, acabamos parecendo piores do que realmente somos.

A história de Frank Abagnale Jr., contada em suas memórias *Prenda-me se for capaz* e no filme de mesmo nome, é um exemplo perfeito do falso ego em funcionamento. Abagnale era um golpista de talento, que por meio de falsificações e disfarces conseguiu arrumar empregos de piloto de aeronaves e cirurgião, trabalhos aos quais não fazia jus e que não conseguia desempenhar. Cegado por seu ego, ele usou suas competências naturais para objetivos baixos, egoístas, e se perdeu. Após ser libertado da prisão, porém, passou a usar as mesmas competências para levar uma vida honesta como consultor de segurança. O verdadeiro ego – uma autoimagem saudável – aparece quando usamos nosso *dharma* para os objetivos mais elevados possíveis. Provavelmente, a estadia de Abagnale na prisão lhe deu tempo para refletir e se tornar mais humilde, e ele encontrou o caminho em direção a um propósito maior.

O EGO CRIA FALSAS HIERARQUIAS

Construir uma fachada de autoconfiança e conhecimento não é a única estratégia do falso ego para convencer a si mesmo e todo mundo de que ele é ótimo. Ele também se esforça muito para rebaixar os outros – pois se os outros são "menos", então nós devemos ser especiais. Nosso ego consegue isso classificando nós mesmos e os outros com base em atributos físicos, instrução, riqueza, raça, religião, etnia, nacionalidade, os carros que dirigimos, as roupas que vestimos – nós encontramos inúmeras formas de julgar os outros de modo desfavorável só porque eles são diferentes.

Imagine se segregássemos as pessoas em função da pasta de dentes que elas usam. Essa divisão é obviamente ridícula. A discriminação com base em partes do nosso corpo ou no lugar em que nascemos é, da mesma forma, uma divisão falsa. Por que a cor da pele deveria ter mais importância do que o tipo sanguíneo? Todos nós viemos das mesmas células. O Dalai Lama diz: "Neste mundo iluminado pelo sol, muitos estão reunidos a partir de diferentes idiomas, diferentes estilos de vestimentas, diferentes religiões até. No entanto, todos nós somos iguais por sermos humanos, todos temos singularmente nosso conceito de 'eu' e somos iguais no desejo de felicidade e de evitar o sofrimento."

No Capítulo 5, falamos sobre a apropriação equivocada dos *varnas* no sistema de castas da Índia. A ideia de que os brâmanes, determinados pelo nascimento, são superiores aos outros e deveriam, portanto, ocupar cargos mais importantes no governo é uma interpretação dos *varnas* movida pelo ego. O sábio provido de humildade valoriza todas as criaturas da mesma forma. É por isso que os monges não consomem animais. Segundo a *Gita*: "Os yogues perfeitos são aqueles que, por meio da comparação com seu próprio eu, veem a verdadeira igualdade de todos os seres, em relação tanto à sua felicidade quanto às suas inquietações."[5]

Quando o sucesso nos sobe à cabeça, nós esquecemos que todos são iguais. Pouco importa quem você é ou o que conquistou, repare se está esperando ou exigindo um tratamento especial por causa do seu suposto status. Ninguém merece um assento melhor no teatro da vida. Você pode esperar horas na fila na noite anterior ao começo da venda de ingressos, pagar mais para sentar mais perto do palco ou receber um lugar melhor em reconhecimento ao apoio que dá ao teatro. Ou então pode simplesmente esperar conseguir o melhor lugar, como a maioria de nós faz. Mas, se você sente que tem *direito* a um lugar melhor, examine esse sentimento. O que torna você melhor do que os outros membros da plateia? **O ego arrogante deseja respeito, enquanto o trabalhador humilde inspira respeito.**

Com frequência me pergunto o que seria preciso para todos nós nos vermos como cidadãos do mundo. Gravei alguns vídeos para o Ad Council como parte de uma campanha pública chamada "O amor não tem etiqueta". Em Orlando, falei com pessoas sobre as consequências do atentado na boate Pulse, e escutei vários integrantes da comunidade falarem sobre como eles se uniram depois dessa tragédia. Encontrei a reverenda Terri Steed Pierce, líder de uma igreja perto da Pulse com muitos fiéis LGBTQ+, e o pastor Joel Hunter, cuja congregação é majoritariamente branca e hétero. Depois da tragédia, os dois passaram a trabalhar juntos e ficaram amigos. "Alguém vai encontrar esperança pelo simples fato de estarmos conversando", disse a reverenda Pierce, e o Dr. Hunter emendou: "É, no fim das contas é isso que vai mudar o futuro." Como disse a reverenda, eles são "duas pessoas que pensam de modo muito parecido e querem fazer diferença no mundo".

A pergunta que essa bela amizade evoca é: **Por que é preciso uma tragédia para nos unirmos?** Nosso ego nos põe num caminho em que valorizamos mais a nós mesmos e aqueles que reconhecemos como "parecidos conosco". Por que seguimos nesse caminho até sermos atropelados por um trem? Supor a igualdade mantém o ego sob controle. Sempre que você pensar que o status ou o valor de alguém é inferior ao seu, volte seu olhar para dentro de si e tente descobrir por que seu ego está se sentindo ameaçado. Os monges consideram fundamental tratar todo mundo com a mesma honra e o mesmo respeito.

JULGAMENTO

Mesmo sem segregar, sem nos classificarmos exteriormente e sem excluir ninguém, nós tentamos nos elevar julgando os outros, inclusive nossos colegas, amigos e parentes. Existe uma história zen sobre quatro monges que decidem meditar juntos em total silêncio por sete dias e sete noites. O primeiro dia corre bem, mas, quando a noite começa a cair, o primeiro monge se impacienta porque o monge encarregado de acender os lampiões continua sentado sem se mexer. Por fim, o primeiro monge explode: "Amigo! Vá acender logo os lampiões!"

O segundo monge se vira para ele. "Você rompeu o silêncio!", exclama.

O terceiro monge se intromete: "Seus tolos! Agora vocês dois romperam o silêncio!"

O quarto olha para os companheiros, e um sorriso de orgulho surge em seu rosto. "Ora, ora, ora", gaba-se ele. "Pelo visto, eu sou o único que permaneceu calado."

Todos os monges dessa história repreenderam outro por ter falado e, ao fazer isso, tornaram-se eles próprios culpados desse mesmo pecado. É essa a natureza do julgamento: ele quase sempre se volta, de uma forma ou de outra, contra nós. Quando criticamos os outros por não corresponderem a padrões elevados de comportamento, nós mesmos estamos fracassando ao não conseguir viver de acordo com esses padrões.

Em muitos casos, fazemos julgamentos para desviar a nossa atenção ou a dos outros das falhas que vemos em nós mesmos. "Projeção" é o termo em psicologia que designa nossa tendência a projetar nos outros emoções ou sentimentos com os quais nós não queremos lidar. E a projeção acontece muito! Portanto, antes de julgar os outros, pare um instante e pergunte a si mesmo: *Estou encontrando defeitos para me distrair ou distrair os outros da minha própria insegurança? Estou projetando neles minhas fraquezas? E, mesmo que não esteja fazendo nenhuma dessas coisas, será que eu sou melhor do que a pessoa que estou criticando?* Não sei dizer quais serão as respostas às primeiras duas perguntas em todos os casos. Mas a resposta à terceira pergunta é sempre a mesma: "Não!"

O EGO É UM OBSTÁCULO AO CRESCIMENTO

Todo esse artifício nos deixa na ignorância. Como Frank Abagnale, que não fez esforço para se tornar piloto ou médico de verdade, nossos esforços para construir uma fachada capaz de impressionar os outros nos distraem do aprendizado e do crescimento. Mesmo aqueles entre nós que não são vigaristas saem perdendo. Quando você está no meio de um grupo de pessoas esperando alguém terminar de falar para poder contar sua história incrível ou fazer um comentário espirituoso, você não está assimilando a essência do que está sendo dito. Seu ego está impaciente, pronto para mostrar quão inteligente e interessante você é.

Em nosso anseio de mostrar a nós mesmos e aos outros que sabemos tudo, tiramos conclusões precipitadas, não conseguimos escutar nossos amigos e deixamos de ver novos pontos de vista potencialmente valiosos. E, uma vez que formamos uma opinião, temos pouca probabilidade de mudá-la. Em sua TED Talk de sucesso chamada "Por que você acha que tem razão mesmo quando não tem", Julia Galef, apresentadora do podcast *Rationally Speaking* (Racionalmente Falando), chama essa rigidez de "mindset do soldado".[6] O trabalho de um soldado é proteger e defender os que estão lutando ao seu lado. Do outro lado, existe o "mindset do explorador". Segundo Galef: "O mindset do explorador significa ver o que está diante de nós do modo mais preciso possível, mesmo que não seja agradável." Como os soldados já se comprometeram com uma causa, eles valorizam a continuidade. Exploradores, por estarem investigando as possibilidades, valorizam a verdade. O mindset do soldado está enraizado na defesa e no tribalismo; o mindset do explorador está enraizado na curiosidade e no interesse. Soldados valorizam estar do lado certo; exploradores valorizam a objetividade. Galef diz que o fato de sermos um soldado ou um explorador tem menos a ver com nosso nível de inteligência ou instrução e mais com nossa atitude em relação à vida.

Sentimos vergonha ou gratidão ao descobrir que estamos errados em relação a alguma coisa? Ficamos na defensiva ou intrigados ao descobrirmos informações que contradizem algo em que acreditamos? Quando não temos a mente aberta, negamos a nós mesmos oportunidades de aprender, crescer e mudar.

EGO INSTITUCIONAL

Não é apenas o ego dos indivíduos que limita seus pontos de vista. Governos, escolas e organizações – sob lideranças de pensamento estreito – não conseguem ver além daquilo que sabem e acabam construindo uma cultura movida pelo ego. Funcionários públicos eleitos lutam por seus eleitores e doadores de campanha, sem se preocupar com o mundo além de seus apoiadores nem com quem virá depois que todos nós já tivermos ido embora. Livros didáticos contam a história da perspectiva dos vencedores. Organizações se fecham em mindsets que as levam a agir como sempre agiram, sem reagir às mudanças ao redor. Quando Reed Hastings, cofundador da Netflix, propôs vender uma participação de 49% da empresa para a Blockbuster em 2000, ninguém aceitou.[7] Dez anos depois, a Blockbuster faliu e a Netflix hoje vale pelo menos 100 bilhões de dólares. É muito perigoso dizer "Nós sempre fizemos assim" ou "Isso eu já sei".

Como a história da Blockbuster e da Netflix é bem conhecida no mundo da tecnologia, terminei de contá-la para cerca de setenta diretores de marketing num congresso e lhes perguntei: "Quantos de vocês, quando eu contei isso, acharam que já sabiam o que eu ia dizer?" Cerca de metade dos presentes levantou a mão. Então eu disse a eles que a convicção de que já sabiam o que precisavam saber era exatamente o problema dessas empresas. Quando você parte do pressuposto de que já sabe, ergue uma barreira que nada é capaz de atravessar e perde uma oportunidade em potencial de aprender. E se essa história tivesse um pedaço a mais? (Esse ponto em si foi o pedaço a mais.) Você pode descartar o que é conhecido ou então usá-lo como um ponto de reflexão mais profunda. Mesmo se achar que já conhece uma história, tente vivê-la como uma experiência nova a cada vez.

Nan-in, um mestre zen, recebeu um professor universitário que queria saber mais sobre o zen.[8] Ao servir o chá, Nan-in encheu a xícara do visitante, mas continuou despejando chá. O professor ficou olhando a xícara transbordar até não conseguir mais se conter: "Já está cheia. Não cabe mais nada!"

"Assim como esta xícara, o senhor está cheio das suas opiniões e especulações. Como posso lhe mostrar o zen se o senhor primeiro não esvaziar sua xícara?" Você só pode ser preenchido com conhecimento e experiências gratificantes se esvaziar a si mesmo.

O EGO NOS ISOLA

Quando um general romano voltava de batalhas vitoriosas, dizem que era costume um escravo se postar atrás dele e sussurrar em seu ouvido: "Lembre-se, você é um homem."[9] Por mais vitorioso que ele fosse, por mais que saudassem sua liderança, ele continuava sendo um homem igual a todos os outros. Se você estiver no auge, cuidado. O ego isola você. Não viva num mundo onde você se acha tão especial que uma pessoa merece o seu tempo e outra não.

Numa entrevista, Robert Downey Jr. apresentou uma versão moderna dessa mesma ideia.[10] Quando está em casa, ele não é o Homem de Ferro. Ele disse: "Em casa, as pessoas não ficam dizendo: 'Uau!' Susan pergunta: 'Você pôs Monty para fora? Pôs o gato para fora?' E eu respondo: 'Não sei.' E ela: 'Acho que ele não está dentro de casa... Vá procurá-lo.'" Isso é um lembrete para ele (e para nós) de que, na sua própria casa, até mesmo um astro do cinema é apenas uma pessoa. Se você acha que é o Homem de Ferro, deve ser porque de fato consegue fazer o que o Homem de Ferro faz. Se inspira um tratamento especial, é porque as pessoas o apreciam; mas quando você exige isso ou se sente no direito de ser tratado assim, está esperando um respeito ao qual não fez jus.

OS DOIS GUMES DO EGO

O falso eu que enche a nossa bola nos derruba com a mesma facilidade. Quando nossas fraquezas são expostas, o ego que um dia nos disse que éramos brilhantes e bem-sucedidos fica indefeso. Sem nossas personas, nossas mentiras, nossos preconceitos, nós não somos nada. Frank Abagnale deve ter se sentido assim ao ser preso. O culto ao ego muitas vezes mascara a baixa autoestima, e depois se transforma nela. Em ambas as circunstâncias, ficamos demasiado preocupados com nós mesmos e com a maneira como os outros nos veem.

Só é possível manter o mito da sua própria importância por algum tempo. **Se você não quebrar seu ego, a vida fará isso por você.**

Estou no ashram *há três anos, e tenho tido problemas de saúde. Eu posso não ser este corpo, mas mesmo assim preciso viver nele. Acabo indo parar no hospital, exausto, abatido, perdido.*

Estou aqui passando por um tratamento ayurvédico por dois meses. Os monges vêm me visitar e ler para mim, mas estou sozinho e, na minha solidão, dois pensamentos me vêm à mente.

Primeiro: eu não estou fisicamente preparado para a vida que estou tentando levar. Segundo, e mais perturbador: viver no ashram *talvez não seja a minha vocação. Meu impulso de propagar conhecimento não se encaixa com perfeição na estrutura monástica. Sinto-me inclinado a compartilhar ideias e filosofia de um jeito mais moderno. Esse talvez seja o meu* dharma, *mas não é o objetivo da vida de um monge. Não é essa a prática sagrada.*

Não sei se este caminho é para mim.

Esse pensamento me vem e me causa uma inquietação profunda. Não consigo me ver indo embora. E fico pensando se minhas dúvidas vêm da condição física na qual me encontro. Será que estou no estado de espírito certo para tomar uma decisão?

Ao sair do hospital, vou a Londres consultar outros médicos. Radhanath

Swami e eu saímos de carro. Eu lhe conto em que venho pensando. Ele escuta durante um tempo, faz algumas perguntas, pensa. Então diz:

– Alguns estudam na universidade e se tornam professores universitários; outros estudam na universidade e se tornam empreendedores. Qual das duas coisas é melhor?

– Nenhuma das duas – respondo.

– Você terminou seu treinamento. Acho que o melhor agora é seguir seu caminho.

Fico pasmo. Não esperava que ele tomasse posição tão depressa e de modo tão definitivo. Posso ver que ele não me considera um fracasso, mas não consigo evitar projetar isso em mim. Eu fracassei, e ele está "terminando" comigo. Como se estivesse dizendo: "Não é você, sou eu, não está dando certo."

Não apenas estou tonto com a perspectiva de abrir mão dos meus líderes, dos meus planos, do meu sonho como também isso é um golpe tremendo para o meu ego. Investi muito de mim mesmo nesse lugar, nesse mundo, e todos os meus planos de futuro têm por base essa decisão. Mas sei que este não é o caminho certo. Não vou conseguir o que me propus a fazer. Além do mais, dei o passo imenso de revelar este caminho à minha família, meus amigos e todos que eu conhecia. Meu ego estava preocupado com o que eles iriam pensar de mim caso eu fracassasse. Entrar para o ashram *foi a decisão mais difícil que eu já tomei. Ir embora é mais difícil ainda.*

Mudo-me de volta para a casa dos meus pais sem nada, sem objetivo na vida, sem um tostão, atormentado pelo meu fracasso e com uma dívida de 25 mil libras na faculdade. Anima-me um pouco comprar chocolate, mas isso é apenas um alívio circunstancial para minha crise existencial. Eu tinha ido para o ashram *pensando que iria mudar o mundo. De volta a Londres, ninguém sabe o que eu fiz nem entende o valor disso. Meus pais não têm certeza de como interagir comigo ou do que dizer aos amigos. Meus parentes perguntam a meus pais se eu recobrei a sanidade. Meus amigos de faculdade ficam pensando se eu vou arrumar um emprego "de verdade". Eles meio que dizem: "Você não conseguiu ser monge? Não conseguiu ficar pensando em nada?"*

Meu maior sonho foi destruído, e eu sinto esse golpe no meu ego profundamente. É uma das experiências mais difíceis, mais humilhantes, mais esmagadoras da minha vida. E uma das mais importantes.

Embora os monges tenham apoiado a mim e minha decisão, ir embora do *ashram* virou de cabeça para baixo tudo que me deixava seguro de quem eu era e do que estava fazendo. Quando meu mundo foi virado de cabeça para baixo, minha autoestima despencou. A baixa autoestima é o outro lado da moeda de um ego inflado. Se nós não somos tudo, então não somos nada. Se eu não era aquele homem de intenções elevadas e espiritualidade profunda, então eu era um fracasso. Se eu não sou incrível, sou horrível. Os dois extremos são igualmente problemáticos. Às vezes é preciso o ego murcho para lhe mostrar o que o ego inflado pensava de si mesmo. Essa foi uma lição de humildade.

HUMILDADE: O ELIXIR DO EGO

O ego tem duas caras. Num instante, ele nos diz que somos ótimos em tudo e, no instante seguinte, nos diz que somos os piores de todos. Em ambos os casos, permanecemos cegos para a realidade de quem somos. A verdadeira humildade é ver o que existe entre os extremos. *Eu sou ótimo em algumas coisas e não tão bom assim em outras. Tenho boas intenções, mas sou imperfeito.* Em vez do tudo ou nada do ego a humildade nos permite compreender nossas fraquezas e querer melhorar.

No décimo canto do *Srimad-Bhagavatam*, Lorde Brahma, o deus da criação, reza a Krishna, o deus supremo. Brahma está pedindo desculpas a Krishna, pois quando estava construindo o mundo se deixou impressionar bastante por si mesmo. Ele então encontra Krishna e confessa que é como um vaga-lume.[11]

À noite, quando está aceso, o vaga-lume pensa: *Como eu sou brilhante. Que incrível! Estou iluminando o céu inteiro!* Mas à luz do dia, por mais forte que seja o seu brilho, a luz do vaga-lume é fraca, quando não invisível, e ele descobre a própria insignificância. Brahma se dá conta de que pensava estar iluminando o mundo, mas, quando Krishna traz o nascer do sol, percebe não passar de um vaga-lume.

Na escuridão do ego, nós nos achamos especiais, poderosos e muito significativos, mas, quando nos observamos no contexto do grande Universo, vemos que desempenhamos apenas um papel pequeno. Para encontrar a verdadeira humildade, como o vaga-lume, precisamos olhar para nós mesmos quando o sol está brilhando e podemos ver com clareza.

PRATIQUE A HUMILDADE

No *ashram*, o caminho mais direto para a humildade era por meio do trabalho simples, de tarefas pequenas que não punham o participante no centro das atenções. Nós lavávamos panelões imensos com mangueiras, tirávamos ervas daninhas da horta e limpávamos os banheiros turcos — essa era a pior de todas! A ideia era não apenas executar o trabalho que precisava ser feito, mas impedir que as coisas nos subissem à cabeça. Já comentei como eu era impaciente em relação a alguns desses trabalhos. Por que estava desperdiçando meu conhecimento recolhendo lixo? Os monges diziam que eu não estava vendo a coisa pelo lado certo. Algumas tarefas constroem competências, outras constroem caráter. As atividades não cerebrais me incomodavam, mas depois de algum tempo aprendi que realizar uma atividade mentalmente tranquila liberava espaço para reflexão e introspecção. No fim das contas, elas valiam a pena.

Realizar tarefas triviais num *ashram* não é exatamente replicável no mundo moderno, mas qualquer pessoa pode tentar esse exercício mental simples que usávamos para nos tornar mais conscientes do nosso ego diariamente. Nós aprendíamos que existem duas coisas que devemos tentar lembrar e duas coisas que devemos tentar esquecer.

As duas coisas a serem **lembradas** são o mal que causamos aos outros e o bem que os outros fizeram a nós. Ao se concentrar no mal que fizemos aos outros, nosso ego é forçado a se lembrar de nossas imperfeições e nossos arrependimentos. Isso nos mantém com o pé no chão. Quando nos lembramos do bem que os outros nos fizeram, sentimos humildade devido à necessidade que temos dos outros e à nossa gratidão pelas dádivas que recebemos.

As duas coisas que nos diziam para **esquecer** eram o bem que tínhamos feito aos outros e o mal que os outros tinham nos feito. Se nos fixarmos e nos deixarmos impressionar por nossas boas ações, nosso ego cresce, então deixamos essas ações de lado. E se os outros nos tratam mal, precisamos nos desapegar disso também. Isso não significa que devemos ser melhores amigos de pessoas cruéis, mas acalentar a raiva e a mágoa nos mantém focados em nós mesmos em vez de nos levar a adotar um ponto de vista mais amplo.

Escutei outra forma de pensar sobre isso de Radhanath Swami quando ele estava dando uma palestra no templo de Londres sobre as qualidades necessárias para a autorrealização. Ele nos disse para ser como o sal, e ressaltou que só reparamos no sal quando a comida está excessivamente salgada ou então insossa. Ninguém nunca diz: "Nossa, a quantidade de sal nesta comida está perfeita." Quando o sal é usado da melhor maneira possível, ninguém presta atenção nele. O sal tem tanta humildade que, quando algo dá errado, é ele quem leva a culpa, e quando tudo dá certo ele não fica com o crédito.

Em 1993, Laramiun Byrd, filho de Mary Johnson, tinha apenas 20 anos quando, após um bate-boca numa festa, levou um tiro na cabeça disparado por Oshea Israel, de 16 anos, que cumpriu mais de quinze anos na prisão pelo assassinato.[12] Mary provavelmente tinha a razão mais válida que qualquer um de nós poderia imaginar para odiar alguém, e de fato odiava Israel. Depois de algum tempo, ela se deu conta de que não era a única a estar sofrendo; a família de Israel também tinha perdido o filho. Mary decidiu criar um grupo de apoio chamado Da Morte à Vida, para outras mães cujos filhos tivessem sido mortos, e quis incluir algumas mães cujos filhos tivessem matado. Como não se sentia capaz de lidar com as mães dos assassinos a menos que perdoasse de fato Israel, ela o procurou e pediu para falar com ele. Quando os dois se encontraram, ele perguntou se podia abraçá-la. "Ao me levantar, senti algo subir pelas solas dos meus pés e sair de mim", diz ela. Depois disso, os dois começaram a se encontrar regularmente e, quando Israel foi solto, Mary falou com seu senhorio e perguntou se ele poderia se mudar para o prédio dela. "A falta de perdão é como o câncer. Ela vai devorando você por dentro", diz Mary. Ela usa um colar com um medalhão de dois lados: num deles há uma foto sua com o filho e, no outro, uma foto de Israel, que diz ainda estar tentando perdoar a si mesmo. Os dois, que são vizinhos de porta, visitam prisões e igrejas para contar sua história e falar sobre o poder do perdão.

Recordar seus erros e esquecer seus sucessos mantém o ego sob controle e aumenta a gratidão – uma receita simples e eficaz para a humildade.

FIQUE DE OLHO NO SEU EGO

Com uma consciência maior do nosso ego, começamos a reparar em circunstâncias específicas em que ele reage.

Certa vez, um grupo do *ashram* foi fazer uma viagem de mochilão pela Escandinávia para conduzir meditações-surpresa nos centros das cidades. A maioria das pessoas que encontramos se mostrou muito simpática, interessada em saúde e receptiva à meditação. Mas em uma de nossas paradas na Dinamarca eu me aproximei de um senhor e perguntei:

– Já ouviu falar em meditação? Nós adoraríamos lhe ensinar.

– Você não tem nada melhor para fazer na vida? – rebateu ele.

Meu ego se inflamou. Minha vontade foi dizer: "Eu não sou burro. Sou inteligente! Me formei numa ótima universidade! Eu poderia estar ganhando dezenas de milhares de libras por ano. Não precisava fazer o que estou fazendo... foi uma escolha!" Eu queria mesmo rebater o que aquele homem tinha dito.

Em vez disso falei:

– Espero que o senhor tenha um dia maravilhoso. Se quiser aprender a meditar, por favor, volte.

Senti meu ego reagir. Eu percebi, mas me recusei a ceder a ele. Esta é a consequência de manter nosso ego sob controle. Ele não desaparece, mas nós podemos observá-lo e limitar o poder que ele tem sobre nós.

A verdadeira humildade está um passo além de apenas reprimir o ego, como eu fiz. Numa aula no templo de Londres, alguns de meus colegas monges estavam sendo grosseiros – rindo do exercício que fazíamos e conversando quando deveriam estar quietos. Olhei para nosso professor, Sutapa, que era o principal monge de Londres. Imaginei que Sutapa fosse repreendê-los, mas ele permaneceu calado. Depois da aula, fui perguntar por que ele tinha tolerado aquele comportamento.

– Você está olhando para a forma como eles estão se comportando hoje – disse ele. – Eu estou olhando para o caminho que eles já percorreram.

O monge estava se lembrando das coisas boas que eles tinham feito e esquecendo as ruins. Ele não considerava o comportamento deles um reflexo de si mesmo nem do respeito que tinham por ele. Adotava uma visão mais ampla sem qualquer relação com ele próprio.

Se alguém estiver tratando você mal, não sugiro que tolere isso, como o monge fez. Há maus-tratos que são inaceitáveis. Mas é útil olhar além desse momento, considerar o contexto mais amplo da experiência da pessoa – ela está cansada, frustrada, ou melhorando em relação a onde já esteve? – e pensar no que levou a esse comportamento em vez de deixar seu ego se intrometer. Todo mundo tem uma história, e às vezes nosso ego decide ignorar isso. Não leve tudo para o lado pessoal – em geral, as coisas não têm nada a ver com você.

DESAPEGUE-SE DO SEU EGO

O monge e eu usamos a mesma abordagem para aquietar nosso ego: desapegamo-nos da reação e nos tornamos observadores objetivos. Nós pensamos que somos aquilo que conquistamos. Pensamos que somos nosso trabalho. Pensamos que somos a nossa casa. Pensamos que somos nossa juventude e nossa beleza. Reconheça que o que você tem, seja lá o que for – uma competência, uma lição, um bem material ou um princípio –, lhe foi dado; e quem lhe deu o recebeu de outra pessoa. Esta frase não foi tirada diretamente da *Bhagavad Gita*, mas, para resumir como esse texto trata o desapego, as pessoas muitas vezes dizem: **"O que pertence a você hoje pertencia a outra pessoa ontem e pertencerá a outra amanhã."**[13] Sejam quais forem as suas crenças espirituais, quando você reconhece isso, vê que é um receptáculo, um instrumento, um cuidador, um canal para os poderes maiores do mundo. Você pode agradecer ao seu mestre e usar seus talentos para alcançar um objetivo elevado.

O desapego é libertador. Quando não somos definidos por nossas realizações, isso diminui a pressão. Não temos que ser os melhores. Eu não preciso ser o monge mais notável em visita à Dinamarca. Meu professor não precisa ver seus alunos sentados em silêncio, fascinados o tempo inteiro.

O desapego inspira gratidão. Quando abrimos mão da possessividade, percebemos que tudo que fizemos foi com a ajuda de outros: pais, professores, treinadores, chefes, livros – até mesmo o conhecimento e as competências de alguém que "veio do nada" têm origem no trabalho de outras pessoas. Quando sentimos gratidão pelo que realizamos, cuidamos para não deixar isso nos subir à cabeça. Idealmente, a gratidão nos inspira a nos tornarmos professores e mentores à nossa própria maneira, e transmitir de alguma forma aquilo que nos foi passado.

> **EXPERIMENTE ISTO: TRANSFORMANDO O EGO**
> Procure as seguintes oportunidades para se desapegar do seu ego e ter uma reação cuidadosa e produtiva.
>
> 1. *Ao ser ofendido.* Observe seu ego, considere a negatividade da pessoa num contexto mais amplo e reaja à situação, não à ofensa.
> 2. *Ao receber um elogio ou reconhecimento.* Aproveite essa oportunidade para sentir gratidão pelo professor que ajudou você a aprimorar essa qualidade.
> 3. *Ao discutir com um parceiro.* O desejo de ter razão, de vencer, vem da recusa do seu ego em admitir fraqueza. Lembre-se de que você pode ter razão ou então seguir em frente. Veja o lado da outra pessoa. Perca a batalha. Aguarde um dia e veja como se sente.
> 4. *Ao ouvir os outros.* Quando escutamos os outros, muitas vezes nós retrucamos com uma história nossa que mostra como já vivenciamos coisa melhor ou pior. Em vez de fazer isso, escute para entender e para reconhecer. Seja curioso. Não diga nada sobre si mesmo.

SAIA DO LUGAR DO FRACASSO

Quando nos sentimos inseguros – porque não estamos no ponto em que gostaríamos de estar na carreira, no relacionamento ou em outros parâmetros que estabelecemos para nós mesmos –, das duas, uma: ou o ego sai em nossa defesa ou nossa autoestima despenca. Seja como for, a questão se resume a *nós*. Em *Cuide de sua alma*, o psicoterapeuta e ex-monge Thomas Moore escreve: "Ser literalmente arruinado pelo fracasso equivale a um 'narcisismo às avessas'... Ao avaliar de modo criativo o fracasso, nós o reconectamos ao sucesso. Sem essa conexão, o trabalho se limita a fantasias narcisistas grandiosas de sucesso e sentimentos debilitantes de fracasso."[14] A humildade vem de aceitar *onde* você está sem ver nisso um reflexo de *quem* você é. Então você pode usar sua imaginação para encontrar o sucesso.

Sara Blakely queria estudar direito, mas, apesar de fazer a prova de seleção duas vezes, não conseguiu a pontuação de que precisava. Em vez de virar advogada, ela passou sete anos vendendo aparelhos de fax de porta em porta, mas nunca esqueceu o que o pai tinha lhe ensinado. Todas as noites, à mesa do jantar, em vez de perguntar a ela e ao irmão "O que vocês fizeram na escola hoje?" ele perguntava: "O que vocês não conseguiram fazer?" Não conseguir significava que eles estavam tentando, e isso era mais importante do que o resultado imediato. Quando Sara decidiu abrir o próprio negócio, sabia que o único fracasso seria não tentar, então pegou 5 mil dólares do próprio dinheiro e abriu a empresa que, apenas quinze anos depois, iria torná-la bilionária: a Spanx.[15] Muitas vezes nós não arriscamos por temer o fracasso, e isso frequentemente equivale a temer que nosso ego fique ferido. Quando conseguimos superar a ideia de que seremos destruídos caso tudo não aconteça imediatamente como queremos, nossas capacidades se expandem exponencialmente.

Minha própria versão da revelação de Blakely aconteceu em Londres, mais ou menos uma semana depois de eu ir embora do *ashram*.

Eu acreditava que o meu dharma *era prestar serviço como monge, disseminando conhecimento e ajuda. Agora, de volta à casa da minha infância, não quero me contentar com um propósito menor. O que eu posso fazer? Nossa família não é rica. Não posso simplesmente relaxar e ficar esperando as respostas aparecerem. Estou com medo, nervoso, ansioso. Todas as coisas que fui treinado para não ser voltam correndo e me engolem.*

Certa noite, quando estou lavando a louça depois do jantar, olho pela janela acima da pia. Ali fica o jardim, mas no escuro tudo que consigo ver é meu próprio reflexo. Eu penso: O que estaria fazendo neste exato momento se estivesse no *ashram? São sete horas da noite. Provavelmente estaria lendo, estudando ou então me encaminhando para dar uma palestra. Demoro-me um instante me visualizando percorrendo um caminho no* ashram, *indo até a biblioteca para uma aula noturna. Então penso:*

O horário pode ser o mesmo aqui e lá. Eu tenho uma escolha agora. Se usar esse tempo com sabedoria, posso dar significado e propósito à noite de hoje, exatamente como faria no *ashram*, ou posso desperdiçá-la sentindo pena de mim mesmo e me arrependendo.

É então que me liberto do meu ego murcho e me dou conta de que, na condição de monge, fui ensinado a lidar com a ansiedade, o sofrimento e a pressão. Não estou mais num lugar onde é natural e fácil alcançar esses objetivos, mas posso testar tudo que aprendi aqui, num mundo mais barulhento e mais complicado. O ashram *foi como uma escola; isto aqui é a prova. Preciso ganhar dinheiro e não terei a mesma quantidade de tempo para dedicar à minha prática, mas a qualidade depende de mim. Não posso passar duas horas estudando as escrituras, mas posso ler um verso por dia e colocá-lo em prática. Não posso limpar templos para purificar meu coração, mas posso encontrar humildade no ato de limpar minha casa. Se eu considerar minha vida insignificante, ela o será. Se encontrar meios de viver meu* dharma, *ficarei realizado.*

Começo a me vestir todos os dias como se tivesse um emprego. Passo a maior parte do tempo na biblioteca, lendo várias coisas sobre desenvolvimento pessoal, negócios e tecnologia. Volto humildemente a ser um aluno da vida. Essa é uma maneira poderosa de entrar novamente no mundo.

Sentir-se vítima é o ego às avessas. Você acredita que as piores coisas do mundo lhe acontecem. As piores cartas caem sempre na sua mão.

Quando você fracassa, em vez de se render e ficar se sentindo vítima das circunstâncias, pense nesse instante como uma âncora da humildade que mantém seus pés fincados no chão. Então pergunte a si mesmo: "O que vai fazer minha confiança voltar?" Ela não vai brotar de um fator externo que esteja além do seu controle. Eu não podia controlar o fato de alguém me dar um emprego ou não, mas me concentrei em encontrar um jeito de ser eu mesmo e fazer o que amava. Sabia que podia construir autoconfiança com base nisso.

CONSTRUA AUTOCONFIANÇA, NÃO EGO

Eis a ironia: se você algum dia fingiu saber alguma coisa, provavelmente descobriu que em geral fingir autoconfiança e alimentar a vaidade demanda a mesma quantidade de energia que trabalhar, treinar e alcançar a verdadeira autoconfiança.

A humildade lhe permite ver com clareza seus próprios pontos fortes e fracos, de modo que você possa trabalhar, aprender e crescer. A autoconfiança e a autoestima saudável ajudam você a se aceitar como é: humilde, imperfeito e num esforço constante para melhorar. Não confundamos o ego inflado com a autoestima saudável.

O ego inflado quer que todo mundo goste de você. A autoestima saudável não se importa se todos gostam. O ego pensa que sabe tudo. A autoestima acha que pode aprender com qualquer um. O ego quer provar seu valor. A autoestima quer se expressar.

EGO	AUTOESTIMA
TEME O QUE OS OUTROS VÃO DIZER	FILTRA O QUE OS OUTROS DIZEM
COMPARA-SE AOS OUTROS	COMPARA-SE A SI MESMO
QUER PROVAR SEU VALOR	QUER SER ELE MESMO
SABE TUDO	PODE APRENDER COM QUALQUER UM
FINGE SER FORTE	TUDO BEM FICAR VULNERÁVEL
QUER QUE OS OUTROS O RESPEITEM	RESPEITA A SI MESMO E OS OUTROS

A tabela acima não mostra apenas a diferença entre o ego inflado e a autoestima saudável. Ela pode ser usada como um guia para aumentar sua autoconfiança. Se você observar bem, vai ver que todo o trabalho com a consciência que estamos desenvolvendo serve para construir as qualidades interdependentes de humildade e autoestima. Em vez de nos preocuparmos com o que os outros vão dizer nós purificamos nossa mente e procuramos nos aprimorar. Em vez de querer provar nosso valor nós queremos *ser* nós mesmos, ou seja, não nos deixamos distrair por expectativas externas. Nós vivemos com intenção no nosso *dharma*.

PEQUENAS VITÓRIAS

Acumular pequenas vitórias nos deixa mais confiantes. Jessica Hardy, que é medalhista de ouro de nado olímpico, disse certa vez: "Meus objetivos de longo prazo são aquilo que eu consideraria meus 'sonhos', e meus objetivos de curto prazo podem ser conquistados todo dia ou mensalmente. Eu gosto de estabelecer objetivos de curto prazo que me levem a me sentir bem e me ajudem a me preparar melhor para os objetivos de longo prazo."[16]

> **EXPERIMENTE ISTO: ANOTE AS ÁREAS NAS QUAIS VOCÊ REALMENTE QUER SER CONFIANTE**
> Saúde, trabalho, relacionamentos – escolha uma dessas três.
> Anote o que o levará a se sentir confiante nessa área, algo que seja realista e factível.
> Divida sua área em pequenas vitórias. Coisas que você pode realizar hoje.

PEÇA FEEDBACK

Ser confiante significa decidir quem você quer ser sem o reflexo do que os outros pensam, mas significa também se deixar inspirar e conduzir pelos outros para se tornar a melhor versão de si mesmo. Conviva com pessoas bem resolvidas, sensatas e focadas em servir e você sentirá mais humildade – e mais motivação para ser bem resolvido, ter sensatez e servir.

Quando pedir feedback, escolha com cuidado seus conselheiros. Em geral, nós cometemos um destes dois erros: pedimos conselho a todo mundo sobre um determinado problema ou pedimos conselho a alguém em relação a todos os nossos problemas. Se você falar com um monte de gente, vai ter 57 opiniões diferentes e ficar atarantado, confuso e perdido. Por outro lado, se despejar todos os seus dilemas numa única pessoa, é ela quem vai ficar atarantada, sem saber como lidar com tudo isso, e em determinado momento vai se cansar de carregar a sua bagagem.

Em vez disso cultive pequenos grupos de conselheiros em áreas específicas. Certifique-se de escolher as pessoas certas para os desafios certos. Vamos nos aprofundar em encontrar pessoas que tragam competência, caráter, cuidado e coerência no Capítulo 10, mas por enquanto, para reconhecer o feedback produtivo, considere de onde ele vem: essa pessoa é uma autoridade? Ela tem a experiência e o conhecimento necessários para lhe dar conselhos úteis? Se você escolher bem seus conselheiros, vai obter a ajuda certa quando precisar, sem abusar da paciência alheia.

A abordagem do monge é recorrer ao seu guru (seu guia), aos *sadhu* (outros mestres e pessoas santas) e aos *shastras* (escrituras). Nós procuramos alinhamento entre essas três fontes. No mundo moderno, muitos de nós não têm "guias" e, quando têm, provavelmente não os colocam numa categoria distinta da dos professores. Tampouco somos todos seguidores de escrituras religiosas. Mas o que os monges tentam obter desse modo são conselhos de fontes confiáveis, que queiram o melhor para eles e que proporcionem perspectivas diferentes. Escolha os que mais se importam com a sua saúde emocional (muitas vezes, amigos e parentes, que funcionam como gurus), os que incentivam seu crescimento intelectual e sua experiência (esses podem ser mentores ou mestres, que funcionam como *sadhus*) e os que compartilham seus valores e intenções (guias religiosos ou fatos científicos, que funcionam como *shastras*).

Esteja sempre alerta ao feedback que não vem das fontes habituais. Alguns dos feedbacks mais úteis não foram solicitados e não são sequer intencionais. Tempere seu ego prestando muita atenção nas reações não verbais das pessoas. A expressão delas indica interesse ou tédio? Elas estão irritadas, agitadas, cansadas? Nesse caso, vale a pena buscar alinhamento. Muitas pessoas diferentes se afastam quando você está falando sobre um determinado assunto? Talvez esteja na hora de puxar o freio dele.

Quando os outros oferecem suas opiniões, precisamos decidir com cuidado e sabedoria a quais vamos dar ouvidos. Como o ego quer acreditar que sabe tudo, ele é rápido em descartar feedbacks de críticas. Por outro lado, às vezes o ego murcho vê críticas onde elas não existem. Se a resposta para sua candidatura a uma vaga de emprego for uma carta padrão dizendo "Nós sentimos muito, recebemos muitos currículos", isso não é um feedback útil, pois não diz nada sobre você.

O modo de superar esses obstáculos é filtrando o feedback. Reflita em vez de julgar. Seja curioso. Não finja que entendeu. Faça perguntas para esclarecer. Pergunte coisas que ajudem você a definir passos práticos para melhorar.

A maneira mais fácil de confirmar que alguém está fazendo uma crítica com boa intenção é ver se a pessoa está disposta a investir no seu crescimento. Ela está apenas apontando um problema ou ponto fraco ou quer ajudar você a operar uma mudança, se não agindo ela própria, pelo menos sugerindo modos de progredir?

Quando pedir e receber feedback, certifique-se de saber *como* você quer crescer. As opiniões dos outros muitas vezes não lhe dizem que direção seguir, mas o impulsionam adiante. Você precisa tomar as próprias decisões, e então agir. Estes três passos – pedir, avaliar e reagir ao feedback – vão aumentar sua autoconfiança e a consciência de si.

> **EXPERIMENTE ISTO: RECEBA FEEDBACK DE UM JEITO PRODUTIVO**
>
> Escolha uma área em que você queira melhorar. Pode ser financeira, mental, emocional ou física.
>
> Encontre alguém que seja especialista nessa área e peça orientação.
>
> Faça perguntas para esclarecer, especificar e saber como aplicar de modo prático a orientação na sua situação particular.
>
> Exemplos de perguntas:
>
> - Você acha que esse caminho é realista para mim?
> - Você tem alguma recomendação em relação ao momento de agir?
> - Isso é algo que você acha que os outros repararam em mim?
> - Isso é algo que eu devo tentar consertar (fazendo um pedido de desculpas ou uma revisão) ou é uma recomendação sobre como agir de agora em diante?
> - Quais são os riscos do que você está recomendando?

NÃO SE DEIXE OFUSCAR PELO SEU PRÓPRIO BRILHO

Se você tiver a sorte de ter sucesso, ouça as mesmas palavras que aqueles generais romanos vitoriosos ouviram: "Lembre-se de que você não passa de um homem (ou uma mulher!), lembre-se de que você vai morrer." Em vez de deixar suas realizações lhe subirem à cabeça desapegue-se. Sinta gratidão por seus professores e por aquilo que lhe foi passado. Lembre a si mesmo quem você é e por que está fazendo o trabalho que lhe traz sucesso.

Lembre-se das coisas ruins que fez e esqueça-se das boas para assim relativizar sua própria grandeza. No ensino médio, fui suspenso três vezes por todo tipo de idiotice. Sinto vergonha do meu passado, mas ele me mantém com os pés no chão. Posso olhar para trás e pensar:

Não importa o que qualquer um diga sobre mim hoje ou quanto eu penso ter crescido, tenho âncoras que me trazem humildade. Elas me lembram quem eu fui e quem poderia ter me tornado se não tivesse conhecido pessoas que me inspiraram a mudar. Como todo mundo, eu cheguei aonde estou graças a um misto de escolhas, oportunidades e esforço.

Você não é o seu sucesso nem o seu fracasso.

Mantenha essa humildade depois que tiver conquistado alguma coisa. Quando receber elogios, reconhecimento ou prêmios, não se refestele neles nem os rejeite. Seja elegante na hora, depois lembre-se de quanto trabalhou e reconheça os sacrifícios que fez. Então pergunte a si mesmo quem o ajudou a desenvolver essa competência. Pense em seus pais, professores, mentores. Alguém investiu tempo, dinheiro e energia para torná-lo quem você é hoje. Lembre-se e agradeça a quem lhe passou a competência pela qual você está sendo reconhecido. Compartilhar o sucesso com essa pessoa mantém sua humildade.

VERDADEIRA GRANDEZA

Você não deve se sentir pequeno em comparação com os outros, mas deve se sentir pequeno em comparação com seus objetivos. Minha abordagem para manter a humildade diante do sucesso é estar sempre atualizando meus objetivos. A medida do sucesso não são os números, é a profundidade. Os monges não se impressionam com quanto durou sua meditação. Nós perguntamos quão fundo você chegou. Bruce Lee falou: "Não temo o homem que treinou dez mil chutes uma vez, mas temo o homem que treinou um chute dez mil vezes."

Pouco importa o que conseguimos realizar, nós sempre podemos aspirar a uma escala e uma profundidade maiores. Eu não me preocupo com medidas da vaidade. Muitas vezes digo que quero viralizar a sabedoria, mas quero que ela tenha significado. Como posso alcançar um monte de gente sem perder a conexão íntima com elas? Até o mundo inteiro estar curado e feliz, eu não terei terminado. O que nos mantém humildes é ter um objetivo cada vez maior – que nos ultrapasse e chegue à nossa comunidade, ao nosso país, ao nosso planeta – e perceber que o objetivo final é inalcançável.

De fato, nosso objetivo de desenvolver total humildade é, em última instância, inalcançável.

No instante em que você sente que chegou, está iniciando a jornada outra vez. Esse paradoxo vale para muitas coisas: se você se sente seguro, é aí que está mais vulnerável; se se sente infalível, é aí que está mais fraco. André Gide falou: "Acreditem naqueles que buscam a verdade; duvide daqueles que a encontraram." Com muita frequência, quando você faz o bem, você se sente bem, vive bem e começa a dizer "Pronto, entendi tudo", e é aí que você começa a cair. Se eu chegasse aqui e dissesse que não tenho ego, seria uma mentira deslavada. Superar o próprio ego é uma prática, não uma conquista.

A verdadeira grandeza é quando você usa as próprias realizações para ensinar os outros, e eles por sua vez aprendem a ensinar outras pessoas – e a grandeza que você alcançou se expande exponencialmente. Em vez de ver a conquista como status, pense no papel que você desempenha na vida das pessoas como a mais valiosa das contribuições. Quando você expande a sua visão, percebe que até mesmo quem tem tudo obtém a maior satisfação de todas servindo.

Independentemente de como você ajudar os outros, não se orgulhe, pois há muito mais a ser feito. Kailash Satyarthi é um ativista de direitos da infância que se dedicou a proteger as crianças da exploração infantil.[17] Suas ONGs já resgataram dezenas de milhares de crianças, mas quando perguntaram a ele qual foi sua primeira reação ao ganhar o Prêmio Nobel da Paz em 2014 ele respondeu: "A primeira reação? Bem, fiquei pensando se eu tinha feito o suficiente para estar ganhando esse prêmio." Satyarthi demonstra humildade ao perceber que há muito mais a ser feito. A qualidade mais poderosa, mais admirável e mais cativante no ser humano é vista quando ele conquistou coisas grandiosas, mas ainda assim abraça a humildade e a própria insignificância.

Até aqui mergulhamos bem fundo em quem você é, em como pode levar uma vida plena de significado e no que quer mudar. É muito crescimento, e não vai acontecer da noite para o dia. Para ajudar em seus esforços, sugiro que você incorpore a visualização na sua prática de meditação. A visualização é o caminho perfeito para você curar o passado e se preparar para o futuro.

MEDITAÇÃO

VISUALIZAÇÃO

Durante a meditação, os monges usam a visualização para a mente. Quando fechamos os olhos e levamos a mente para outro lugar e outro tempo, temos a oportunidade de curar o passado e nos preparar para o futuro. Nos três próximos capítulos, vamos embarcar numa jornada para transformar o modo como vemos a nós mesmos e nosso propósito singular no mundo. E, enquanto fazemos isso, vamos usar o poder da visualização para nos auxiliar.

Usando a visualização, podemos revisitar o passado e editar a história que contamos a nós mesmos. Imagine que você deteste a última coisa que disse para seu pai que já faleceu. Ver a si mesmo na sua imaginação dizendo a seu pai quanto você o amou não muda o passado, mas, ao contrário da nostalgia ou do arrependimento, inicia a cura. E se você visualizar suas esperanças, sonhos e medos relacionados ao futuro, poderá processar os sentimentos antes de eles ocorrerem, fortalecendo-se para enfrentar novos desafios. Antes de dar uma palestra, eu muitas vezes me preparo com uma visualização de mim mesmo subindo no palco para falar. Pense nisso da seguinte forma: qualquer coisa que você vê no mundo feita pelo homem – este livro, uma mesa, um relógio –, seja o que for, existiu na mente de alguém antes de passar a existir. Para criar alguma coisa, é preciso imaginá-la antes. Por isso a visualização é tão importante. O que quer que construamos internamente pode ser construído externamente.

Todo mundo visualiza na vida cotidiana. A meditação é uma oportunidade para tornar essa tendência deliberada e produtiva. Passado ou futuro, grande ou pequeno, você pode usar a visualização para extrair a energia de uma situação e trazê-la para a sua realidade. Por exemplo, se durante a meditação você visualiza um lugar em que se sente feliz e relaxado, sua respiração e sua pulsação mudam, sua energia se transforma e você traz essa sensação para sua realidade.

A visualização ativa as mesmas redes cerebrais que são ativadas ao realizar a tarefa. Cientistas da Cleveland Clinic mostraram que pessoas que imaginaram contrair um músculo do dedo mindinho durante doze semanas aumentaram a força desse músculo quase tanto quanto as que fizeram exercícios com o dedo no mesmo período.[1] O esforço é o mesmo – a visualização cria mudanças reais em nosso corpo.

Já mencionei que podemos meditar em qualquer lugar. A visualização pode ajudar você a alcançar o relaxamento apesar do caos à sua volta. Certa vez fiz uma viagem de três dias de Mumbai até o sul da Índia num trem lotado e imundo. Achei difícil meditar e disse ao meu professor:

– Não vou meditar agora. Farei isso quando pararmos ou quando as coisas estiverem mais calmas.

– Por quê? – perguntou meu professor.

– Porque é isso que nós fazemos no *ashram* – falei.

Eu estava acostumado a meditar na serenidade do *ashram*, rodeado por um lago, bancos e árvores.

– Você acha que o momento da morte vai ser calmo? – indagou ele.
– Se não consegue meditar agora, como vai meditar na hora da morte?

Percebi que estávamos sendo treinados para meditar em paz de modo a sermos capazes de meditar no caos. Desde então já meditei em aviões, no meio da cidade de Nova York, em Hollywood. Existem distrações, claro, mas a meditação não elimina as distrações; ela as administra.

Quando conduzo uma meditação, muitas vezes começo dizendo: "Se a sua mente se distrair, volte ao seu padrão de respiração natural. Não se frustre nem se irrite, apenas traga a atenção, com gentileza e suavidade, para sua respiração, visualização ou mantra." A meditação não se interrompe quando você se distrai. Ela se interrompe quando você se permite ir atrás do pensamento que causou distração ou quando perde a concentração e pensa: *Ah, como eu sou ruim nisto*. Parte da prática da meditação é observar o pensamento, deixá-lo surgir, em seguida voltar àquilo em que você estava se concentrando. Se não for difícil, você não está fazendo direito.

Uma observação importante: devemos escolher visualizações positivas. Visualizações negativas nos prendem a pensamentos e imagens dolorosos. Sim, o "ruim" que existe em nós emerge durante a meditação, mas nos imaginarmos presos dentro de um labirinto escuro não traz benefício algum. A questão é justamente visualizar um caminho para fora da escuridão.

Existem dois tipos de visualização: a fixa e a exploratória. Numa visualização fixa, alguém guia você verbalmente por um lugar. *Você está numa praia. Sente a areia sob os pés. Você vê um céu azul, ouve gaivotas e as ondas batendo*. Numa visualização exploratória você deve imaginar os próprios detalhes. Se eu peço a clientes de meditação que imaginem o lugar onde se sentem mais à vontade, há quem se veja andando de bicicleta por uma trilha à beira-mar e há quem invoque a casa na árvore de sua infância.

EXPERIMENTE ISTO: **VISUALIZAÇÃO**

Eis algumas visualizações que você pode tentar. Também incentivo você a baixar um aplicativo ou visitar um centro de meditação – existem várias alternativas para ajudá-lo na sua prática.

Para os exercícios de visualização que descrevo abaixo, inicie sua prática com os seguintes passos:

1. Encontre uma posição confortável – sentado numa cadeira, numa almofada com a coluna alinhada ou deitado.
2. Feche os olhos.
3. Baixe o olhar.
4. Fique à vontade nessa posição.
5. Leve sua consciência para a calma, o equilíbrio, a suavidade, a quietude e a paz.
6. Toda vez que a sua mente se distrair, apenas traga-a de volta, com delicadeza e suavidade, para a calma, o equilíbrio, a suavidade, a quietude e a paz.

VARREDURA DO CORPO INTEIRO

1. Leve sua consciência para seu padrão natural de respiração. Inspire e expire.
2. Leve sua consciência para o seu corpo. Perceba os pontos em que ele toca o chão, o assento, e os pontos em que não toca. Você pode constatar que seus calcanhares tocam o chão, mas os arcos dos seus pés não. Ou que a base de suas costas toca a cama ou o tapetinho, mas o meio das costas fica levemente elevado. Perceba todas essas conexões sutis.
3. Agora comece a fazer uma varredura pelo seu corpo.
4. Leve sua consciência para os seus pés. Faça uma varredura pelos dedos dos pés, os arcos, tornozelos, calcanhares. Tome consciência das diferentes sensações que podem surgir. Você pode sentir relaxamento, dor, pressão, formigamento ou algo inteiramente diferente. Tome consciência disso, então visualize que está inspirando uma energia positiva, revigorante, curativa, e expirando qualquer energia negativa e tóxica.

(continua na próxima página)

5. Agora suba para as pernas, os tornozelos, as panturrilhas e os joelhos. Mais uma vez, apenas faça uma varredura e observe as sensações.
6. Toda vez que a sua mente divagar, com delicadeza e suavidade traga-a de volta para o seu corpo. Sem forçar, sem pressão. Sem julgamento.
7. Em determinado momento, você pode encontrar alguma dor da qual antes não tinha consciência. Esteja presente com essa dor. Observe-a. E mais uma vez inspire nela três vezes e expire três vezes.
8. Você também pode expressar gratidão por diferentes partes do seu corpo à medida que toma consciência delas.
9. Prossiga até chegar ao topo da cabeça. Pode fazer isso na velocidade que quiser, mas não se apresse.

CRIANDO UM ESPAÇO SAGRADO

1. Visualize-se num lugar que faça você sentir calma e relaxamento. Pode ser numa praia, numa caminhada na natureza, num jardim ou no alto de uma montanha.
2. Sinta o chão, a areia ou a água sob os pés enquanto caminha nesse espaço.
3. Sem abrir os olhos, olhe para a esquerda. O que você vê? Observe isso e continue andando.
4. Olhe para a direita. O que você vê? Observe isso e continue andando.
5. Tome consciência das cores, texturas e distâncias ao seu redor.
6. O que você escuta? O barulho de pássaros, da água, do vento?
7. Sinta o vento no seu rosto.
8. Encontre um lugar calmo e confortável para se sentar.
9. Inspire a calma, o equilíbrio, a suavidade, a quietude e a paz.
10. Expire o estresse, a pressão e a negatividade.
11. Vá para esse lugar sempre que sentir necessidade de relaxar.

PRESENÇA E IMAGEM MENTAL

Muitas vezes, nossas imagens mentais se formam simplesmente pela repetição de uma atividade, não porque nós as escolhemos. A visualização pode ser usada para transformar intencionalmente um instante numa lembrança. Use essa visualização para criar uma lembrança ou para registrar alegria, felicidade e propósito. Ela também pode ser usada para conectá-lo profundamente a uma lembrança antiga, levando-o de volta a um momento e lugar em que você tenha sentido alegria, felicidade e propósito. Se você estiver criando uma lembrança, mantenha os olhos abertos. Se estiver se reconectando, feche-os.

Eu uso uma técnica antiestresse chamada 5-4-3-2-1. Encontre cinco coisas que você possa ver, quatro coisas que você possa tocar, três coisas que você possa escutar, duas coisas que você possa cheirar e uma coisa que você possa provar.

1. Primeiro, encontre cinco coisas que possa ver. Depois que tiver encontrado as cinco, leve seu foco sucessivamente a cada uma delas.
2. Agora encontre quatro coisas que você possa tocar. Imagine-se tocando-as, sentindo-as. Repare nas diferentes texturas. Leve seu foco sucessivamente a cada uma delas.
3. Encontre três coisas que você possa escutar. Leve seu foco sucessivamente a cada uma delas.
4. Encontre duas coisas cujo cheiro você possa sentir. São flores? Água? Nada? Leve seu foco de uma à outra.
5. Encontre uma coisa cujo gosto você possa sentir.
6. Agora que levou sua atenção a cada sentido, inspire a alegria e a felicidade. Leve-as para dentro do seu corpo. Permita-se sorrir naturalmente com o sentimento que isso traz.
7. Você agora registrou esse momento e pode voltar a ele sempre que quiser por meio da visualização.

PARTE TRÊS

DOAÇÃO

9

GRATIDÃO

A droga mais potente do mundo

Valorize tudo, até o que é trivial.
Principalmente o que é trivial.
— Pema Chödrön

Depois de treinar a mente para olhar para dentro, estamos prontos para olhar para fora e ver como interagimos com os outros no mundo. Hoje em dia é comum falar sobre ampliar a gratidão na nossa vida (somos todos #gratidão), mas acoplar uma hashtag a um momento é diferente de cavar até a raiz de tudo que recebemos e trazer uma gratidão genuína e intencional para a nossa vida todos os dias.

O monge beneditino frei David Steindl-Rast define a gratidão como o sentimento de apreciação que surge quando "reconhecemos que algo tem valor para nós, o que não tem nada a ver com valor monetário".[1]

Palavras de um amigo, um gesto de gentileza, uma oportunidade, uma lição, um travesseiro novo, a recuperação da saúde de um ente querido, a lembrança de um momento feliz, uma caixa de bombons veganos (olhe a dica!). Quando você começa seu dia com gratidão, estará aberto a oportunidades, não a obstáculos. Será atraído para a criatividade, não para as reclamações. Encontrará novas formas de crescer em vez de sucumbir a pensamentos negativos que só fazem encolher suas alternativas.

Neste capítulo, vamos expandir nossa consciência da gratidão e descobrir por que ela faz tão bem. Em seguida praticaremos encontrar motivos para sentir gratidão diariamente; aprenderemos quando e como expressar gratidão – tanto por pequenas dádivas quanto pelas mais significativas e importantes.

A GRATIDÃO FAZ BEM

É difícil acreditar que a gratidão na verdade possa ter benefícios mensuráveis, mas os dados científicos estão aí para provar isso. A gratidão já foi vinculada a uma melhor saúde mental, a mais autoconsciência, a relacionamentos melhores e a uma sensação de realização.

> **EXPERIMENTE ISTO: FAÇA UM DIÁRIO DE GRATIDÃO**
> Todas as noites, passe cinco minutos anotando coisas pelas quais você sente gratidão.
> Se quiser conduzir sua própria experiência, passe uma semana anotando apenas quanto e como você dormiu. Na semana seguinte, comece o diário de gratidão, e pela manhã anote quanto e como você dormiu. Alguma melhora?

Uma das formas que os cientistas usaram para mensurar os benefícios da gratidão foi pedir a dois grupos de pessoas que escrevessem um diário ao longo do dia.[2] Ao primeiro grupo, pediram que registrassem coisas pelas quais sentissem gratidão, e ao segundo, que registrassem momentos em que tinham se sentido importunados ou irritados. O grupo da gratidão relatou níveis menores de estresse no fim do dia. Em outro estudo, universitários que reclamavam de ter a mente sempre cheia de pensamentos e preocupações foram instruídos a passar quinze minutos antes de dormir listando coisas boas pelas quais sentissem gratidão. O diário de gratidão reduziu os pensamentos invasivos e ajudou os participantes a dormirem melhor.

A GRATIDÃO E A MENTE

Quando a mente macaco, que amplifica a negatividade, tenta nos convencer de que somos inúteis e não valemos nada, a mais sensata mente monge rebate assinalando que outras pessoas nos deram seu tempo, sua energia e seu amor. Elas se esforçaram por nós. A gratidão pela gentileza delas anda de mãos dadas com a autoestima, pois, se não valêssemos nada, isso tornaria sua generosidade em relação a nós igualmente sem valor.

A gratidão também ajuda a superar a amargura e o sofrimento que todos nós carregamos. Tente sentir inveja e gratidão ao mesmo tempo. É difícil imaginar, não é? **Quando você está presente na gratidão, não pode estar em nenhum outro lugar.** Segundo o neurocientista da UCLA Alex Korb, não conseguimos nos concentrar em sentimentos positivos e negativos ao mesmo tempo.[3] Quando nos sentimos gratos, nosso cérebro libera dopamina (a substância da recompensa), que nos leva a querer nos sentir dessa forma outra vez, e nós começamos a fazer da gratidão um hábito. Segundo Korb, "quando você começa a ver coisas pelas quais sentir gratidão, seu cérebro começa a procurar mais coisas pelas quais sentir gratidão". É um "círculo virtuoso".

Durante anos, pesquisadores mostraram que a gratidão desempenha um papel fundamental na superação do verdadeiro trauma. Um estudo publicado em 2006 revelou que veteranos da Guerra do Vietnã com altos níveis de gratidão apresentavam taxas menores de transtorno do estresse pós-traumático.[4] Se você já passou por um doloroso término de relacionamento, se já perdeu alguém que amava – se qualquer coisa já o atingiu com força em termos emocionais –, a gratidão é a resposta.

A gratidão traz benefícios não só para a mente, mas também para o corpo físico. As emoções tóxicas que a gratidão combate contribuem para uma inflamação generalizada, precursora de diversas doenças crônicas, entre elas os problemas cardíacos.

Estudos mostram que pessoas gratas não apenas se sentem mais saudáveis como são também mais propensas a participar de atividades saudáveis e a buscar ajuda quando adoecem.

Os benefícios da gratidão à saúde são tão extensos que o Dr. P. Murali Doraiswamy, chefe da Divisão de Psicologia Biológica no Centro Médico da Universidade Duke, disse à ABC News que "se a gratidão fosse uma droga, ela seria o produto mais vendido no mundo, com indicação de manutenção de saúde para todos os principais sistemas de órgãos".[5]

GRATIDÃO NO DIA A DIA

Se a gratidão faz mesmo tão bem, então quanto mais gratidão, melhor. Assim, falemos sobre como ter mais gratidão no dia a dia. Monges tentam ser gratos por tudo o tempo todo. Como aconselha o Sutta Pitaka, que faz parte do cânone budista: "Monges, vocês devem se treinar assim: 'Nós seremos gratos e agradecidos e não esqueceremos sequer o menor dos favores que nos for feito.'"[6]

Uma de minhas mais memoráveis lições de gratidão aconteceu dias depois de eu ter chegado ao *ashram*.

Um monge mais velho pede aos recém-chegados que escrevam sobre uma experiência que acreditam não ter merecido. Faz-se um silêncio enquanto escrevemos em nosso caderno. Eu escolho um episódio da minha adolescência, quando um de meus melhores amigos me traiu.

Uns quinze minutos depois, compartilhamos o que escrevemos. Um dos noviços descreve a dolorosa morte prematura da irmã, outros escrevem sobre acidentes ou ferimentos, alguns falam de amores perdidos. Quando terminamos, nosso professor nos diz que as experiências que escolhemos são todas válidas, mas assinala o fato de que todos nós escolhemos experiências negativas. Nenhum de nós escreveu sobre algo maravilhoso que tenha nos acontecido por sorte ou gentileza, não graças a nosso próprio esforço. Uma coisa maravilhosa que não tenhamos merecido.

Nós temos o costume de pensar que não merecemos o infortúnio, mas que merecemos, sim, quaisquer bênçãos que nos forem concedidas. Nossa turma então para um pouco para pensar em nossa sorte: a sorte de ter nascido numa família com recursos para cuidar de nós; pessoas que investiram mais em nós do que nós mesmos; oportunidades que fizeram diferença em nossa vida. Nós deixamos escapar muito facilmente a chance de reconhecer o que nos foi dado, de sentir e expressar gratidão.

Esse exercício me transportou para a primeira vez que senti gratidão pela vida que eu tenho – e que, até então, não valorizava.

A primeira vez que visitei a Índia foi com meus pais; eu tinha uns 9 anos. Num táxi no caminho de volta para o hotel, paramos num sinal vermelho. Pela janela vi as pernas de uma menina que devia ter a mesma idade que eu. O resto do corpo dela estava curvado até bem fundo dentro de uma lata de lixo. Ela parecia estar tentando encontrar alguma coisa, provavelmente comida. Quando se levantou, reparei, chocado, que ela não tinha mãos. Quis muito ajudá-la de alguma forma, mas fiquei olhando, impotente, enquanto nosso carro se afastava. Ela percebeu meu olhar e sorriu, então sorri de volta – era tudo que eu podia fazer.

Chegando ao hotel, eu estava me sentindo bem para baixo por causa da menina que vira. Queria ter feito alguma coisa. Pensei no bairro em que eu morava, em Londres. Muitos de nós tinham listas de Natal, festas de aniversário e hobbies, ao passo que outras crianças no mundo estavam simplesmente tentando sobreviver. Foi uma espécie de despertar.

Minha família foi almoçar no restaurante do hotel e entreouvi outra criança reclamar que no cardápio não havia nada de que ela gostava. Fiquei consternado. Ali estávamos nós, podendo escolher o que íamos comer, enquanto a menina que eu havia visto tinha apenas uma lata de lixo como cardápio.

Eu decerto não teria sido capaz de articular isso na época, mas nesse dia compreendi quanto me fora dado. A maior diferença entre mim e aquela menina era onde e de quem nós tínhamos nascido. Meu pai, na verdade, havia conseguido sair das favelas de Pune, não muito longe de Mumbai. Eu era o resultado de um trabalho extremamente árduo e de vários sacrifícios.

No *ashram*, eu iniciei minha prática de gratidão retornando à consciência que começara a ter aos 9 anos e sentindo gratidão pelo que já tinha: minha vida e minha saúde, tranquilidade e segurança, e a confiança em que eu continuaria a ser alimentado, abrigado e amado. Tudo isso eram dádivas.

EXPERIMENTE ISTO: PRÁTICAS DIÁRIAS DE GRATIDÃO

Gratidão matinal. Deixe-me adivinhar. A primeira coisa que você faz de manhã ao acordar é checar seu celular. Talvez isso possa parecer um modo fácil e de baixo impacto para fazer seu cérebro começar a funcionar, mas, como já vimos, esse não é o melhor jeito de começar o dia com o pé direito. Experimente isto – demora apenas um minuto. (Se estiver tão cansado a ponto de pegar no sono outra vez, certifique-se de programar a soneca no alarme.) Demore-se um instante na cama, vire-se de bruços, una as mãos em prece e incline a cabeça. Aproveite esse instante para pensar em tudo que há de bom na sua vida: o ar e a luz que o revigoram, as pessoas que o amam, o café que o aguarda.

Gratidão pela refeição. Uma em cada nove pessoas do planeta não tem comida suficiente para todos os dias. Isso no total dá mais de oitocentos milhões de pessoas. Escolha uma refeição por dia e comprometa-se a dedicar alguns segundos antes de começar a comer a agradecer pela comida. Inspire-se nas preces dos indígenas norte-americanos ou crie a sua. Se você tiver família, revezem-se no ato de agradecer.

Para que essa apreciação pelas dádivas do Universo se transforme num hábito, os monges iniciam cada dia agradecendo. Literalmente. Quando acordamos em nossa esteira, viramos de bruços e prestamos homenagem à terra, reservando um instante para agradecer pelo que ela nos dá, pela luz que nos permite ver, pelo chão para caminhar, pelo ar para respirar.

EXPERIMENTE ISTO: MEDITAÇÕES DE GRATIDÃO
Para acessar a gratidão a qualquer momento, sempre que quiser, recomendo as seguintes meditações:

OM NAMO BHAGAVATE VASUDEVAYA
No *ashram*, antes de ler textos espirituais, nós entoávamos esse mantra (que será discutido na página 332) como um lembrete para sentir gratidão por aqueles que ajudaram essas escrituras a existir. Da mesma forma, podemos usar esse cântico para expressar gratidão pelos professores e sábios que nos trouxeram conhecimento e orientação.

EU SINTO GRATIDÃO POR...
Após sentar, relaxar e fazer um exercício de respiração, diga "Eu sinto gratidão por..." e complete a frase com o máximo de coisas que conseguir. Esse exercício muda imediatamente o seu foco. Se possível, tente reformular as coisas negativas que surgirem na sua mente, encontrando nelas elementos pelos quais sentir gratidão. Você também pode registrar isso num diário ou num recado de voz, para manter como lembrete caso esses pensamentos negativos voltem.

VISUALIZAÇÃO DE ALEGRIA
Durante a meditação, transporte-se para um lugar e um momento em que tenha sentido alegria. Permita que esse sentimento de alegria entre novamente em você. Você o manterá consigo ao terminar a meditação.

Práticas ancestrais de gratidão, que são feitas desde tempos imemoriais, existem em todos os cantos do mundo. Entre os indígenas norte-americanos, há muitas tradições de agradecimento. Num dos rituais, descrito pela estudiosa e ativista ambiental budista Joanna Macy, as crianças do povo onondaga se reúnem numa assembleia matinal diária para iniciar o dia escolar com uma oferenda de gratidão.[7] Um dos professores começa: "Vamos reunir nossa mente numa só e agradecer ao nosso irmão mais velho, o Sol, que nasce a cada dia trazendo luz para podermos ver o rosto uns dos outros e calor para as sementes crescerem." Da mesma forma, o povo mohawk faz uma prece de gratidão pelas Pessoas, pela Mãe-Terra, pelas Águas, pelos Peixes, pelas Plantas, pelas Plantas Alimentícias, pelas Ervas Medicinais, pelos Animais, pelas Árvores, pelos Pássaros, pelos Quatro Ventos, pelo Avô-Trovão, pelo Irmão mais velho Sol, pela Avó-Lua, pelas Estrelas, pelos Professores Iluminados e pelo Criador. Imagine como seria o mundo se todos nós começássemos o dia agradecendo pelas dádivas mais básicas e essenciais da vida à nossa volta.

A PRÁTICA DA GRATIDÃO

Incorporar a gratidão na sua rotina diária é a parte fácil, mas eis aqui meu pedido, e ele não é pequeno: eu quero que você sinta gratidão a *todo* instante e em *todas* as circunstâncias. Mesmo que a sua vida não seja perfeita, fortaleça sua gratidão como se fosse um músculo. Se você treiná-la agora, ela só vai ficar cada vez mais forte com o tempo.

A gratidão é o modo de transformarmos o que a mestre zen Roshi Joan Halifax chama de "a mente da pobreza".[8] Ela explica que esse mindset "não tem nada a ver com a pobreza material. Quando ficamos presos na mentalidade da pobreza, nós nos concentramos no que nos falta, sentimos que não merecemos ser amados e ignoramos tudo que nos foi dado. A prática consciente da gratidão é a saída da mentalidade da pobreza que corrói nossa gratidão e, com ela, nossa integridade".

Brian Acton exemplifica essa prática consciente de gratidão.[9] Ele trabalhava no Yahoo havia onze anos quando se candidatou a um emprego no Twitter, porém, embora fosse razoavelmente bom no que fazia, foi rejeitado. Ao receber a notícia, ele tuitou: "Fui recusado pelo QG do Twitter. Tudo bem. O trajeto até o trabalho seria mesmo muito longo." Então se candidatou a um emprego no Facebook. Pouco depois, tuitou: "O Facebook me recusou. Foi uma grande oportunidade para me conectar com algumas pessoas fantásticas. Estou ansioso pela próxima aventura." Ele não hesitou em postar seus fracassos nas redes sociais e nunca expressou nada a não ser gratidão pelas oportunidades. Depois desses reveses, ele acabou usando seu tempo livre para desenvolver um aplicativo. Cinco anos depois, o Facebook comprou, por 19 bilhões de dólares, o WhatsApp, aplicativo cofundado por Brian.

Os empregos nas empresas que recusaram Acton teriam pagado muito menos do que ele ganhou com o WhatsApp. Em vez de se fixar nas recusas e de adotar a mentalidade da pobreza ele simplesmente aguardou com gratidão o que poderia estar reservado para ele.

Não julgue o momento. Assim que você rotula algo como ruim, sua mente começa a acreditar nessa avaliação. Em vez disso sinta gratidão pelos reveses. Permita que a jornada da vida progrida no seu próprio ritmo e em suas linhas tortas. Talvez o Universo tenha outros planos reservados para você.

Existe uma história sobre um monge que pegava água de um poço em dois baldes, um dos quais estava furado. Ele fazia isso todos os dias, sem consertar o balde. Certo dia, um passante lhe perguntou por que ele carregava o balde furado. O monge apontou o fato de que no lado em que ele carregava o balde cheio o caminho era estéril, mas no outro, onde o balde vazava, lindas flores silvestres haviam nascido. "Minha imperfeição trouxe beleza para as pessoas à minha volta", disse ele.

Helen Keller, que ficou surda e muda muito pequena depois de uma doença não identificada, escreveu: "Quando uma porta da felicidade se fecha, outra se abre; mas nós muitas vezes passamos tanto tempo olhando para a porta fechada que não vemos a que nos foi aberta."[10]

Quando algo não sair como você queria, diga a si mesmo: "Existem mais coisas para mim." Só isso. Não precisa pensar: *Que bom que eu perdi o emprego!* Quando você diz "Isso é o que eu queria. Essa era a única resposta", toda a energia vai na direção do "isso". Quando você diz "Isso não deu certo, mas vem mais coisa por aí", a energia se desloca para um futuro repleto de possibilidades.

Quanto mais aberto você está para possíveis desfechos, mais você consegue tornar a gratidão uma reação natural. Frei David Steindl-Rast diz: "As pessoas em geral pensam que gratidão é dizer obrigado, como se esse fosse o seu aspecto mais importante. O aspecto mais importante da prática da vida de gratidão é a confiança na vida... Viver assim é o que eu chamo de 'vida de gratidão', porque você recebe cada instante como uma dádiva... É aí que você se detém tempo suficiente para se perguntar: 'Qual é a oportunidade neste momento?' Você a procura, e então aproveita essa oportunidade. É simples assim."[11]

Se seu chefe lhe dá um feedback com o qual você não concorda, espere um pouco antes de reagir. Demore-se um instante pensando: *O que posso aprender com este momento?* Então procure a gratidão: talvez você possa sentir gratidão pelo fato de o seu chefe estar tentando ajudar você a melhorar – ou sentir gratidão pelo fato de ele ter lhe dado mais um motivo para largar esse emprego. Se você corre para pegar um ônibus e consegue, em geral sente um alívio momentâneo, depois volta para o seu dia. Em vez disso pare. Demore-se um instante lembrando o que você sentiu quando pensou que iria perdê-lo. Use essa lembrança para valorizar a sorte que teve. Se perder o ônibus, terá um instante para refletir, então use-o para mudar seu ponto de vista. Outro ônibus virá. Você não foi atropelado por um carro. Poderia ter sido bem pior. Após celebrar as vitórias e lamentar as perdas, nós olhamos deliberadamente para qualquer situação com outros olhos, a aceitamos com gratidão e humildade e seguimos em frente.

> **EXPERIMENTE ISTO: GRATIDÃO RETROSPECTIVA**
>
> Pense numa coisa pela qual você não foi grato quando aconteceu. Sua educação? Alguém que lhe deu aula? Uma amizade? Algum projeto que lhe causou estresse? Responsabilidade por algum parente que lhe causou ressentimento? Ou escolha um desfecho negativo que já não seja doloroso: um relacionamento amoroso rompido, uma demissão, uma notícia desagradável.
>
> Agora demore-se um instante pensando por que essa experiência merece a sua gratidão. Ela lhe trouxe algum benefício inesperado? O projeto ajudou você a desenvolver novas competências ou a ganhar o respeito de algum colega? Seu relacionamento com o parente se tornou melhor pela sua generosidade?
>
> Pense em algo desagradável que esteja acontecendo agora ou que você preveja que vá acontecer. Experimente antecipar gratidão por um alvo improvável.

EXPRESSANDO GRATIDÃO

Agora que ampliamos a gratidão que sentimos internamente, vamos voltar essa gratidão para fora e expressá-la aos outros.

Muitas vezes nos sentimos profundamente gratos, mas não temos ideia de como transmitir isso. Existem muitas formas de agradecer e retribuir.

O modo mais simples de demonstrar gratidão é dizer obrigado. Mas quem quer ser tão sem graça? Torne seu agradecimento o mais específico possível. Pense nos bilhetes de agradecimento que poderia receber depois de organizar uma festinha. Pelo menos um deles provavelmente dirá: "Obrigado pela noite de ontem. Foi incrível!" E outro dirá: "Obrigada por ontem – a comida estava ótima e adorei o brinde engraçado e carinhoso que você fez para o seu amigo." É muito melhor expressar sua gratidão em termos específicos. Quanto mais específica a expressão de gratidão que recebemos – mesmo que seja só um pouquinho –, melhor nos sentimos.

O segredo é o seguinte: sua amiga ficou alegre por fazer parte da reunião que você organizou, e o esforço que ela fez para escrever esse bilhete de agradecimento fez com que essa alegria voltasse para você. Para as duas pessoas envolvidas, a gratidão veio de perceber que a outra investiu nela. É um círculo virtuoso de amor.

BONDADE E GRATIDÃO SÃO SIMBIÓTICAS

O círculo virtuoso de amor condiz com o ensinamento do Buda de que a bondade e a gratidão devem ser desenvolvidas juntas, trabalhando em harmonia.

Bondade é fácil – e difícil – assim: querer genuinamente algo de bom para outra pessoa, pensar no que seria bom para essa pessoa e se esforçar para lhe trazer isso.

Se você algum dia já fez algum sacrifício em nome de outra pessoa, pode facilmente reconhecer a energia que o outro lhe dá. Em outras palavras, como seus próprios atos de bondade lhe ensinam o que é preciso para ser bondoso, sua própria bondade lhe permite sentir uma gratidão verdadeira. A bondade ensina a gratidão. É isso que está acontecendo no microcosmo do bilhete de agradecimento: a bondade do seu jantar inspirou a gratidão da sua amiga. Essa gratidão inspirou a bondade dela para você.

A bondade – e a gratidão que a sucede – tem o efeito de uma onda. Pema Chödrön aconselha: "Seja mais bondoso consigo mesmo. E então deixe sua bondade inundar o mundo."[12] Em nossos encontros de todo dia, nós queremos que as pessoas sejam bondosas, solidárias e generosas conosco – quem não iria querer? –, mas a melhor maneira de atrair essas qualidades para a nossa vida é desenvolvê-las nós mesmos. Estudos já mostraram há tempos que as atitudes, o comportamento e até mesmo a saúde são contagiosos em nossos círculos sociais, mas o que não ficou claro foi se isso acontece apenas porque temos tendência a ser amigos de pessoas parecidas conosco. Assim, dois pesquisadores de Harvard e da Universidade da Califórnia em San Diego tentaram descobrir se a gentileza é contagiosa entre pessoas que não se conhecem.[13] Eles bolaram um jogo no qual reuniam desconhecidos em grupos de quatro e davam a cada pessoa vinte créditos. Cada jogador era instruído a decidir sozinho quantos créditos guardar para si e quantos colocar num fundo comum que, no fim da rodada, seria dividido igualmente entre os jogadores. Ao final de cada rodada os jogadores eram reorganizados, então nunca sabiam de uma rodada para outra *quem* era generoso, mas sabiam *quão* generosos os outros tinham sido com o grupo. À medida que o jogo prosseguia, jogadores que tinham se beneficiado da generosidade dos companheiros tendiam a dar mais de seus créditos em rodadas subsequentes. Bondade gera bondade. Gentileza gera gentileza.

Quando você faz parte de uma troca de bondade-gratidão, mais cedo ou mais tarde vai estar na posição de quem receberá gratidão. Quando alguém nos agradece, precisamos prestar atenção em nosso ego. É fácil se perder na fantasia de nossa excelência. Quando nós, monges, somos elogiados, nos desapegamos do elogio e lembramos que o que conseguimos oferecer, seja lá o que for, nunca foi nosso, para começo de conversa. Para receber gratidão com humildade, comece agradecendo à pessoa por ter reparado. Valorize a atenção e a intenção. Procure uma qualidade boa na outra pessoa e retribua o elogio.

Então use a gratidão que recebeu como uma oportunidade para sentir gratidão por seus professores.

A BONDADE DOS DESCONHECIDOS

Nós, monges, colocamos nossa gratidão em prática em todas as pequenas interações do dia. Certa vez embarquei num Uber com muita pressa e distraído. O carro demorou um pouco mais que o normal para andar, e quando finalmente percebi e perguntei ao motorista se estava tudo bem, ele respondeu: "Sim. Estou só esperando o senhor responder ao meu oi." Isso me fez acordar, e pode apostar que hoje sou mais cuidadoso em reconhecer a presença dos outros.

> **EXPERIMENTE ISTO: UMA VISUALIZAÇÃO DE GRATIDÃO**
>
> Demore-se um instante agora mesmo pensando em três coisas que outras pessoas lhe deram:
>
> 1. Uma pequena gentileza que alguém lhe fez
> 2. Um presente que foi importante para você
> 3. Algo que torna cada dia um pouco melhor
>
> Feche os olhos. Volte no tempo até o lugar e o momento desses acontecimentos e reviva o que você sentiu – as imagens, os cheiros e os sons. Torne a experimentar tudo com fascínio e vivencie esses sentimentos de maneira mais profunda.
>
> Depois dessa visualização, reconheça que pequenas coisas estão acontecendo com você. Não as ignore nem as trate como normais. Em seguida, demore-se um instante experimentando a sensação de ser cuidado, lembrado, amado. Isso deve turbinar sua autoestima e sua autoconfiança. Por fim, saiba que o simples fato de se sentir bem não é o objetivo final. Permita que esse reflexo conduza você à sensação de que deseja retribuir com amor, devolvendo àqueles que lhe deram ou transmitindo o amor e o cuidado àqueles que não os têm.

Ser curto e direto pode ser mais eficiente e profissional, mas passar nossos dias no piloto automático nos impede de compartilhar as emoções que nos unem e que nos sustentam. Um estudo que incentivou algumas pessoas nos trens dos subúrbios de Chicago a puxarem conversa com desconhecidos sobre qualquer tema constatou que aqueles que tomavam coragem para conversar relatavam uma experiência de transporte mais positiva.[14] A maioria desses passageiros havia imaginado que o desfecho seria o contrário e, ao examinar mais a fundo, os pesquisadores descobriram que não era por pensarem que os desconhecidos seriam desagradáveis, mas por temerem o constrangimento de puxar conversa e serem rechaçados. Não foi o caso, e a maioria dos desconhecidos aceitou de bom grado conversar. Quando fazemos o esforço de nos conectar com aqueles que estão à nossa volta, criamos oportunidades de gratidão em vez de definhar no anonimato.

Pense em todas as atividades diárias que envolvem outras pessoas: ir e voltar do trabalho, um projeto profissional, fazer compras no mercado, levar as crianças para a escola, jogar conversa fora com seu parceiro. Esses pequenos acontecimentos preenchem a nossa vida, e quanto prazer eles nos proporcionam depende em grande parte de nós. Depende especificamente de quanta bondade nós colocamos nessas interações e de quanta gratidão sentimos por elas.

GRATIDÃO POR MEIO DO SERVIR

Se queremos ir além da gentileza incidental do dia, podemos inspirar ativamente e aumentar ainda mais nossa gratidão. Nós pensamos no voluntariado e no servir como uma forma de doação aos menos favorecidos, mas pode ser que essas ações façam tanto por quem está doando quanto por quem as recebe. Servir nos ajuda a transformar em gratidão emoções negativas como raiva, estresse, inveja e decepção. Isso porque é algo capaz de mudar nosso ponto de vista e nos oferecer uma nova perspectiva.

– O que o trouxe até mim? – perguntou uma mulher sábia de idade avançada ao rapaz parado à sua frente.

– Eu vejo alegria e beleza ao meu redor, mas de longe – disse o rapaz. – Minha própria vida está repleta de dor.

A mulher sábia ficou calada. Bem devagar, ela serviu um copo d'água ao rapaz triste e lhe entregou. Em seguida lhe estendeu uma tigela de sal.

– Ponha um pouco dentro d'água – disse ela.

O rapaz hesitou, então pegou uma pitadinha de sal.

– Mais. Um punhado – insistiu a mulher.

Com um ar cético, o rapaz pôs um punhado de sal no copo. A velha fez um gesto com a mão, instruindo-o a beber. Ele tomou um gole, fez uma careta e cuspiu a água no chão de terra batida.

– Que tal?

– Obrigado, mas não quero – respondeu o rapaz de modo um tanto soturno.

A velha deu um sorriso experiente, então entregou a tigela de sal ao rapaz e o conduziu até um lago próximo. A água estava límpida e fria.

– Agora ponha um punhado de sal no lago – instruiu ela.

O rapaz fez o que ela dizia, e o sal se dissolveu na água.

– Agora beba – disse a velha.

O rapaz se ajoelhou na beira da água e bebeu nas mãos em concha. Quando ele ergueu o rosto, a velha mais uma vez perguntou:

– Que tal?

– Refrescante – respondeu o rapaz.

– Deu para sentir o gosto do sal? – perguntou a mulher sábia.

O rapaz sorriu timidamente.

– Nem um pouco.

A velha se ajoelhou ao lado do rapaz, serviu-se de um pouco de água e disse:

– O sal é o sofrimento da vida. Ele é constante, mas, se você o coloca num copo pequeno, ele tem um gosto muito forte. Se você o coloca num lago, não consegue nem sentir o gosto. Expanda seus sentidos, expanda seu mundo, e o sofrimento vai diminuir. Não seja o copo. Seja o lago.

Adotar um ponto de vista mais amplo nos ajuda a minimizar nossa dor e a valorizar o que temos, e nós acessamos diretamente essa visão mais ampla pelo ato de doar. Uma pesquisa publicada na *BMC Public Health* aponta que o voluntariado pode resultar em sentimentos menos prevalentes de depressão e sentimentos mais intensos de bem-estar geral.[15] Quando morei em Nova York, uma instituição de caridade chamada Capes for Kids foi a uma escola no Queens e ajudou os alunos a fabricarem capas de super-heróis para crianças em situação de vulnerabilidade. As crianças que fabricaram as capas conseguiram ver o impacto do seu trabalho e de sua doação, e isso as ajudou a perceber quanto de fato tinham. Quando vemos as dificuldades dos outros em plena luz do dia, quando usamos nossos talentos para melhorar o mundo nem que seja só um pouquinho, nós imediatamente experimentamos uma onda de gratidão.

> **EXPERIMENTE ISTO: VIVENCIE A GRATIDÃO POR MEIO DO TRABALHO VOLUNTÁRIO**
>
> Servir amplia sua visão e alivia emoções negativas. Tente ser voluntário – pode ser uma vez por mês ou uma vez por semana. Nada o ajudará a desenvolver gratidão de modo mais imediato nem o inspirará mais a demonstrá-la.

GRATIDÃO PROFUNDA

Às vezes é mais difícil expressar gratidão às pessoas que mais importam: família, amigos, professores e mentores que realmente fizeram ou ainda fazem diferença em nossa vida.

Tente demonstrar amor e apreço pessoalmente, se possível. Se não, um recado, uma mensagem de texto ou um telefonema para expressar especificamente o que você valoriza na pessoa pode turbinar a felicidade dela e a sua.

Às vezes seus entes queridos podem resistir à intimidade e se esquivar. Nesse caso, insista. Receber gratidão exige vulnerabilidade e abertura. Quando bloqueamos esses sentimentos, é porque temos medo de nos magoar. Se você encontrar resistência, pode tentar modificar sua abordagem. Pare e pense na forma de gratidão que a pessoa mais apreciaria. Em alguns casos, expressar sua gratidão por escrito é o jeito mais fácil para vocês dois terem o tempo e o espaço necessários para processar esses sentimentos.

> **EXPERIMENTE ISTO: ESCREVA UMA CARTA DE GRATIDÃO**
> Escolha uma pessoa por quem você sinta gratidão profunda – alguém que torne fácil sentir gratidão.
> Faça uma lista das qualidades e dos valores mais importantes que você aprecia nessa pessoa. Ela lhe oferece apoio? É amorosa? Tem integridade? Então pense em palavras e momentos específicos que vocês compartilharam. Olhe para o futuro e escreva o que você vai fazer e dizer quando a vir novamente. (Se a pessoa já tiver falecido, você pode começar assim: "Se eu fosse ver você outra vez, eis o que diria.")
> Agora escreva uma carta de gratidão com base nas anotações que fez.

Quando escrever uma carta de gratidão para alguém que tenha grande significado para você, tente fazer com que a pessoa se sinta tão cuidada e tão amada quanto você se sentiu quando ela o ajudou. Uma carta registra o valor da sua generosidade com mais permanência do que um agradecimento verbal. Ela aprofunda o vínculo de vocês. Esse reconhecimento inspira os dois a serem ainda mais atenciosos e generosos um com o outro, e isso, como aprendemos, reverbera por toda a comunidade.

GRATIDÃO DEPOIS DO PERDÃO

Talvez você esteja pensando: *Meus pais me magoaram. Por que eu deveria sentir gratidão por eles?* Existem pessoas imperfeitas na nossa vida

– aquelas que nos evocam emoções mal resolvidas ou dúbias e pelas quais, portanto, achamos difícil sentir gratidão. No entanto, a gratidão não é 8 nem 80. Nós podemos sentir gratidão por apenas parte do comportamento de uma pessoa conosco. Se o relacionamento de vocês for complicado, aceite essa complexidade. Tente encontrar perdão pelas falhas e gratidão pelos esforços do outro.

No entanto, não estou de forma alguma sugerindo que você deve sentir gratidão por alguém que lhe causou mal. Você não precisa ser grato a todo mundo na sua vida. Os monges não têm uma posição oficial em relação a traumas, mas o foco é sempre a cura interior antes de lidar com o exterior. No seu próprio ritmo, no seu próprio tempo.

Temos tendência a pensar na gratidão como apreço por aquilo que nos foi dado. Os monges também se sentem assim. Se você perguntar a um monge o que lhe foi dado, a resposta é: tudo. A rica complexidade da vida está repleta de dádivas e lições que nem sempre conseguimos ver com clareza como aquilo que são, então por que não decidir ter gratidão pelo que é e pelo que não é possível? Acolha a gratidão por meio da prática cotidiana, tanto internamente – no modo como olha para a sua vida e para o mundo ao seu redor – como por meio de ações. Gratidão gera bondade, e esse espírito vai reverberar pela comunidade e levar nossas intenções mais elevadas até aqueles que estão à nossa volta.

A gratidão é a mãe de todas as qualidades. Assim como a mãe dá à luz, a gratidão gera todas as outras qualidades – compaixão, resiliência, autoconfiança, paixão –, características positivas que nos ajudam a encontrar significado e a nos conectar com os outros. A consequência natural é que, no próximo capítulo, nós vamos falar sobre relacionamentos – quem tentamos ser com os outros, quem queremos acolher em nossa vida e como podemos manter relacionamentos repletos de significado.

10

RELACIONAMENTOS

Observando pessoas

Cada pessoa é um mundo a explorar.[1]
— Thich Nhat Hanh

Quando se fala em monges, muitas vezes as pessoas imaginam eremitas que vivem isolados e separados da humanidade. Apesar disso, minha experiência como monge mudou para sempre o modo como lido com os outros. Quando voltei para Londres após decidir deixar o *ashram*, descobri que estava muito melhor em todo tipo de relacionamento do que antes de fazer meus votos. Essa melhora era verdade até mesmo no universo amoroso, algo um pouco surpreendente, considerando que monges são celibatários e que eu não tive nenhuma conexão romântica com mulheres durante minha estadia no *ashram*.

ESTABELECENDO EXPECTATIVAS

A aldeia do *ashram* incentiva a camaradagem, o estar disponível para ajudar os outros e o servir. Dan Buettner, cofundador da Blue Zones

– organização que estuda regiões do mundo onde as pessoas são longevas e têm uma vida mais saudável –, viu a necessidade mundial desse tipo de comunidade. Além das práticas alimentares e de estilo de vida, Buettner descobriu que a longevidade estava ligada a vários aspectos da comunidade: relacionamentos próximos com familiares (eles cuidarão de você quando você precisar de ajuda) e uma tribo com crenças compartilhadas e comportamentos sociais saudáveis.[2] Basicamente, é preciso construir toda uma aldeia.

Assim como essas "zonas azuis", o *ashram* é uma comunidade interdependente, que promove um ambiente de colaboração e serviço mútuo. Todos são incentivados a estarem atentos não apenas às próprias necessidades, mas às dos outros também. Você se lembra das árvores na Biosfera 2, que não tinham raízes profundas o suficiente para suportar o vento? Sequoias são diferentes. Célebres por sua altura, seria de supor que elas precisam de raízes profundas para sobreviver, mas, na realidade, suas raízes são superficiais. O que dá resistência a essas árvores é o fato de as raízes serem muito espalhadas. As sequoias se dão melhor em grupo, e entrelaçam suas raízes para que tanto as fortes quanto as fracas consigam resistir às forças da natureza.

O CÍRCULO DO AMOR

Numa comunidade em que todos estavam atentos uns aos outros, no início imaginei que meu cuidado e o apoio a outros monges seria retribuído diretamente por eles, mas a realidade se revelou mais complexa.

No meu primeiro ano no ashram, *fiquei chateado e fui procurar um dos meus professores para pedir conselho.*
— Estou chateado — falei. — Sinto que estou dando amor à beça, mas não sinto que ele está sendo retribuído da mesma forma. Mostro-me amoroso, cuidadoso e atento aos outros, mas eles não fazem o mesmo por mim. Não estou entendendo.

– Por que você está dando amor? – perguntou o monge.
– Porque essa é a pessoa que eu sou – respondi.
O monge então disse:
– Então por que esperar recebê-lo de volta? Além disso, preste bem atenção. Toda vez que você liberar qualquer energia, amor, ódio, raiva, bondade, sempre vai recebê-la de volta. De uma forma ou de outra. O amor é um círculo. Qualquer amor que você doar sempre irá voltar para você. O problema são suas expectativas. Você supõe que o amor que vai receber virá da pessoa a quem você o deu. Mas ele nem sempre vem dessa pessoa. Da mesma forma, existem pessoas que o amam a quem você não dá o mesmo amor em troca.

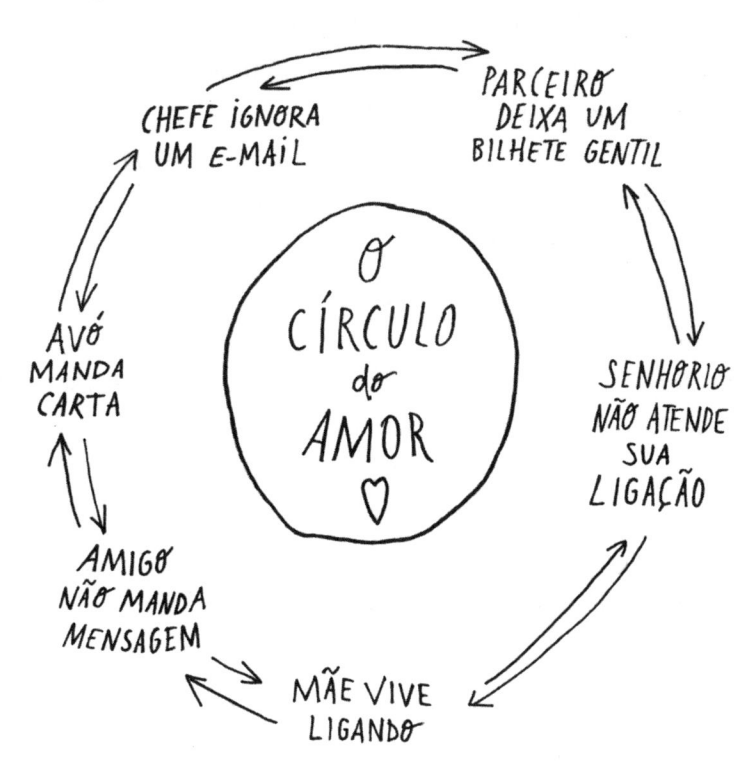

O CÍRCULO do AMOR

- CHEFE IGNORA UM E-MAIL
- PARCEIRO DEIXA UM BILHETE GENTIL
- SENHORIO NÃO ATENDE SUA LIGAÇÃO
- MÃE VIVE LIGANDO
- AMIGO NÃO MANDA MENSAGEM
- AVÓ MANDA CARTA

Ele tinha razão. Com frequência, nós amamos pessoas que não nos amam e deixamos de retribuir o amor de outras que nos amam.

Pensei na minha mãe, que sempre largava o que quer que estivesse fazendo para atender meu telefonema. Quando ela pegava no telefone, a primeira pessoa para quem ligava era eu ou minha irmã. No fundo, ela seria capaz de falar comigo praticamente o tempo inteiro. Ao mesmo tempo que eu podia estar frustrado porque alguém não estava respondendo às minhas mensagens de texto, minha mãe estava sentada lá pensando: *Queria que meu filho me ligasse!*

A descrição do círculo do amor feita por meu professor mudou a minha vida. O que nos leve a sentir que não somos amados é nossa falta de gratidão. Quando pensamos que ninguém se importa, precisamos rever nossos pensamentos e nos dar conta de que o amor que oferecemos volta para nós de diversas fontes – e, num sentido mais geral, o que quer que nós liberemos retorna para nós. Isso é um exemplo de *karma*, a ideia de que as suas ações, boas ou más, trazem a mesma coisa de volta para você. Quando sentimos que não somos amados, precisamos nos perguntar: *Estou oferecendo ajuda com a mesma frequência com que a peço? Quem está me dando sem receber nada em troca?*

UMA REDE DE COMPAIXÃO

Faz sentido os monges considerarem a distribuição do amor e do cuidado uma rede de compaixão, não uma troca de um para um. Monges acreditam que pessoas diferentes cumprem propósitos diferentes, e cada papel tem seu próprio modo de contribuir para o nosso crescimento. Temos nossos pares para a amizade, alunos para ensinar e mentores de quem aprender e a quem servir. Esses papéis não estão ligados apenas à idade e à experiência. Todos os monges estão sempre em todas as fases desse ciclo. Os monges acreditam que esses papéis não são fixos. Aquele que é seu professor num dia pode se tornar seu aluno no dia seguinte. Às vezes, os monges mais velhos assistiam às aulas com jovens monges como nós, sentando-se no chão para ouvir um novo monge falar. Eles não estavam ali para fiscalizar o que estávamos fazendo – estavam ali para aprender por si mesmos.

> **EXPERIMENTE ISTO: LIDERE E SIGA**
> Faça uma lista de seus alunos e professores. Agora escreva o que os alunos poderiam lhe ensinar e o que os professores poderiam aprender com você.

OS QUATRO TIPOS DE CONFIANÇA

No *ashram*, fiquei chateado porque tive a sensação de que o meu cuidado não estava sendo retribuído. Nós com frequência esperamos muito dos outros quando não temos uma noção clara de seu propósito na nossa vida. Vamos refletir sobre as quatro características que procuramos nas pessoas que permitimos entrar em nossa vida. Você vai reconhecer essas pessoas — a maioria de nós conhece pelo menos uma que se encaixa em cada categoria.

OS QUATRO TIPOS DE CONFIANÇA

COMPETÊNCIA	CUIDADO
Pessoas com as habilidades certas para resolver sua questão. São especialistas na sua área.	Pessoas que se importam com o seu bem-estar e com o que é melhor para você, não com o seu sucesso.
CARÁTER	**CONSISTÊNCIA**
Pessoas com uma bússola moral forte e valores dos quais não abrem mão.	Confiáveis, presentes e disponíveis quando você precisa.

Competência. Alguém precisa ser competente se formos confiar nas suas opiniões e recomendações. Essa pessoa possui as capacidades certas para solucionar sua questão. Ela é uma especialista ou uma autoridade na sua área. Tem experiência, referências ou ótimas avaliações na internet.

Cuidado. Precisamos saber que a pessoa se importa conosco se formos depositar nossas emoções nas mãos dela. Cuidado verdadeiro significa que as pessoas estão pensando no que é melhor para você, não no que é melhor para elas. Elas se importam com o seu bem-estar, não com o seu sucesso. Querem o que é melhor para você. Acreditam em você. Seriam capazes de ir além do que o dever exige para lhe dar apoio: ajudá-lo numa mudança, acompanhá-lo numa consulta médica importante ou ajudar a planejar uma festa de aniversário ou de casamento.

Caráter. Algumas pessoas têm uma bússola moral forte e valores dos quais não abrem mão. Nós recorremos a essas pessoas para nos ajudar a ver com clareza quando não temos certeza do que queremos ou do que acreditamos ser correto. O caráter é especialmente crítico quando estamos numa relação interdependente (um relacionamento, uma parceria profissional, uma equipe). Essas pessoas praticam o que pregam. Têm boa reputação, opiniões fortes e conselhos pé no chão. Elas são confiáveis.

Consistência. Pessoas consistentes podem não ser as maiores peritas, não ter o caráter mais elevado nem se importar o mais profundamente com você, mas elas são confiáveis, presentes e estão disponíveis quando você precisa delas. Elas atravessaram momentos bons e momentos ruins ao seu lado.

Ninguém carrega um cartaz anunciando o que tem a nos oferecer. Observe as intenções e ações das pessoas. As duas coisas estão alinhadas? Estão demonstrando o que dizem valorizar? Os valores dessas pessoas correspondem aos seus? Nós aprendemos mais com comportamentos do que com promessas. Use os quatro tipos de confiança para entender por que você sente atração por uma pessoa e se vocês têm probabilidade de se conectar como amigos, colegas ou parceiros românticos. Pergunte a si mesmo: *Qual é minha intenção genuína ao me envolver nesse relacionamento?*

Os quatro tipos de confiança podem parecer qualidades básicas que nós buscamos e exigimos instintivamente, mas repare como é difícil pensar em alguém que se importe com você, que seja competente em todas as áreas, tenha um caráter irrepreensível e nunca esteja ocupado demais. Duas das pessoas mais importantes da minha vida são Swami (meu professor monge) e minha mãe. Swami é a quem eu recorro no que diz respeito à espiritualidade. Tenho confiança absoluta no seu caráter. Mas quando eu disse que queria sair da Accenture e começar a trabalhar com mídia, ele falou: "Não tenho ideia do que você deveria fazer." Ele é um dos meus conselheiros mais valiosos, mas foi tolice esperar que tivesse uma opinião em relação à minha carreira, e ele foi sensato o suficiente para não fingir que tinha. Minha mãe também não seria a melhor pessoa a quem consultar sobre decisões profissionais. Assim como muitas mães, ela se preocupa muito com o meu bem-estar: como estou me sentindo, se estou comendo bem, se estou dormindo o suficiente. Está sempre ali, cuidadosa e consistente, mas não vai me aconselhar sobre como administrar minha empresa. Eu não preciso me zangar com minha mãe por ela não se importar com todos os aspectos da minha vida. Em vez disso deveria poupar esse tempo, essa energia, essa atenção e esse sofrimento e simplesmente valorizar o que ela me oferece.

Temos tendência a imaginar que todas as pessoas vão ser pacotes completos, que vão nos dar tudo de que precisamos. Isso é esperar o impossível. É igualmente difícil encontrar e ser essa pessoa. Os quatro tipos de confiança nos ajudarão a ter sempre em mente o que podemos e o que não podemos esperar dos outros. Nem mesmo o seu cônjuge pode proporcionar cuidado, caráter, competência e consistência em todos os aspectos e em todos os momentos. Cuidado e caráter, sim, mas ninguém é competente em tudo, e, embora seu parceiro deva ser confiável, ninguém está disponível de modo consistente o tempo todo. Imaginamos que nosso parceiro de vida vá ser o nosso tudo, que vá "nos completar" (obrigado, Jerry Maguire), mas mesmo nessa união profunda e duradoura apenas você mesmo pode ser o seu tudo.

Estar no *ashram* com pessoas que não eram da nossa família nem tinham qualquer outra ligação conosco nos dava uma perspectiva realista. Lá, era evidente que ninguém podia nem deveria desempenhar todos os papéis. Um artigo da *Psychology Today* descreve de modo interessante um estudo de campo sobre a liderança militar no Iraque conduzido pelo coronel J. Patrick Sweeney, psicólogo.[3] Sweeney também encontrou "3 Cs" da confiança: competência, cuidado e caráter. A diferença foi que ele observou que as três qualidades eram necessárias para os soldados confiarem em seus líderes. Tanto a vida militar quanto a vida monástica são regidas pela rotina e por princípios, mas os monges não seguem seus líderes colocando em risco a própria vida. Para pensar como um monge sobre relacionamentos, em vez de procurar os quatro Cs, crie expectativas realistas com base no que uma pessoa de fato lhe dá, não no que você espera que ela lhe dê. Se ela não tiver os quatro Cs, perceba que ainda assim você pode se beneficiar tendo-as em sua vida.

E você deveria dedicar pelo menos o mesmo nível de atenção àquilo que pode oferecer a essas pessoas. Em relação a amigos ou colegas, crie o hábito de perguntar a si mesmo: *O que posso oferecer primeiro? Como posso servir? Eu sou professor, par ou aluno? Qual dos quatro Cs eu ofereço a essa pessoa?* Nós construímos relacionamentos com mais significado quando valorizamos nossos pontos fortes e, como Swami, não damos opiniões sobre o que não sabemos.

O intuito do exercício dos quatro tipos de confiança não é rotular as pessoas; sou contra rótulos, como já expliquei, pois eles reduzem os muitos sutis matizes da vida. A abordagem do monge é procurar significado e absorver aquilo de que você necessita para avançar aquilo de em vez de ficar preso no julgamento. No entanto, quando aplicamos filtros como os quatro Cs, podemos ver se nossas redes de compaixão são amplas o suficiente para nos guiar pela complexidade e pelo caos da vida.

> **EXPERIMENTE ISTO: REFLITA SOBRE A CONFIANÇA**
> Escolha três pessoas diferentes na sua vida – um colega, um membro da família e um amigo – e estabeleça qual dos quatro Cs elas trazem para a sua vida. Sinta gratidão por isso. Agradeça-lhes por isso.

Mesmo quando os quatro Cs estão contemplados, nós nos beneficiamos de pontos de vista variados dentro de cada uma dessas categorias. O cuidado materno não é igual ao de um mentor. Uma pessoa de caráter pode dar ótimos conselhos românticos, enquanto outra pode ajudar você a resolver uma briga familiar. E um amigo consistente pode estar do seu lado ao romper um relacionamento amoroso, enquanto outro estará sempre disponível para fazer uma trilha na natureza.

FORME SUA PRÓPRIA FAMÍLIA

Para encontrar diversidade, precisamos estar abertos a novas conexões. Parte do crescimento – em qualquer idade – é aceitar que nossa família de origem pode nunca ser capaz de nos dar tudo aquilo de que precisamos. Tudo bem aceitar o que você recebe e o que não recebe das pessoas que o criaram. E tudo bem também – na verdade, é necessário – se proteger dos familiares que não lhe fazem bem. Devemos aplicar à nossa família os mesmos critérios que aplicamos a todas as outras pessoas e, se o relacionamento for difícil, podemos amar e respeitar os familiares de longe – e formar a família de que precisamos no resto do mundo. Isso não significa que devemos negligenciar nossa família. Mas o perdão e a gratidão vêm mais facilmente quando aceitamos que temos amigos, familiares e amigos que se tornam familiares. Sentir-se conectado em algum nível com toda a humanidade definitivamente pode ser terapêutico para as pessoas que sentem que a própria família tornou sua vida mais difícil.

A FAMÍLIA HUMANA

Quando entra para uma nova comunidade – como eu entrei para o *ashram* –, você tem diante de si uma tábua rasa. Não há ali nenhuma das expectativas que já se acumularam entre seus familiares e amigos. Muito provavelmente ninguém compartilha o seu passado. Em situações como essa, a maioria de nós se apressa em encontrar "sua turma", mas o *ashram* me mostrou outra forma de agir. Eu não precisava replicar uma família criando um pequeno círculo de conforto e confiança. Todo mundo no *ashram* era a minha família. E, à medida que fomos viajando e nos conectando com pessoas na Índia e na Europa, comecei a reconhecer que todos no mundo eram a minha família. Como disse Gandhi: "O caminho de ouro é ser amigo do mundo e considerar toda a família humana uma coisa só."[4]

Os grupos que formamos para aprender, crescer e compartilhar experiências – como na família, na escola, na igreja – nos ajudam a categorizar as pessoas. *Essas* são as pessoas com quem eu moro. *Essas* são as pessoas com quem eu aprendo. *Essas* são as pessoas com quem eu rezo. *Essas* são as pessoas que eu pretendo ajudar. Mas eu não queria desconsiderar a opinião nem o valor de alguém pelo fato de a pessoa não se encaixar perfeitamente em nenhum desses círculos. Além dos limites impostos pela praticidade, não havia determinadas pessoas que merecessem minha atenção, meu cuidado ou minha ajuda mais do que outras.

É mais fácil considerar todo mundo membro da sua família se

você não imaginar que isso se aplica a todo ser humano o tempo inteiro. Um poema conhecido de Jean Dominique Martin diz: "As pessoas entram na sua vida por um motivo, uma estação ou para a vida inteira."[5] Essas três categorias estão baseadas no tempo de duração que um relacionamento pode ter. Uma pessoa pode entrar na sua vida como uma mudança bem-vinda. Como uma nova estação, ela representa uma transformação de energia que estimula e fascina. Mas em determinado momento a estação termina, como acontece com todas as estações. Outra pessoa pode chegar por um motivo. Ela ajuda você a aprender e crescer, ou o ampara durante um período difícil. Quase parece ter sido enviada de propósito para ajudá-lo ou orientá-lo durante uma experiência específica, e depois disso o papel central que desempenhava na sua vida diminui. E existem pessoas que são para a vida inteira. Elas ficam do seu lado nos melhores e nos piores momentos, amando-o mesmo quando você não lhes dá nada. Ao considerar essas categorias, tenha sempre em mente o círculo do amor. O amor é uma dádiva que não espera nada em troca. Isso significa que, junto dele, vem a certeza de que nem todos os relacionamentos são feitos para perdurar com a mesma força indefinidamente. Lembre-se: você também é um amigo por uma estação, por um motivo ou para a vida inteira para pessoas diferentes em momentos distintos, e o papel que você desempenha na vida de alguém nem sempre vai ser equivalente ao papel que essa pessoa desempenha na sua.

Hoje em dia existe um grupo pequeno e consistente de pessoas das quais sou mais próximo, mas isso não muda a conexão que sinto com toda a humanidade. Portanto, peço a você que olhe além das pessoas que reconhece, além da sua zona de conforto, para desconhecidos e aqueles que você não entende. Não precisa ficar amigo de todo mundo, mas veja essas pessoas como seus semelhantes, com igualdade de alma e o potencial de trazer variedade para o seu conhecimento e a sua experiência. Elas estão todas dentro do seu círculo de cuidado.

> **EXPERIMENTE ISTO: SEJA REALISTA EM RELAÇÃO ÀS SUAS AMIZADES**
>
> Faça uma lista das pessoas com quem você conviveu nas últimas duas semanas. Numa segunda coluna, identifique se essas pessoas são amigas de Estação, de Motivo ou da Vida. Isso, é claro, significa rotular, algo que recomendei não fazer. É preciso permitir que o papel desempenhado pelas pessoas tenha fluidez. Mas esboçar por alto a paisagem da sua vida social hoje pode indicar se você está cercado por um grupo equilibrado de pessoas que trazem entusiasmo, apoio e amor duradouro. Agora, numa terceira coluna, considere o papel que você desempenha para cada uma dessas pessoas. Está oferecendo o que recebe? Onde e como poderia dar mais?

A CONFIANÇA É ALGO QUE SE FAZ POR MERECER

Uma vez que você tenha estabelecido as expectativas razoáveis que pode ter em um relacionamento, fica mais fácil criar e manter a confiança – um aspecto central para qualquer relacionamento. Confiar significa acreditar que a pessoa está sendo honesta conosco, que está preocupada com nosso bem-estar, que vai cumprir suas promessas e confidências e que vai honrar essas intenções no futuro. Repare que eu não falei que elas têm razão o tempo todo ou que lidam com todos os desafios de forma perfeita. Confiança tem a ver com intenções, não com habilidades.

Quando alguém importante nos decepciona, o golpe sofrido em nossa confiança reverbera em todos os nossos relacionamentos. Mesmo as pessoas com as melhores intenções mudam ou não seguem o mesmo caminho que nós. Algumas nos dão numerosos sinais de que as suas intenções não casam com as nossas, mas nós os ignoramos. E às vezes, se estivermos atentos, somos capazes de reconhecer desde o início em quem não devemos confiar. O comportamento alheio está sempre fora do nosso controle – então como podemos confiar em alguém?

ESTÁGIOS DE CONFIANÇA

A confiança pode se estender a qualquer um, de um motorista de táxi a um parceiro romântico ou a um sócio profissional, mas é claro que não temos o mesmo nível de confiança em todo mundo. É importante prestar atenção em quão profundamente confiamos em alguém – e se a pessoa de fato merece esse nível de confiança.

O Dr. John Gottman, um dos maiores especialistas em casamento dos Estados Unidos, queria descobrir o que levava os casais a ficarem presos em conflitos recorrentes, sem conseguir resolvê-los, e seguir em frente.[6] Ele examinou casais de norte a sul do país, com diversas características socioeconômicas e étnicas e em situações variadas: recém-casados, futuros pais, um dos membros do casal prestando serviço militar no exterior. Em todos os casos, os fatores mais importantes eram confiança e fidelidade. A linguagem usada para descrever seus problemas variava um pouco, mas a questão central era a mesma: será que posso confiar em que você vai ser fiel? Posso confiar em que vai me ajudar no trabalho doméstico? Posso confiar em que vai me escutar, vai estar do meu lado quando eu precisar?

Os casais tinham um bom motivo para tornar a confiança sua prioridade. Segundo estudos da Dra. Bella DePaulo, as pessoas são desonestas em 20% das suas interações.[7] Em sua pesquisa, a equipe pediu a 77 universitários e a 70 pessoas da comunidade em geral que registrassem suas interações sociais durante sete dias. Considerando todas as suas conversas, eles deveriam anotar quantas mentiras contaram. Já sei o que você está pensando: e se eles tiverem mentido sobre terem mentido? Para incentivar a honestidade, os pesquisadores disseram aos participantes que não haveria nenhum julgamento e que as respostas ajudariam a responder a perguntas fundamentais sobre o comportamento de quem mente. Eles também venderam o experimento como uma oportunidade para os participantes se conhecerem melhor. No fim das contas, os alunos relataram algum nível de mentira em um terço de suas interações e os integrantes da comunidade em geral em uma a cada cinco interações. Não é de admirar que muitos de nós tenhamos dificuldade para confiar.

ESTÁGIOS DA CONFIANÇA

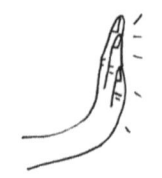

NEUTRA
EXISTEM QUALIDADES POSITIVAS QUE NÃO MERECEM CONFIANÇA

CONTRATUAL
EU COÇO AS SUAS COSTAS SE VOCÊ COÇAR AS MINHAS!

MÚTUA
A AJUDA É DE MÃO DUPLA: VOCÊS SABEM QUE ESTARÃO DISPONÍVEIS UM PARA O OUTRO NO FUTURO

PURA
ACONTEÇA O QUE ACONTECER, VOCÊS APOIARÃO UM AO OUTRO

Sabemos, graças à nossa conversa sobre o ego, que mentimos para impressionar, para nos apresentar como "melhores" do que realmente somos; mas quando essas mentiras são descobertas a sensação de traição causa muitos mais danos a ambas as partes do que a honestidade teria causado.[8] Se a semente da confiança não for plantada de modo eficaz no início, nós cultivamos uma erva daninha de desconfiança e traição.

Não tomamos muito cuidado com quando e como concedemos nossa confiança. Ou nós confiamos nas pessoas com demasiada facilidade ou evitamos confiar em quem quer que seja. Nenhum desses extremos nos faz bem. Confiar em todo mundo deixa você vulnerável a enganos e decepções. Não confiar em ninguém deixa você desconfiado e solitário. Nosso nível de confiança deveria corresponder diretamente à experiência que temos com alguém e evoluir por quatro estágios.

Confiança neutra. Quando você conhece alguém, é normal não confiar de saída na pessoa. Você pode achá-la engraçada, encantadora, ótima companhia. Essas qualidades positivas não indicam que a pessoa merece confiança. Elas apenas significam que você acha seu novo conhecido legal. Temos tendência a confundir confiabilidade com simpatia. Em estudos que examinaram a percepção de jurados em relação a testemunhas especializadas, aquelas que os jurados consideraram simpáticas foram também as classificadas como mais confiáveis. Também temos tendência a confiar em quem achamos atraente.[9] Segundo Rick Wilson, coautor de *Judging a Book by Its Cover: Beauty and Expectations in the Trust Game* (Julgando um livro pela capa: Beleza e expectativas no jogo da confiança): "Nós descobrimos que pessoas atraentes se beneficiam de um 'adicional da beleza' por serem alvo de confiança com mais frequência, mas também descobrimos que existe uma 'penalidade da beleza' quando pessoas atraentes não correspondem às expectativas."[10] Quando equiparamos simpatia ou beleza a confiança, estamos nos expondo a uma decepção gigantesca. É melhor ter confiança neutra do que confiar em alguém pelos motivos errados ou confiar de olhos fechados.

Confiança contratual. Tirei esse nível de confiança de *rajas*, o modo de impulsividade da vida, quando seu foco é conseguir o resultado que deseja a curto prazo. A confiança contratual é o *quid pro quo* dos relacionamentos. Ela diz apenas: se eu pagar o jantar e você prometer me pagar de volta, eu confio em que você vai fazer isso. Se vocês combinarem alguma coisa, você pode contar que a pessoa vai aparecer – e não existe nenhuma expectativa além disso. A confiança contratual é útil.

A maioria de nós tem uma relação de confiança contratual com quase todo mundo que cruza o seu caminho, e no entanto esperamos que todos implicitamente confiem em nós. O coração pode querer uma conexão mais profunda, mas precisamos ter discernimento. Esperar mais de alguém que está apenas lhe demonstrando confiança contratual é prematuro no melhor dos casos e, no pior, um grande perigo.

Confiança mútua. A confiança contratual alcança um novo patamar quando você ajuda alguém imaginando que a pessoa provavelmente faria o mesmo por você, de alguma forma, em algum momento indefinido no futuro. Enquanto a confiança contratual se apoia numa troca específica combinada de antemão pelas duas partes, a confiança mútua é bem mais solta. Esse estágio de confiança vem de *sattva*, o modo da bondade, quando agimos a partir de um lugar de bondade, positividade e paz. Todos queremos chegar a esse nível, e as boas amizades em geral chegam.

Confiança pura. O nível mais alto de confiança é a bondade pura, quando você sabe, independentemente do que acontecer, que pode contar com outra pessoa e vice-versa. O técnico de basquete universitário Don Meyer costumava entregar a cada um dos integrantes do seu time um pedaço de papel em branco no qual lhes pedia que desenhassem um círculo representando a sua "trincheira".[11] Cada um escrevia seu nome no alto do círculo, então traçava linhas à esquerda, à direita e atrás, e em cada linha tinha de escrever o nome de um companheiro de time que iria querer consigo dentro da sua trincheira. Os escolhidos com mais frequência pelos companheiros eram os líderes naturais do time. Escolha com sabedoria o pessoal da sua trincheira.

Se você tivesse que desenhar um gráfico das pessoas em quem confia segundo cada um desses estágios, o resultado provavelmente seria parecido com uma pirâmide: muitas pessoas na confiança neutra; menos pessoas na confiança contratual; seu círculo mais íntimo na confiança mútua e apenas umas poucas pessoas no nível mais alto, o da confiança pura.

Por mais insatisfeito que você esteja com a sua pirâmide, não promova pessoas sem motivo. Elas só lhe causarão decepção. O maior erro que cometemos é supor que todas as pessoas funcionam da mesma forma que nós. Acreditamos que os outros valorizam aquilo que nós valorizamos. Acreditamos que aquilo que queremos de um relacionamento é a mesma coisa que os outros querem. Quando alguém diz "Eu te amo", pensamos que a pessoa está querendo dizer exatamente o que nós queremos dizer quando dizemos "Eu te amo". Mas quando pensamos que todo mundo é um reflexo de nós mesmos, não conseguimos ver as coisas como elas são. Nós vemos as coisas como *nós* somos.

Confiança mútua exige paciência e compromisso. Ela se constrói com base na compreensão verdadeira do outro, apesar – e devido ao fato – de ele ser distinto de nós e ver o mundo de outra forma. O modo de evitar fazer suposições é observar bem de perto as palavras e o comportamento dos outros. Quando as pessoas lhe mostrarem seu nível de confiança, acredite nelas.

Quero que você sinta gratidão pelas pessoas em quem pode confiar e que se sinta honrado por aqueles que confiam em você. Se tiver confiança neutra em alguém, tudo bem também. Aceite as pessoas como elas são, assim você lhes dá a chance de crescer e provar serem mais do que você pensava. Quando deixamos a confiança evoluir naturalmente, nós a favorecemos a longo prazo.

CONFIANÇA É UMA PRÁTICA DIÁRIA

É raro os relacionamentos chegarem a um ponto em que ambas as partes podem dizer: "Eu conheço profundamente essa pessoa, e ela me conhece profundamente também." Assim como uma curva que se aproxima de uma reta de maneira contínua sem nunca alcançá-la, você nunca chega ao ponto de dizer: "Eu confio nessa pessoa completamente e ela confia em mim completamente para todo o sempre." A confiança pode ser ameaçada de várias maneiras e precisa ser reforçada e reconstruída todos os dias.

Construa e reforce a confiança diariamente:

- Fazendo e cumprindo promessas (confiança contratual)
- Fazendo elogios sinceros e críticas construtivas às pessoas de quem você gosta; esforçando-se para oferecer apoio (confiança mútua)
- Ficando ao lado de uma pessoa mesmo quando ela estiver passando por dificuldades, tiver cometido um erro ou precisar de sua ajuda por um tempo significativo (confiança pura)

UMA VIDA AMOROSA COM INTENÇÃO

Agora que temos algumas ferramentas para avaliar os papéis que as pessoas desempenham na nossa vida, vamos observar como podemos aprofundar os relacionamentos que já existem e construir novos que sejam fortes. Desapegar-nos dos papéis familiares tradicionais permitiu a nós, monges, ampliar nossas conexões com a humanidade. Da mesma forma, o celibato liberou a energia e a atenção que antes eram consumidas pelo amor romântico. Antes de você arremessar este livro do outro lado da sala, não estou recomendando o celibato para não monges. O celibato é um compromisso extremo que de forma alguma é essencial para todo mundo, mas no meu caso conduziu a revelações que eu gostaria de compartilhar. Digamos que eu fiz isso para você não precisar fazer.

Parar de beber? Isso foi fácil para mim. Parar de fazer apostas? Eu nunca fui de jogar muito, para começo de conversa. E já tinha parado de comer carne aos 16 anos. Para mim, o mais difícil dos sacrifícios foi abrir mão dos relacionamentos românticos. Parecia algo ridículo ou mesmo impossível de fazer. Mas eu sabia qual era o objetivo: poupar o esforço e a energia que gastamos para sermos validados num relacionamento romântico e usá-los para construir um relacionamento com nós mesmos. Pense em como parar de comer açúcar parece uma chatice — quem, em sã consciência, iria querer nunca mais tomar um sorvete? —, mas todos nós sabemos que existe um bom motivo: ficar saudável e viver mais. Quando eu olhava para os monges, podia ver que eles estavam fazendo a coisa certa. Lembra Matthieu Ricard, o "Homem Mais Feliz do Mundo"? Todos os monges que eu encontrava pareciam muito jovens e muito felizes. Como meus envolvimentos românticos não tinham me trazido a realização, eu estava disposto a tentar o experimento do autocontrole e da disciplina.

Quando me tornei monge, um de meus amigos da faculdade perguntou: "Sobre o que vamos conversar? A gente só falava de garotas." Ele tinha razão. Uma parte enorme da minha vida era dedicada a administrar os vínculos românticos. Existe um motivo para assistirmos a incontáveis séries de TV e filmes românticos: histórias de amor são um entretenimento inesgotável. Mas, assim como qualquer entretenimento, o vínculo romântico rouba o tempo de questões mais importantes. Se eu tivesse passado aqueles três anos saindo com mulheres ou namorando firme em vez de estar no *ashram*, não estaria onde estou hoje, com a compreensão de minhas forças e de quem eu sou.

Em sânscrito, a palavra que significa monge é *brahmacharya*, que pode ser traduzida como "uso correto da energia". No mundo dos encontros amorosos, assim que você entra num bar, olha em volta para ver quem é atraente. Ou então vai passando o dedo por pares potenciais numa tela sem pensar nem por um segundo em quanto tempo você gasta no esforço de ficar com alguém. Mas imagine se você pudesse tomar esse tempo de volta para si mesmo, se pudesse reinvestir tudo que já investiu em relacionamentos que não deram certo. Essa atenção e esse foco poderiam ser usados para a criatividade, para a amizade, para a introspecção, para alguma atividade prática. Isso não significa que todo relacionamento fracassado é perda de tempo. Pelo contrário: nós aprendemos com cada erro. Mas pense na época do relacionamento: a espera por mensagens de texto, ficar pensando se a pessoa gostava de você, ficar tentando fazer a pessoa mudar para se tornar quem você queria que ela fosse. Se prestarmos atenção em nossas necessidades e expectativas, nosso tempo e nossa energia podem ser destinados a um uso bem melhor.

A energia sexual não tem a ver somente com prazer. Ela é sagrada – tem o poder de gerar uma vida. Imagine o que ela é capaz de criar dentro de nós quando a controlamos. Segundo a educadora sexual Mala Madrone, "o celibato por escolha consciente é um modo poderoso de trabalhar a própria energia e controlar a potência da energia vital. Ele também pode ajudar você a fortalecer sua intuição, seus limites e sua compreensão do verdadeiro significado de consentimento, inclusive sobre como identificar os tipos de contato e interação que são de fato bem-vindos na sua vida e no seu corpo".[12] Mas a sua energia é desperdiçada quando é gasta se adaptando ao ideal de outra pessoa, se modificando para se tornar a pessoa que você acha que o outro quer ou desconfiando que está sendo traído. O mundo dos encontros envolve muita ansiedade e muita negatividade, e a pressão para encontrar a "pessoa certa" é grande – sem falar na questão de saber se estamos prontos ou se somos capazes de embarcar numa vida a dois.

Uma vez removido o elemento da busca romântica, eu não estava mais tentando me promover como namorado, ficar bonito, fazer as mulheres pensarem o que quer que fosse a meu respeito nem me entregar ao desejo. Constatei que minhas conexões com minhas amigas mulheres – com todos os meus amigos, na verdade – se aprofundou. Eu tinha mais espaço físico e mental e mais energia para a alma deles. Meu tempo e minha atenção estavam sendo mais bem empregados.

Mais uma vez, não estou sugerindo que você abra mão do sexo (embora com certeza possa fazer isso). E se você se permitisse ficar solteiro, sozinho, podendo se concentrar na sua carreira, nos seus amigos e na sua paz de espírito? Segundo o pastor e filósofo Paul Tillich, "a língua sabiamente detectou os dois lados de se estar sozinho. Ela criou a palavra *solidão* para expressar a dor de estar só. E criou a palavra *solitude* para expressar a glória de estar só".[13]

Passei três anos como monge, três anos desenvolvendo minha autoconsciência, e ao final desse período fui capaz de fazer a mim mesmo as perguntas certas sobre um relacionamento. Posso não ter passado todas as minhas horas acordado em *sattva* – o modo da bondade –, mas sabia onde queria estar e a sensação que isso causava. Tive a oportunidade de me tornar a pessoa que eu mesmo iria querer namorar. Em vez de procurar outras pessoas para me fazerem feliz pude ser eu mesmo essa pessoa.

ATRAÇÃO VERSUS CONEXÃO

Quanto maior a nossa intencionalidade, maior a nossa clareza para avaliar por que nos sentimos inicialmente atraídos pelas pessoas e se esses motivos estão de acordo com nossos valores. Existem cinco motivações principais para uma conexão – e repare que elas não se aplicam exclusivamente a pretendentes românticos. São cinco tipos de atração:

1. *Física.* Você gosta da aparência da pessoa – sente-se atraído por sua beleza, seu estilo ou sua presença, ou gostaria de ser visto com ela.
2. *Material.* Você gosta das realizações e do poder da pessoa ou dos bens materiais dela.
3. *Intelectual.* Você gosta da maneira como a pessoa pensa – sente-se estimulado pela sua conversa e pelas suas ideias.
4. *Emocional.* Vocês se conectam bem. A pessoa entende os seus sentimentos e aumenta a sua sensação de bem-estar.
5. *Espiritual.* A pessoa compartilha seus objetivos e valores mais profundos.

Quando você identifica o que o está atraindo, fica claro se sente atração pela pessoa inteira ou só por uma parte dela. Pela minha experiência, se perguntarmos à maioria das pessoas o que as atrai em outra, elas citarão alguma combinação das três primeiras qualidades: aparência, sucesso e intelecto. Porém, essas qualidades por si sós não estão ligadas a relacionamentos saudáveis de longo prazo.

Os monges acreditam que a aparência de alguém não é quem a pessoa é – o corpo é apenas um receptáculo da alma. Da mesma forma, os bens materiais de uma pessoa não são dela – eles certamente não dizem nada sobre seu caráter! E, mesmo que você sinta atração pelo intelecto de alguém, não há garantia de que isso conduzirá a um vínculo significativo. Essas três qualidades não estão vinculadas a relacionamentos saudáveis de longo prazo, mas mostram, sim, a química que você tem com o outro. Já as duas últimas – emocional e espiritual – indicam uma conexão mais profunda e duradoura. Elas mostram a existência de compatibilidade.

QUALIDADE, NÃO QUANTIDADE

Quando se trata da energia que desprendemos e que recebemos nos relacionamentos, o foco deve estar na qualidade, não na quantidade. Muitas vezes ouço pais (mães, em geral) dizerem que sentem culpa por precisarem trabalhar muito e terem pouco tempo para ficar com os filhos. Segundo o primeiro estudo em larga escala sobre o impacto do tempo das mães, o que conta é a *qualidade* do tempo passado com os filhos, não a quantidade.[14] (Isso significa: guarde o celular quando estiver com a sua família.) Eu não tenho filhos, mas sei que quando era criança sempre pude sentir a energia da minha mãe. Eu nunca mensurava quanto tempo ela passava comigo. Minha mãe trabalhava, e quando eu era pequeno frequentei uma creche. Não tenho uma única lembrança da creche – nem memórias dolorosas da ausência materna –, mas lembro-me claramente de ela indo me buscar. Ela chegava sempre sorrindo e perguntava como tinha sido o meu dia.

Isso vale para todos os relacionamentos. Ninguém quer ficar sentado ao seu lado durante o jantar se você estiver olhando o celular. É aí que confundimos tempo e energia. Você pode passar uma hora inteira com alguém, mas dar a essa pessoa apenas dez minutos de energia. Eu não consigo passar muito tempo com minha família, mas quando estou com eles estou 100% presente. Prefiro passar duas horas com eles, focado e empenhado, a lhes dar uma energia parcial e distraída durante um fim de semana inteiro.

Um monge demonstra amor por meio da presença e da atenção. No *ashram*, o tempo investido em alguma coisa nunca era visto como uma medida confiável de cuidado ou engajamento. Como já mencionei, depois da meditação ninguém perguntava por quanto tempo você tinha meditado, mas quão fundo você tinha ido. Se você janta com alguém toda noite, ótimo, mas qual é a qualidade da conversa? Pense como pensam os monges: em termos de gerenciamento de energia, não de tempo. Você está dedicando sua presença e sua atenção plenamente a alguém?

> **EXPERIMENTE ISTO: ALGEME OS LADRÕES DE ATENÇÃO**
>
> Hoje em dia, a maioria das pessoas está perdendo a batalha pela nossa atenção. Os vencedores são nossas telas. A única forma de dedicar atenção total a uma pessoa durante um intervalo de tempo é desligando suas telas. Para dar a alguém na sua vida o foco que essa pessoa merece, sente-se junto dela para combinar regras em relação ao telefone, ao laptop e à televisão. Escolham atividades específicas para ocupar seu tempo de qualidade, sem distrações. Combinem desligar os celulares, colocá-los em outro cômodo, ou deixá-los em casa. No início isso pode ser um desafio. Talvez a conversa demore a engrenar ou amigos e colegas se frustrem por não poderem entrar em contato com você. Definir esses limites vai estabelecer novas expectativas em ambas as frentes: os intervalos nas conversas deixarão de ser constrangedores, e amigos e colegas aceitarão que você não está disponível 24 horas por dia, sete dias por semana.

SEIS TROCAS AMOROSAS

A maioria dos casais não se sentam para fazer juntos uma lista de valores que queiram compartilhar. Mas quando temos clareza em relação a nós mesmos, podemos nos conectar com os outros de um modo mais intencional. A *Upadesamrta* fala em seis trocas amorosas para incentivar os vínculos e o crescimento mútuo.[15] (São três tipos de trocas; cada uma deles supõe dar *e* receber, formando assim o total de seis.) Elas nos ajudam a construir um relacionamento com base na generosidade, na gratidão e no servir.

Presentes. Dar caridade e receber o que quer que seja oferecido em troca. Isso parece óbvio ou talvez até materialista – não queremos comprar o afeto do outro. Mas pense no que significa presentear a outra pessoa com intenção. Você compra flores no Dia dos Namorados? Esse é um gesto bem convencional, então pense se é o que trará mais alegria ao seu parceiro. Se forem mesmo flores, você passou com ele na frente de um florista seis meses antes para sondar suas preferências de modo a se preparar para esse dia ou mandou uma pergunta secreta por mensagem de texto para o melhor amigo dele perguntando? (Ambas as ações significam bem mais intenção do que apenas encomendar rosas na internet, embora isso seja certamente melhor do que esquecer inteiramente a data!) O Dia dos Namorados é o melhor momento para expressar seu amor ou um gesto inesperado teria um significado ainda maior? Você refletiu sem pressa sobre o que um amigo doente realmente iria apreciar? Talvez não seja um objeto, mas uma ação, um favor, o seu tempo – limpar o carro dele, organizar atividades, ajudá-lo com obrigações ou levá-lo a algum lugar bonito.

Você pode dedicar a mesma atenção ao ato de receber um presente. Sente gratidão pelo esforço que o presente exigiu? Compreende o que ele significa para quem o está oferecendo?

Conversa. Ouvir é uma das dádivas mais sensíveis que podemos oferecer. Não existe jeito melhor de mostrar que damos importância à experiência de outra pessoa. Ouvir com intenção significa procurar as emoções por trás das palavras, fazer perguntas para entender melhor, incorporar o que você ouviu no seu conhecimento sobre o outro, dar o melhor de si para se lembrar do que ele disse e agir de acordo quando for o caso. Ouvir significa ainda criar uma atmosfera de confiança na qual a pessoa se sinta acolhida e segura.

Também é importante compartilhar seus pensamentos, sonhos, esperanças e preocupações. A vulnerabilidade de se expor é uma forma de demonstrar confiança e respeito pela opinião do outro. Ela permite ao outro compreender as experiências e crenças que influenciam você em tudo que vocês dois fazem juntos.

SEIS TROCAS AMOROSAS

Presentes
① DAR COM INTENÇÃO
② RECEBER COM GRATIDÃO

CONVERSA
③ OUVIR SEM JULGAMENTO
④ FALAR COM VULNERABILIDADE

COMIDA
⑤ PREPARAR SEM EXPECTATIVA
⑥ RECEBER COM PRESENÇA

> **EXPERIMENTE ISTO: TRANSFORME SUA CONVERSA NUM PRESENTE**
>
> Idealmente você tenta fazer isso com frequência nas conversas, mas desta vez faça com foco e intenção. Escolha um momento em que esteja para encontrar alguém importante para você – um amigo, parente ou seu parceiro. Pode ser uma refeição ou um passeio que vocês farão juntos. Durante esse tempo, desligue o celular. Concentre todo seu foco na outra pessoa. Em vez de já ter algo planejado, demonstre curiosidade. Se nenhum tema de conversa aparecer, faça perguntas abertas para chegar a um assunto que seja importante para a pessoa: em que você anda pensando ultimamente? Como vai sua relação com X? Ouça com atenção, faça perguntas e peça detalhes. Compartilhe suas experiências sem desviar a conversa para você. Alguns dias depois, mande um e-mail ou uma mensagem de texto para essa pessoa para saber as novidades.

Comida. O mundo era um lugar muito diferente quando a *Upadesamrta* foi escrita, e eu interpreto essa troca de comida como uma troca de experiências de modo geral: qualquer expressão tangível de cuidar e servir que alimente o corpo ou o espírito, como fazer uma massagem, criar um espaço relaxante para a outra pessoa dentro de casa ou pôr para tocar uma música que você sabe que lhe agrada. Numa escala mais ampla, minha esposa deixou sua amada família e se mudou para Nova York para poder morar comigo – uma expressão de cuidado e generosidade que me nutriu mais do que sou capaz de expressar. Ao chegarmos a Nova York, eu a apresentei a outras mulheres para ajudá-la a encontrar um grupo. As experiências que trocamos não precisam ser equivalentes exatos – nós procuramos aquilo de que o outro mais precisa.

Essas seis trocas podem ser distraídas e vazias ou podem ter profundidade e significado verdadeiros. Mas não julgue os esforços dos outros sem lhes dar uma chance de ter sucesso. Ninguém é capaz de ler pensamentos. Se o seu colega de quarto ou parceiro não adivinhar que você quer que ele organize sua festa de aniversário, não é culpa dele. Em vez disso seja claro e honesto com eles sobre o que deseja.

> **EXPERIMENTE ISTO: PEÇA O QUE VOCÊ QUER**
>
> Diga às pessoas importantes da sua vida como você gosta de receber amor. Quando não dizemos às pessoas o que queremos, ficamos esperando elas lerem nossos pensamentos e muitas vezes as julgamos por não conseguirem. Nesta semana, seja mais genuíno ao pedir ajuda às pessoas em vez de esperar que elas adivinhem o que você quer.
>
> 1. Pense numa reclamação que você tenha sobre o comportamento de um ente querido. (Mas não procure demais por defeitos! Se nada lhe vier à mente, é um ótimo sinal, e você deve pular este exercício.)
> 2. Chegue à raiz do problema. Onde está a verdadeira insatisfação? Você talvez descubra que a sua necessidade corresponde a uma das trocas amorosas. Você precisa de mais tempo para compartilhar e para se conectar (conversa)? Sente-se pouco valorizado (presentes)? Quer mais apoio (comida ou outras formas de servir)?
> 3. Articule sem criticar. Diga: "Tal coisa faria com que eu me sentisse mais amado e mais valorizado", em vez de "Você está fazendo isso errado".
>
> Dessa forma, você dá ao outro um caminho para a conexão, o que facilita as coisas para ele e aumenta a probabilidade de atender a sua necessidade.

PRONTO PARA O AMOR

As seis trocas amorosas formam a base de qualquer relacionamento próximo, mas a maioria de nós está à procura da "pessoa certa". O Harvard Grant Study acompanhou 268 alunos de graduação de Harvard durante 75 anos, e ao longo desse tempo reuniu um farto material relacionado a eles.[16] Quando os pesquisadores foram analisar os dados, descobriram um único fator que previa de modo confiável a qualidade da vida dos participantes: amor. Os participantes podiam ter todos os outros sinais exteriores de sucesso – dinheiro, uma carreira excelente, boa saúde física –, mas, se não tivessem relacionamentos nos quais houvesse amor, eles não eram felizes.

Todos nós chegamos aos relacionamentos com diferentes níveis de autoconsciência. Com o incentivo de questionários na internet e aplicativos de encontros, listamos as características que desejamos num parceiro – senso de humor, carinho, beleza –, mas não olhamos para aquilo de que realmente precisamos. Como queremos ser cuidados? O que nos leva a nos sentir amados?

Em *How to Love* (Como amar), Thich Nhat Hanh escreve: "Muitas vezes nos apaixonamos por outras pessoas não porque realmente as amamos e compreendemos, mas para nos distrair de nosso sofrimento. Quando aprendemos a amar e compreender a nós mesmos e a ter compaixão genuína por nós mesmos, então podemos de fato amar e compreender o outro."[17] Depois do *ashram*, quando eu estava pronto para um relacionamento (o que não aconteceu assim que eu saí, como supuseram alguns amigos), minha noção do que eu queria numa parceira era guiada pelo autoconhecimento. Eu sabia o que iria me complementar e o que não iria. Sabia de que precisava na minha vida e o que tinha a oferecer. Minha capacidade de encontrar o relacionamento certo evoluiu porque eu tinha evoluído.

Por acaso, Radhi Devlukia, a mulher que iria se tornar minha esposa, também já tinha esse autoconhecimento. Sem precisar da mesma jornada que eu tinha feito, ela sabia que desejava estar com alguém espiritualmente conectado, com moral e valores elevados. Creio que teria se virado bastante bem sem mim. Mas sei que a minha vida teria sido diferente, cheia de dor, se eu não tivesse parado para cuidar de mim mesmo antes de mergulhar num relacionamento sério.

Segundo a banda Massive Attack, amar é um verbo. O filme *Eu, meu irmão e nossa namorada* diz que o amor é uma habilidade.[18] O Dalai Lama diz: "Amor é ausência de julgamento." O amor é também paciente. Ele é gentil. E, ao que parece, *love is all you need*: o amor é tudo de que você precisa. Com tantas definições do amor na nossa cultura, tudo é um pouco confuso, e eu fiquei confuso também, apesar de toda a minha experiência como monge – da autoexploração, da intencionalidade e da compaixão –, quando tive meu primeiro encontro depois de voltar a Londres.

Eu já sei que gosto dela. O grupo Think Out Loud que criei na faculdade continuou durante alguns anos depois de eu ir embora, e eu mantive contato, visitando e dando palestras quando ia a Londres. Radhi fazia parte dessa comunidade, tinha ido a algumas das minhas palestras e ficado amiga da minha irmã. Então as pessoas dessa comunidade, inclusive Radhi e eu, se uniram para organizar um evento de caridade para crianças pequenas na Inglaterra contra o racismo e o bullying. Ver Radhi nesse contexto me disse mais sobre ela do que eu teria ficado sabendo num perfil de aplicativo de namoro, ou mesmo depois de alguns encontros. Vi como ela é respeitosa com todo mundo no grupo. Tem opiniões interessantes e ideias legais. Eu tive a chance de ver quem ela realmente é – qualquer um consegue ser o seu perfil on-line durante um encontro de uma hora. Essa pode ser a melhor versão de uma pessoa, mas não mostra na totalidade o que ela é.

Ainda não consegui um emprego em tempo integral e tenho dado aulas particulares para ganhar algum dinheiro. Economizei o que ganhei em um mês e levei Radhi ao teatro para assistir Wicked. *Depois disso a levei ao Locanda Locatelli, um restaurante chique caro demais para o meu bolso.*

Ela se mostra educada, mas não se deixa impressionar. Depois do jantar, diz: "Você não precisava ter feito isso." E confessa que o seu encontro ideal teria sido ir a um supermercado, percorrer as gôndolas e comprar pão. Fico perplexo. Quem iria querer fazer isso?

Eu não tinha tido nenhum relacionamento desde que me tornara monge, e ainda precisava conciliar quem eu era espiritualmente com o modo como costumava conduzir minha vida amorosa. Eu tinha a sensação de estar com um pé em cada mundo. Apesar do meu treinamento de monge, voltei na mesma hora ao meu modo antigo de me relacionar – aquele em que eu tentava dar à outra pessoa o que a mídia, o cinema e a música diziam que ela queria em vez de desenvolver minha consciência de quem ela era. Eu mesmo adoro presentes e demonstrações extravagantes de amor, e durante algum tempo, sem saber o que mais fazer, continuei a bombardear Radhi com gestos grandiosos. Eu não estava entendendo nada. Nada disso a impressionava. Ela não é sofisticada. Mesmo depois dos meus anos no *ashram*, eu ainda podia ser controlado por influências externas ou por minhas próprias preferências em vez de observar com cuidado aquilo de que ela gostava, mas depois de meus deslizes iniciais adquiri consciência suficiente para entender tudo isso melhor, e graças a Deus ela se casou comigo.

Se você não sabe o que quer, vai transmitir os sinais errados e atrair as pessoas erradas. Se não tiver autoconsciência, vai procurar as qualidades erradas e escolher as pessoas erradas. Esse trabalho é o que temos discutido desde o começo deste livro. Enquanto não entender a si mesmo, você não vai estar pronto para o amor.

Às vezes nós nos pegamos cometendo os mesmos erros repetidas vezes, atraindo o mesmo tipo de parceiros incompatíveis, ou os escolhendo contra nossa vontade. Se isso acontecer, não se trata de má sorte – é uma pista de que temos trabalho a fazer. A perspectiva do monge é a de que você carrega dor. Tenta encontrar pessoas que aliviem essa dor, mas apenas você pode fazer isso. Se não trabalhar essa dor para superá-la, ela vai continuar com você e interferir nas suas decisões. As pessoas problemáticas que surgem refletem suas questões mal resolvidas, e elas continuarão a surgir até você aprender a lição que precisa aprender. Como disse Iyanla Vanzant a Oprah: "Enquanto não curar as feridas do seu passado, você vai continuar a sangrar. Você pode estancar o sangramento com comida, álcool, drogas, trabalho, cigarros, sexo; mas o sangue vai acabar vazando e manchando a sua vida. É preciso encontrar força para abrir a ferida, enfiar a mão lá dentro, extirpar o núcleo da dor que está prendendo você ao seu passado, às lembranças, e fazer as pazes com elas."[19]

Depois que você desfizer as próprias malas e tiver se curado (em grande parte), poderá entrar nos relacionamentos pronto para dar. Não vai esperar do outro que ele resolva seus problemas ou tape um buraco. Ninguém completa você. Você não está pela metade. Não precisa ser perfeito, mas precisa chegar a um lugar de doação. Em vez de sugar outra pessoa você a estará nutrindo.

MANTENDO O AMOR VIVO

Lembre que, ao falarmos sobre a mente, dissemos que a felicidade surge quando estamos aprendendo, progredindo e realizando. No entanto, à medida que uma relação vai se estendendo, nossa tendência é ansiar pela fase da lua de mel, quando começamos a nos apaixonar. Quantas vezes você estava num relacionamento e pensou "Queria me sentir assim outra vez" ou "Queria que pudéssemos voltar a essa época"? Só que ir jantar no mesmo restaurante ou revisitar o lugar do primeiro beijo não vai trazer de volta toda a magia. Muitos de nós são tão viciados em recriar as mesmas experiências que não abrem espaço para as novas. Na verdade, o que você estava fazendo no início do seu relacionamento era criar *novas* lembranças com energia e com a mente aberta. O que mantém o amor vivo é criar mais lembranças novas – continuar a aprender e a crescer juntos. Experiências novas trazem emoção para a vida e constroem um vínculo mais forte. Tenho muitas recomendações de atividades que os casais podem fazer juntos, e listo a seguir algumas das minhas preferidas e que foram tiradas de princípios monásticos.

1. *Encontrar o novo no antigo.* Lembra como nós, monges, procurávamos uma pedra especial no mesmo caminho que percorríamos a pé

todos os dias? Você também pode abrir seus olhos para o mundo no qual já vive. Jantem à luz de velas no meio da semana. Leiam um livro um para o outro antes de dormir em vez de ficarem cada um no seu celular. Deem um passeio juntos pelo bairro, e desafiem um ao outro a encontrar um determinado tipo de árvore ou o primeiro passarinho.

2. *Encontrem novas formas de estarem juntos.* Um estudo do psicólogo Arthur Aron revelou que casais fortalecem seus vínculos quando fazem atividades novas e emocionantes juntos.[20] Minha esposa e eu começamos a frequentar *escape rooms*. Um *escape room* é um jogo no qual os participantes são trancados dentro de um cômodo e precisam encontrar uma saída. Os funcionários dão algumas pistas, e todos precisam trabalhar juntos para solucionar as muitas etapas do quebra-cabeça. Pode soar meio assustador, mas na verdade é muito divertido. Os participantes aprendem juntos. Cometem erros juntos. É um contexto equilibrado, no qual nenhum dos dois tem mais experiência ou competência do que o outro. Quando um casal tem uma nova experiência, ambos têm a sensação de crescerem juntos em todas as áreas da vida. Vocês podem até experimentar algo realmente assustador juntos – como saltar de paraquedas ou alguma outra coisa que esteja fora da sua zona de conforto. Lembra-se de todas as vantagens que descobrimos ao nos aproximarmos de nossos medos? Brincar com o medo juntos é um modo de treinar o mergulho em seus medos mais profundos, dividi-los com seu parceiro e sentir seu apoio. Assim os dois podem transformar o próprio medo.

3. *Servir juntos.* Assim como servir dá significado à sua vida, servir com seu parceiro dá significado à conexão entre vocês, seja organizando eventos de caridade, alimentando a população em situação de rua ou ensinando algo juntos. Minhas experiências mais fortalecedoras de vínculos na vida como monge aconteceram quando participei de projetos coletivos. A horrorosa viagem de trem de dois dias sobre a qual falei. Plantar árvores em grupo. Construir uma escola. Em vez de nos concentrarmos nos desafios do relacionamento, nós desenvolvemos um ponto

de vista comum em relação a questões da vida real. Ao nos conectarmos em nome de um propósito superior, sentimos gratidão e trazemos isso de volta para o nosso relacionamento. Conheço muitos casais que se conheceram fazendo trabalho voluntário. Então, se você estiver à procura de um parceiro que combine com você, encontre uma causa que o mobilize. Se vocês se conhecerem fazendo alguma atividade como o voluntariado, desde o início já têm algo importante em comum, e a probabilidade de formarem um vínculo profundo é ainda maior.

4. *Meditem e entoem mantras juntos.* (Ver página 329.) Quando um casal que acaba de ter uma discussão entra num recinto, é possível sentir a energia negativa vibrando entre eles. O contrário se dá quando você e seu parceiro entoam cânticos juntos. Vocês estão levando sua energia para o mesmo lugar e sentem-se literalmente afinados um com o outro.

5. *Por fim, imaginem juntos o que vocês dois querem do relacionamento.* Quando os dois têm consciência do que é importante para cada um, podem entender quão dispostos estão a se adaptar. Idealmente, cada um está se esforçando para viver no próprio *dharma*. No melhor dos relacionamentos, vocês chegam lá juntos.

SUPERANDO A DECEPÇÃO AMOROSA

Pode ser difícil ver com clareza quando o que está em jogo é o seu coração, mas existe algo que eu quero deixar bem claro: há uma diferença entre sentir gratidão pelo que você tem e se contentar com menos do que você merece. Se ainda estivermos dando ouvidos à nossa mente infantil, vamos nos sentir atraídos por pessoas que não são boas para nós, mas que nos levam a nos sentir melhor no momento. Não deixe sua autoestima na mão de outra pessoa. Ninguém merece sofrer abuso verbal, emocional ou físico. É melhor estar só. Você tampouco deve permitir que um relacionamento abusivo, manipulador ou tóxico se transforme em amizade. A dinâmica não vai mudar, acredite.

Em todo relacionamento, você tem a oportunidade de regular o nível de alegria que espera e o nível de dor que vai aceitar. Não existe relacionamento perfeito, mas se a alegria nunca alcança um determinado nível ou se mantém numa média baixa, isso só vai mudar se vocês dois trabalharem muito. O mesmo vale para quanta decepção você está disposto a suportar. Sua conexão pode demorar a engrenar – pode ser que leve um tempo para vocês se conhecerem –, mas se ela nunca atingir um nível satisfatório você precisa decidir se aceita que será assim ou se parte para outra.

Eu sei que não é fácil. Quando você passou tempo de qualidade com alguém, quando investiu em alguém, quando se entregou a alguém, é muito difícil desistir. A monja budista tibetana Jetsunma Tenzin Palmo aponta que muitas vezes nós confundimos apego com amor.[21] Segundo ela: "Nós imaginamos que a possessividade e a carência que temos em nosso relacionamento mostram quanto amamos. Quando, na verdade, isso é apenas apego e causa sofrimento. Pois quanto mais possessivos nos tornamos, mais temos medo de perder – e se perdemos, sofremos ainda mais." Em última instância, continuar com a pessoa errada nos causa mais dor do que desistir dela.

As estratégias que eu recomendo para superar o sofrimento amoroso estão diretamente ligadas às ideias monásticas sobre o eu e sobre como encontrar o caminho para a paz e o propósito. Não importa o pensamento que tivermos, nós não fugimos dele. Nós nos damos espaço para avaliar e fazer mudanças. NOTE, PARE, MUDE.

Sinta todas as emoções. É possível se distrair do sofrimento amoroso, mas essa solução é apenas temporária. E se você nega seus sentimentos, acaba sofrendo de outras formas. Pesquisadores acompanharam calouros em universidades para ver como eles se adaptavam à transição, e constataram que aqueles com tendência a reprimir as próprias emoções tinham menos relacionamentos próximos e se sentiam menos amparados socialmente.[22] Portanto, pense em como a outra pessoa fez você se sentir nessa situação. Talvez você queira expressar o que está sentindo escrevendo ou gravando. Leia o que escreveu ou escute a gravação objetivamente. Identificou algum padrão recorrente?

Também é possível fazer uma meditação questionando a si mesmo sobre a perda. Nós gostamos de reviver emoções: como tudo foi perfeito, como poderia ter sido, como pensávamos que iria acontecer. Em vez de refletir sobre quão romântica era a relação antes de naufragar foque a realidade. Quais eram as suas esperanças para essa relação? O que você perdeu? Sua decepção está ligada a quem a pessoa é ou a quem ela não é? Explore suas emoções até encontrar a raiz do sofrimento e dos problemas.

Aprenda com a situação. Filmes, músicas e outras mídias nos enviam mensagens limitadas e com frequência imprecisas sobre como o amor deveria ser. Use a realidade da ruptura para estabelecer expectativas realistas sobre o que você merece e o que deseja de um novo relacionamento – e lembre-se de que as suas respostas podem ser diferentes das da pessoa com quem você rompeu e da próxima pessoa que aparecer. Qual era a maior expectativa que você tinha e não foi atendida? O que era importante para você? O que a relação tinha de bom e o que tinha de ruim? Qual foi o seu papel no rompimento? Aqui, em vez de explorar sua dor, seu objetivo é investigar o funcionamento da relação de modo a identificar o que você quer do seu próximo relacionamento e o que talvez tenha que trabalhar em si mesmo.

Acredite no seu valor. Você pode se desvalorizar na hora de romper uma relação amorosa, mas o seu valor não depende da capacidade alheia de apreciá-lo plenamente. Se você atrelar sua identidade ao relacionamento, a dor que sentirá será a de ter precisado sacrificar parte da sua identidade. Se você esperava que a pessoa atendesse a todas as suas necessidades, é claro que fica um vácuo quando ela vai embora. Agora que você está solteiro, use esse tempo para criar uma comunidade de pessoas com interesses em comum que você quer que fiquem na sua vida para sempre. Torne-se inteiro. Você precisa ser alguém que é feliz por si só.

Espere antes de voltar a namorar. Lembre-se: se você não se curou da dor, pode perder sua próxima oportunidade de ter uma conexão incrível com uma pessoa incrível. Não se apresse em "voltar à ativa" nem arrume novos parceiros para se vingar. Isso só faz causar mais dor e mais arrependimento, que se espalham ainda mais, como um vírus da dor. Em vez disso pare e invista em se conhecer melhor. Fortaleça sua autoestima. Invista no seu crescimento. **Se você se perdeu no relacionamento, encontre-se no sofrimento amoroso.**

O caminho do monge é aumentar a consciência, abordar as questões e repará-las. Seja dentro de um relacionamento ou antes de entrarmos em um, nós damos um passo para trás de modo a avaliar e nos certificar de que compreendemos nossas intenções. Então podemos nos aventurar no mundo dos encontros ou voltar para o relacionamento com autoconsciência e amor. **NOTE, PARE, MUDE.**

Nós voltamos nossa atenção para fora de modo a examinar os relacionamentos íntimos da nossa vida. Agora chegamos ao nosso relacionamento com o mundo mais amplo. Já mencionei que, no *ashram*, eu sentia um vínculo que ia além dos meus laços familiares, uma força muito maior que unia e conectava todos nós. Segundo o astrofísico Neil deGrasse Tyson: "Estamos todos conectados: uns aos outros, biologicamente; à Terra, quimicamente; e ao resto do Universo, atomicamente." Sabendo disso, precisamos olhar para o Universo de modo a encontrar significado verdadeiro em nossa vida.

11

SERVIR

Plante árvores sob cuja sombra você não planeja sentar

*Os ignorantes trabalham para seu próprio lucro...
os sábios trabalham para o bem-estar do mundo...*[1]
— *Bhagavad Gita*, 3:25

Sou noviço no ashram *e fomos deixados numa aldeia sem dinheiro e sem comida, com a missão de nos virarmos para viver durante trinta dias.*

O clima está razoável e nos deram um armazém para nos servir de abrigo. Deixamos nossas esteiras lá e nos aventuramos aldeia adentro. Há cabanas simples nas quais pessoas vendem comida, especiarias e artigos diversos. As roupas são estendidas para secar entre as cabanas. A maioria das pessoas se locomove de bicicleta ou a pé — algumas crianças andam descalças.

Inteiramente livres, sem plano algum, a primeira coisa que sentimos é medo, o que nos instiga a fazer o que for preciso para sobreviver. Pedimos doações — as pessoas na Índia são generosas e com frequência dão pão, frutas ou moedas a quem se veste com trajes espirituais. Visitamos o templo onde os peregrinos recebem comida de graça, chamada prasada *— comida sagrada que é oferecida às deidades e em seguida doada. Ansiosos em relação à nossa sobrevivência, recorremos ao egoísmo e à acumulação.*

Na segunda semana, já estamos numa situação melhor. Entendemos que podemos conseguir nossa comida oferecendo ajuda às pessoas da aldeia. Começamos ajudando pessoas a carregarem peso ou os vendedores ambulantes que precisam de outro par de mãos para empurrar seus carrinhos. Logo aprendemos que abrir nossos corações e nossas almas incentiva os outros a fazerem o mesmo. As doações que recebemos não são radicalmente diferentes das que recebíamos assim que chegamos, mas a troca nos dá uma sensação boa de compaixão e generosidade comunitárias, e eu sinto que assimilei a lição da nossa viagem. Nós pensávamos que não tínhamos nada, e de fato praticamente não possuíamos nenhum bem material. Mas ainda podíamos oferecer aos outros o nosso esforço.

Na última semana, porém, estamos bem alimentados e seguros o suficiente para perceber algo mais profundo. Embora tenhamos chegado sem nada, ainda temos certo tipo de riqueza: somos mais fortes e mais capazes do que muitos na aldeia. Há idosos, crianças e deficientes físicos nas ruas, todos eles mais necessitados do que nós.

— Estou me sentindo mal — diz um dos monges. — Para nós isso é só por um curto tempo. Para eles é para sempre.

— Acho que estamos deixando passar alguma coisa — acrescento. — Nós podemos fazer mais nesta aldeia do que sobreviver.

Recordamos o refrão de Helen Keller: "Chorei por não ter sapatos até conhecer um homem que não tinha pés." Infelizmente, isso não é nenhum exagero. Na Índia é comum ver pessoas sem um braço ou uma perna.

Dou-me conta de que, agora que encontramos um jeito de sobreviver, podemos dividir a comida e o dinheiro que recebemos com aqueles menos capazes que nós. Justo quando penso ter aprendido a lição da nossa viagem, esbarro com uma revelação que me afeta profundamente: todos, até aqueles que já dedicam a vida ao servir, sempre podem oferecer mais.

Esses três estágios de transformação pareceram um microcosmo de toda a experiência monástica: primeiro nos desapegamos do que é externo e do ego; segundo, reconhecemos nosso valor e aprendemos que não precisamos ter nada para poder servir; e terceiro, buscamos continuamente um nível mais alto de servir. Nessa viagem entendi que sempre existe espaço para se elevar, sempre existe mais a oferecer. Irmã Christine Vladimiroff, uma freira beneditina citada em *The Monastic Way* (O caminho monástico), escreveu: "A espiritualidade monástica nos ensina que estamos numa jornada. A jornada é para dentro em busca de Deus, por meio da prece e do silêncio. Se a fizermos sozinhos, podemos romantizar esse aspecto de nossa vida... Mas ser monástico inclui uma jornada paralela: a jornada para fora. Nós vivemos em comunidade para nos tornarmos mais sensíveis às necessidades dos outros... O mosteiro é então um centro do qual se deve sair e ao qual se deve convidar os outros a entrar. A chave é sempre manter as duas jornadas: para dentro e para fora."[2]

O PROPÓSITO ELEVADO

Na palestra que deu na minha faculdade, Gauranga Das me inspirou ao dizer: "Plante árvores sob cuja sombra você não planeja sentar." Essa frase me cativou e me projetou numa trajetória que eu nunca havia imaginado. E agora preciso fazer uma confissão. Eu não revelei tudo a você. Temos falado sobre como abrir mão das influências do ruído exterior, do medo, da inveja e dos falsos objetivos. Exploramos como podemos crescer controlando nossa mente, nosso ego e nossas práticas diárias de modo a viver no nosso *dharma*. Tudo isso com o objetivo de levar uma vida plena e cheia de significado – um caminho digno. Mas aqui, nas redes sociais, nas minhas aulas e em todas as mídias nas quais leciono, ainda não revelei a mais importante lição que aprendi como monge e que carrego comigo todos os dias da minha vida. Que rufem os tambores.

O propósito mais elevado de todos é viver para servir.

Não que eu tenha guardado segredo em relação ao servir; falei bastante sobre isso. Mas esperei até agora para falar sobre o papel central que acredito que ele deve desempenhar na nossa vida, porque, para ser bem franco, acho que muitos de nós são um pouco resistentes a essa ideia. É claro que queremos ajudar quem precisa e talvez já tenhamos encontrado meios de fazê-lo, mas ficamos limitados pela pressão e pelas necessidades de nosso trabalho e de nossa vida. Queremos primeiro resolver nossas questões. "Jay, quem precisa de ajuda sou eu! Tenho muita coisa para resolver antes de poder me dedicar a ajudar os outros." É verdade. É difícil pensar em altruísmo quando estamos em dificuldade. No entanto, foi exatamente isso que eu aprendi como monge. O altruísmo é o caminho mais seguro para a paz interior e para uma vida com significado. **O altruísmo cura o eu.**

Monges vivem para servir, e pensar como um monge significa, em última instância, servir. *The Monastic Way* cita o monge beneditino Dom Aelred Graham, que teria dito: "O monge acha que veio [para o mosteiro] ganhar algo para si: paz, segurança, quietude, uma vida de prece, estudo ou ensinamento; mas, se a sua vocação for genuína, ele descobre que veio não para receber, mas para dar."[3] **Ao sair, nós tentamos deixar o lugar mais limpo do que quando chegamos, as pessoas mais felizes do que quando as encontramos, o mundo melhor do que quando viemos.**

Nós somos a natureza, e se olharmos e observarmos a natureza com atenção, ela está sempre servindo. O sol oferece calor e luz. Árvores dão oxigênio e sombra. A água sacia nossa sede. Nós podemos -- e os monges fazem isso – ver tudo na natureza como um servir. Segundo a *Srimad--Bhagavatam*: "Olhe para essas árvores afortunadas. Elas vivem somente para o benefício alheio. Toleram vento, chuva, calor e neve, mas mesmo assim nos dão abrigo."[4] A única forma de estar unido com a natureza é servir. Consequentemente, a única forma de se alinhar corretamente com o Universo é servir, porque é isso que o Universo faz.

O guru do século XVI Rupa Goswami fala em *yuktavairāgya*, que significa fazer tudo em razão de um propósito superior.[5] Isso é o verdadeiro desapego, a renúncia suprema, a perfeição. Algumas linhas monásticas aplicam esse padrão rigorosamente às suas práticas e se livram por completo dos bens materiais, mas na realidade o restante de nós precisa trabalhar para viver. Vamos todos acabar possuindo coisas. Mas podemos olhar para a forma como usamos aquilo que temos. Podemos usar nossa casa para promover a comunidade. Podemos usar nosso dinheiro e nossos recursos para apoiar causas nas quais acreditamos. Podemos oferecer nossos talentos a quem precisa. Não é errado ter coisas se as usarmos para o bem.

A *Bhagavad Gita* vê o mundo inteiro como uma espécie de escola, um sistema educacional estruturado para nos fazer perceber uma só verdade: nós somos impelidos a servir, e somente servindo podemos ser felizes. Assim como o fogo queima, assim como o sol aquece e ilumina, servir é a essência da consciência humana. Conheça a realidade do mundo no qual você vive. Saiba que ela é impermanente, irreal, e que é a origem de seu sofrimento e sua ilusão. Pensar que o propósito da vida é a gratificação dos sentidos – sentir prazer – conduz ao sofrimento e à insatisfação. Pensar que o propósito é servir conduz à realização.

SERVIR FAZ BEM AO CORPO E À ALMA

Servir nos deixa realizados em muitos níveis, a começar pela simples crença em que nascemos destinados a cuidar dos outros, de modo que servir nos faz bem. Esse instinto é mais evidente nas crianças, que ainda não foram distraídas por outras exigências em relação ao seu tempo e à sua atenção. Uma imagem que viralizou mostra uma menininha, que deve ter uns 2 anos, vendo um político chorar na TV japonesa. Ela pega um lenço de papel, vai até a televisão e tenta enxugar as lágrimas do político. Essas coisas viralizam porque nós reconhecemos – e talvez sintamos falta disso – a compaixão da menina por outra pessoa, mesmo um desconhecido.

Em sua autobiografia, Nelson Mandela escreve: "Ninguém nasce odiando outra pessoa por causa da cor da sua pele, da sua origem ou da sua religião. As pessoas precisam aprender a odiar, e se conseguem aprender a odiar podem ser também ensinadas a amar, pois o amor é mais natural ao coração humano do que seu contrário."[6] Assim como Mandela acreditava que as pessoas nascem para amar, mas são ensinadas a odiar, os monges acreditam que nós nascemos para servir, mas as distrações do mundo exterior nos fazem esquecer nosso propósito. Precisamos nos reconectar com esse instinto para sentir que a vida tem significado.

Já mencionei o conceito de Joseph Campbell da jornada mítica do herói. Ela é uma fórmula que descreve os passos de um herói ao embarcar numa aventura, enfrentar desafios e obstáculos, e voltar vitorioso. Um dos principais elementos da jornada do herói é com frequência esquecido: o último estágio, que Campbell chamou de "retorno com o elixir".[7] A jornada do herói só termina quando ele chega em casa em segurança e compartilha com os outros o que conquistou (o elixir). A ideia de servir está entremeada à estrutura da história clássica como parte crucial de um final feliz.

Seane Corn está vivendo a sua jornada de heroína.[8] Ela se firmou como instrutora de yoga. Era (e ainda é) uma proeminente professora em congressos e festivais de yoga mundo afora, mas em determinado momento de sua carreira lecionando, deu-se conta de que poderia ter um impacto ainda mais significativo no mundo com a sua plataforma, então mudou seu foco e passou a servir comunidades em situação de risco. Corn decidiu experimentar levar técnicas de respiração e meditação aos necessitados, a começar por crianças que tinham sido exploradas sexualmente. Ela então ampliou sua prática e passou a trabalhar com outras pessoas excluídas da sociedade, como prostitutas e viciados. Desse lugar, tornou a se conectar com a comunidade do yoga e participou da fundação da Off the Mat, Into the World (Do tapetinho para o mundo), organização sem fins lucrativos que alia yoga e ativismo. Por maior que seja sua dedicação ao servir, Corn afirma que recebe mais do que dá. "Mostre-me alguém que foi aos recantos mais sombrios do próprio caráter, que chegou muito perto da própria autodestruição e encontrou um jeito de se levantar e sair de lá, e eu me ajoelharei aos pés dessa pessoa... Ela é minha professora."

Como Corn descobriu, servir nos devolve o que oferecemos.

Estudos mostram que quando buscamos "objetivos solidários" – aqueles cuja meta é ajudar os outros ou de contribuir alguma forma para tornar o mundo um lugar melhor – temos menos chance de apresentar sintomas de ansiedade e depressão do que quando nos concentrarmos em melhorar ou proteger nosso status ou nossa reputação.[9] O ato de dar aos outros ativa o centro de prazer do cérebro. É uma situação na qual todos saem ganhando. Talvez por isso aqueles que ajudam os outros tendam a ter uma vida mais longa, a ser mais saudáveis e a ter uma sensação maior de bem-estar geral.[10]

Monges acreditam que o ato de servir melhora nossa vida sob muitos aspectos.

Servir nos conecta. Quando você serve, é difícil se sentir só. Na maioria dos casos, você precisa ganhar o mundo para poder ajudar os outros.

Servir amplifica a gratidão. Servir lhe proporciona uma visão ampla de tudo que você tem.

Servir aumenta a compaixão. Quando você serve, vê que o mundo precisa daquilo que você tem a oferecer.

Servir eleva a autoestima. Ajudar os outros lhe diz que você está fazendo diferença no mundo. Você experimenta uma sensação de significado e propósito.

O *ashram* é pensado em torno da intenção de servir, e é mais fácil tornar esse objetivo sua maior intenção quando todo mundo à sua volta está na mesma frequência. Uma vida dedicada ao servir é bem mais desafiadora no mundo moderno, e nem todos nós podemos seguir o modelo monástico 24 horas por dia, sete dias por semana, mas a prática dos monges nos mostra por que e como deveríamos adotar um mindset focado no servir.

O MINDSET DO SERVIR

A palavra *seva*, em sânscrito, significa serviço altruísta. Segundo a *Bhagavad Gita*, "dar somente porque é correto dar, sem pensar em retorno, no momento certo, nas circunstâncias certas e para alguém digno é dar em *sattva*"[11] – dar no modo da bondade. A única motivação dos monges é o servir altruísta: dar aos outros oportunidades que nós tivemos e que não tivemos; melhorar a vida alheia e a condição humana. Nós vivemos segundo essa missão ao lidar com questões grandes e pequenas. No *ashram*, tentamos servir uns aos outros todos os dias. Monges não fazem gestos grandiosos. O amor está nas pequenas coisas. Se alguém tinha dificuldade para acordar na hora, nós o ajudávamos. Se alguém trabalhava até mais tarde, guardávamos comida para ele. Nós agimos com consistência e com intenção. Lembramos que nunca sabemos pelo que a pessoa está passando, então a tratamos com a mesma gentileza que teríamos com alguém que estivesse sentindo dor, com a mesma generosidade que teríamos com alguém que estivesse passando fome, com a mesma compaixão que teríamos com alguém que fosse incompreendido.

Essa atitude se irradiava para além do *ashram*. Quando viajávamos, sempre levávamos comida a mais de modo a termos algo para distribuir. Não estávamos acabando com a fome no mundo, mas ajudar qualquer um que esteja passando fome é regar a semente da compaixão.

Numa escala maior, nós participávamos de um programa chamado Annamrita, que distribui mais de um milhão de refeições por dia para crianças desfavorecidas na Índia. Íamos com frequência a Mumbai preparar comida nas cozinhas ou servi-la nas escolas. Os alunos recebiam *kitchari*, uma papa de arroz e lentilha preparada com *ghee* que é considerada um dos itens básicos da culinária ayurvédica, e depois, de sobremesa, um doce de arroz chamado *kheer*. Na primeira vez que servi *kheer* a uma criança, a gratidão dela foi tanta que, para mim, foi uma lição de humildade. O mesmo acontecia com todas as crianças, todas as vezes: o rosto delas irradiava alegria. Eu detesto cozinhar – a cozinha quente lotada de gente, os panelões imensos para mexer. Mas a expressão das crianças – e a triste verdade que isso contava sobre quão rara e especial era aquela comida para elas – tornava fácil sentir gratidão pela oportunidade de servir.

No *ashram*, em vez de perguntar "Como foi o trabalho?", nós podíamos perguntar, por exemplo: "Você serviu hoje?" Se você estava se perguntando qual seria a conversa dos monges ao redor do bebedouro, aí está. Deixe os obstáculos de lado por um instante e imagine se todo mundo tivesse uma atitude mental de monge. Nós faríamos a nós mesmos outras perguntas: como isso serve a um propósito maior? como estou servindo às pessoas ao meu redor – no trabalho, em casa, na minha comunidade? Como posso usar meus talentos para servir aos outros e fazer diferença? Lembre-se de Emma Slade, que usa suas competências financeiras em prol do seu trabalho de caridade, e pergunte a si mesmo: "O que eu sei que tem alguma utilidade?"

Vimos que a felicidade e a gratidão se espalham pelas comunidades. O mesmo se aplica ao servir. Quando você serve, comenta sobre isso com seus amigos. Leva outra pessoa com você. Alguém mais se junta e comenta com mais dois amigos. Quando você participa de um ato de serviço, está fazendo a sua parte para disseminar o valor do servir na nossa cultura.

A maioria das pessoas pensa somente em si mesma. Pode ser que o escopo do seu cuidar seja um pouco maior e inclua seus parentes imediatos. Isso significa talvez de cinco a dez pessoas preocupadas umas com as outras. Mas, se você expande o alcance do seu cuidar, acredito que as pessoas sentem. Se outras pessoas ampliassem o escopo do cuidar para incluir você, eu acho que você sentiria. E se ousássemos imaginar que todo mundo está pensando dessa forma? Haveria cerca de 7,8 bilhões de pessoas pensando em você e vice-versa. Não vejo por que não deveríamos pensar grande.

> **EXPERIMENTE ISTO: AMPLIE O ESCOPO DO SEU CUIDAR**
> Pense em quatro a seis pessoas por quem você largaria tudo para ajudar. Com que frequência você pensa nelas? Em alguma situação de fato tem oportunidade de mostrar que se importa com elas? Pode começar a fazer isso?
>
> Agora pense em vinte pessoas que você ajudaria se elas pedissem. Antes de você desistir, vou facilitar um pouco. Pense num grupo que contenha no mínimo vinte pessoas que você ajudaria. Pode ser uma parte da sua comunidade ou um grupo já contemplado por alguma instituição de caridade. Vamos trazer essas pessoas para dentro de um círculo mais próximo de cuidado.
>
> Se você não as conhece, pesquise o nome de vinte pessoas nesse grupo ou arrume outro jeito de fazer uma lista de vinte nomes no mínimo. Cole a lista no espelho na frente do qual você escova os dentes. Agora você vai pensar nessas pessoas pelo menos duas vezes ao dia (assim espero!). Observe como isso muda sua motivação para lhes servir.

QUANDO VOCÊ ESTARÁ PRONTO PARA SERVIR?

No mundo moderno, por mais que nós queiramos ajudar os outros, somos distraídos do mindset do servir pelo desejo de estarmos financeira e emocionalmente estáveis e seguros. Se você estiver perdido e desconectado, o seu servir será dificultoso e menos gratificante. Mas quando é o momento certo? Será que algum dia chegará? A exploração interior não tem fim. Ela é uma prática constante. Os seus problemas nunca vão estar completamente resolvidos.

Cuide de si mesmo, sim. Mas não espere até ter tempo e dinheiro suficientes para servir. Você nunca terá o bastante. Há três maneiras simples de descrever sua relação com o dinheiro e a riqueza material. O primeiro é egoísta: eu quero mais, quanto puder conseguir, e quero tudo para mim. O segundo é a suficiência: eu tenho justo o suficiente para me virar. Não estou sofrendo, mas não tenho nada para dar.

O terceiro é o servir: eu quero dar aquilo que tenho, e quero mais para poder dar mais.

Passar do mindset da suficiência para o do servir significa mudar sua relação com o conceito de posse – quanto mais desapegados nós formos, mais fácil será abrir mão de nosso tempo e nosso dinheiro.

Algumas de nossas viagens como monges eram peregrinações para nos banharmos nos rios sagrados. Eu entrei no Ganges, no Yamuna e no Kaveri. Não nadávamos nem brincávamos nas águas sagradas. O que fazíamos era executar rituais; um deles consistia em tirar o máximo de água do rio que conseguíssemos nas mãos em concha, depois devolver. Nós tirávamos da água para devolver à água como um lembrete de que não éramos donos de nada. Caridade não significa dar algo seu. Você está pegando algo que já estava na terra e devolvendo-o à terra. Não é preciso ter para dar.

Sindhutai Sapkal foi casada aos 12 anos com um homem de 30. Aos 20, com três filhos e grávida de nove meses, ela foi espancada e jogada num curral de vacas. Deu à luz ali, e cortou o cordão umbilical com uma pedra afiada. Rejeitada por sua aldeia materna, passou a viver nas ruas com seu bebê recém-nascido, pedindo esmola e cantando em troca de dinheiro. Ficou chocada com a quantidade de órfãos que viu e passou a cuidar deles. Começou a pedir esmolas para eles tanto quanto para si. Seus esforços cresceram, e ela se tornou conhecida como a "Mãe dos Órfãos". Suas organizações hoje já deram abrigo e ajuda a mais de 1.400 crianças na Índia. Sindhutai não serviu porque tinha algo para dar. Ela serviu porque viu o sofrimento.[12]

Numa série de experimentos, pesquisadores da Universidade da Califórnia em Berkeley constataram que pessoas com menos dinheiro na verdade tendem a dar mais. Numa situação, as pessoas recebiam 10 dólares e podiam separar uma quantia para dividir com um desconhecido anônimo.[13] Pessoas de status socioeconômico mais baixo eram mais generosas do que participantes mais ricos. Esses dados foram corroborados por uma pesquisa sobre doações de caridade em 2011, que mostrou que os norte-americanos na faixa de renda mais baixa doavam em média 3% de sua renda para a caridade, enquanto as pessoas na faixa dos 20% mais ricos doavam menos da metade disso, 1%.[14] (Só para ser justo: os ricos ainda são responsáveis por mais de 70% das doações de caridade.)

O motivo pelo qual aqueles que têm menos doam mais pode ter a ver com sua exposição às dificuldades. O professor de psicologia da Universidade da Califórnia em Berkeley Dacher Keltner diz que pessoas com menos recursos tendem a precisar mais do apoio dos outros – parentes, amigos, membros da sua comunidade – para receber ajuda.[15] Aquelas com mais dinheiro, por sua vez, podem "comprar" ajuda, e são portanto mais distantes desse tipo de labuta cotidiana. Os pobres podem ter mais empatia por outros necessitados. Alguns filantropos, como Oprah Winfrey, já mencionaram sua própria experiência de pobreza como uma motivação para doar.[16]

A questão sobre a qual se deve refletir é: quem é mais rico, aquele que tem dinheiro ou aquele que serve?

SERVIR COM INTENÇÃO

Eu tinha entrado no *ashram* para servir e, quando estava me despedindo, um monge que tinha sido como um irmão mais velho para mim me puxou de lado. Ele disse algo como: "Se a sua saúde vai mal e ser monge não é o certo para você, isso não significa que não pode servir. Se você sente que pode servir melhor sendo casado, ou se tornando chef de cozinha, ou remendando meias para os necessitados, isso ganha prioridade. Servir à humanidade é o objetivo maior." Essas palavras me tranquilizaram; o fato de eu estar indo embora não significava que a minha intenção precisava mudar.

É possível servir com um misto de intenções, amplas e estreitas. Podemos fazê-lo para que gostem de nós, para nos sentirmos bem em relação a nós mesmos, para passar uma boa impressão, para nos conectarmos com os outros, para receber algum tipo de recompensa. Mas, se você estiver ajudando amigos a se mudarem, cozinhando para eles, celebrando-os, e então pensar "Por que ninguém vem me ajudar?", ou "Por que todo mundo esqueceu meu aniversário?", você não entendeu nada. Está vendo a si mesmo como quem dá e vendo-os como quem recebe, imaginando que quando um serviço é prestado cria-se uma dívida. O verdadeiro servir não espera nem deseja nada em troca. Mesmo assim, o servir por si só muitas vezes gera felicidade, como mostram tanto a *Bhagavad Gita* quanto a ciência. Quando eu faço algo para servir você e você fica feliz, eu fico feliz.

Mas, se o servir traz alegria, ele é egoísta? É egoísta ensinar uma lição ao seu filho? É claro que não! Se um certo tipo de doação deixa você feliz ou o beneficia de alguma forma, esse é um ótimo ponto de partida. Após sair do *ashram*, organizei retiros de Londres a Mumbai, dando uma chance para pessoas do Reino Unido e de outras partes da Europa servirem "refeições do meio-dia" com a organização Annamrita. Um homem que participou de um de meus retiros levou os filhos, de 13 e 14 anos. Os adolescentes voltaram da viagem tendo testemunhado e sentido a gratidão de quem não tinha muita coisa na vida. O pai ficou radiante com a transformação nos filhos. Sua viagem não foi inteiramente altruísta – ele queria que os filhos aprendessem e crescessem –, mas ainda assim foi a coisa certa a fazer. Na verdade, a oportunidade de aprendizado que ele viu para os filhos é um exemplo dos benefícios mútuos do servir.

Os problemas que alguns de nós enfrentam são mentais – ansiedade, depressão, solidão –, enquanto para muitas das pessoas que precisam do serviço os maiores desafios são básicos – comida, roupa, abrigo. Nós podemos curar nossas questões mentais ajudando essas pessoas com as suas necessidades físicas. Servir, portanto, é uma troca, é recíproco. Você não está salvando ninguém ao ajudar uma pessoa – pois precisa tanto de ajuda quanto ela.

Quando estamos servindo, nós somos um instrumento de graça e de compaixão. Podemos sentir que é assim, e às vezes isso nos sobe à cabeça. Lembre-se, porém, de que o que quer que você esteja dando lhe foi dado. Quando você o passa adiante, não pode levar o crédito por isso.

SIRVA DE ACORDO COM O SEU *DHARMA*

Como é uma parte natural do ser humano, servir é mais fácil do que você pensa. Apenas sirva. Nós podemos sempre, todos os dias – agora mesmo! –, encontrar modos de servir por meio daquilo que já estamos fazendo. Se você for músico, sirva. Se for programador, sirva. Se for empresário, sirva. Não é preciso mudar de profissão. Não é preciso mudar sua agenda. Você pode servir em qualquer situação.

Se olhar em volta, você verá por toda parte oportunidades de servir: nas escolas, em instituições religiosas, pessoas na rua, em organizações de caridade. Há distribuição de comida pelo bairro e de fantasias usadas nas escolas. Você pode organizar uma corrida para levantar dinheiro para caridade ou montar uma barraquinha de limonada. Pode ajudar um amigo a coletar itens de higiene para as vítimas de algum desastre natural. Pode visitar um parente doente ou idoso. Se você mora numa cidade, pode levar numa quentinha a sobra do restaurante e dar para um sem-teto. Aqueles que estão mais próximos de nós, aqueles que não têm ninguém – existem incontáveis modos de servir. Não é preciso fazer obras de caridade todos os dias nem doar todo o dinheiro que você tem. Apenas entenda que você está servindo e procure meios de vincular o que você já faz a um propósito elevado. Da mesma forma que conecta seu *dharma* ao trabalho, conecte o servir ao seu *dharma*. O importante é o espírito com o qual você executa o mesmo trabalho. Você pode ver o mundo através da lente do amor e do dever ou pode vê-lo através lente da necessidade e da força. O amor e o dever têm uma probabilidade maior de conduzir à felicidade.

> **EXPERIMENTE ISTO: FORMAS DE SERVIR**
> Durante uma semana, anote todos os lugares aos quais você for. Abra os olhos para as oportunidades de servir procurando uma em cada circunstância. Pode ser uma necessidade que você percebe, ou um projeto já existente do qual pode participar, ou ainda vincular uma angariação de fundos a uma atividade que você já faz, ou apenas um esforço para servir a um amigo. Ao final da semana, escolha as três oportunidades que mais o interessam e se envolva com uma delas.
>
> Eis alguns exemplos de lugares nos quais você pode procurar oportunidades:
>
> - Trabalho
> - Escola
> - Evento social com amigos
> - Comunidade na internet
> - Comunidade religiosa ou de outro tipo
> - Academia de ginástica
> - Pedidos de ajuda para uma causa que você já ajudou

TODO SOFRIMENTO PERTENCE A TODOS NÓS

Quando os monges e eu estávamos tendo que nos virar na aldeia, a maior de todas as lições para mim foi que sempre havia outro nível de servir. Essa lição adveio de olharmos para além de nossas próprias necessidades e ver, sentir e reagir às necessidades daqueles ao nosso redor.

Eu penso na compaixão como uma empatia ativa – não apenas a disposição para ver, sentir e aliviar o sofrimento alheio, mas também a disposição para assumir parte dele. Existe uma história zen sobre um rapaz desanimado e cansado do mundo. Sem planos, ele vai para um mosteiro, diz ao mestre que está torcendo para encontrar um caminho melhor, e reconhece que lhe falta paciência. "Será que eu consigo alcançar a iluminação sem tanta meditação e tanto jejum?", pergunta ele. "Acho que não consigo encarar isso. Existe outra maneira?"

"Pode ser", responde o mestre. "Mas você precisa ser capaz de se concentrar. Existe alguma competência que você tenha desenvolvido?"

O rapaz baixa os olhos. Ele não se inspirou com seus estudos nem com qualquer outro interesse específico. Por fim, ele dá de ombros: "Bem, eu não sou ruim no xadrez."

O mestre chama um dos monges anciãos e diz: "Gostaria que você e este rapaz jogassem uma partida de xadrez. Joguem com cuidado, porque eu vou cortar a cabeça de quem perder."

O rapaz começa a suar. É a sua vida que está em jogo! Ele no início joga mal, mas logo fica claro que as habilidades enxadrísticas do seu adversário são no máximo razoáveis. Se ele se concentrar, certamente vai vencer. Ele não demora a se concentrar profundamente e começa a derrotar o velho monge. O mestre começa a afiar sua espada.

O rapaz então olha para o outro lado da mesa e vê o rosto sábio e tranquilo do velho monge, que em sua obediência e seu desapego não teme a morte que certamente o aguarda. O rapaz, desiludido, pensa: eu não posso ser responsável pela morte desse homem. A vida dele vale mais do que a minha. O jogo do rapaz então muda, e ele começa a perder de propósito.

Sem nenhum aviso, o mestre vira o tabuleiro e espalha as peças. "Hoje não vai haver vencedor nem perdedor", afirma ele. A atitude tranquila do monge perdedor não muda, mas o rapaz, perplexo, experimenta uma grande sensação de alívio. O ancião lhe diz: "Você é capaz de se concentrar e está disposto a dar sua vida por outra pessoa. Isso é compaixão. Junte-se a nós e continue com essa atitude. Você está pronto para ser monge."

No mundo existem cerca de 152 milhões de trabalhadores infantis, e Kailash Satyarthi assumiu uma quantidade colossal de sofrimento em seu esforço para pôr fim ao trabalho infantil.[17] Em 2016, o ganhador do Prêmio Nobel da Paz lançou a campanha 100 Milhões, destinada a alistar 100 milhões de jovens para denunciar e agir contra o trabalho infantil. Durante sua atuação, ele já foi ameaçado e espancado várias vezes. Segundo ele: "O mundo é capaz de acabar com o trabalho infantil. Nós temos a tecnologia. Temos os recursos. Temos leis e tratados internacionais. Nós temos tudo. A única coisa que falta é a compaixão que precisamos sentir pelos outros. Minha luta é para globalizar a compaixão."

Como Satyarthi, nós somos motivados a servir quando pensamos no mundo inteiro como uma só família. Você não iria querer que seu filho virasse escravo ou que seus pais fossem obrigados a morar na rua. Por que iria querer essas dificuldades para os filhos ou pais de qualquer outra pessoa? Se você permanecer fechado no seu mundo sem jamais ver como os outros vivem, nunca vai conseguir focar no servir. Ao testemunhar a dor do outro, nós sentimos a humanidade que nos une e ficamos motivados a agir.

Para heróis como Satyarthi e para os monges – e idealmente para todos nós – não há nós e eles.

SIGA A DOR NO SEU CORAÇÃO

Um número infinito de pessoas e causas necessita da nossa ajuda agora. Nós precisamos que todos no mundo façam tudo. Os benefícios para eles e para nós são imediatos.

Embora nunca se deva evitar ajudar os outros ao ver sua necessidade, nós podemos e devemos desenvolver uma noção de como podemos servir melhor, e concentrar nossa atenção nisso. Escolha em que frente servir com base na sua compaixão. Segundo a estudiosa do budismo e ativista ambiental Joanna Macy: "Não é preciso fazer tudo. Faça o que seu coração mandar; a ação efetiva vem do amor. É impossível detê-la, e ela basta."[18]

Servir por meio do seu *dharma*, curar a dor com a qual você se conecta – essa abordagem está muito alinhada com a filosofia da *Bhagavad Gita*, que gosta de encontrá-lo onde você estiver e incentivá-lo a ter objetivos elevados. Quando eu era monge, preparava comida para crianças junto à organização Annamrita, limpava templos, levava comida para distribuir para desconhecidos e servia de outras formas que faziam sentido para mim na época. Hoje, numa outra plataforma, pude ajudar uma campanha do YouTube a arrecadar quase 150 mil dólares para a Kailash Satyarthi Children's Foundation of America. No Facebook, minha comunidade arrecadou mais de 60 mil dólares para a Pencils of Promise (75 dólares é o suficiente para bancar um ano de escola para uma criança). O significado e a gratidão que sinto têm sido constantes à medida que o meu caminho de doar evolui.

> **EXPERIMENTE ISTO: SIRVA À DOR QUE VOCÊ CONHECE MELHOR**
>
> Um dos caminhos para o servir é curando a dor que conhecemos melhor. Anote três momentos da sua vida em que você se sentiu perdido ou precisando de ajuda. Talvez você tenha passado por uma depressão e precisado de apoio. Talvez tenha desejado estudar e não pôde pagar. Talvez precisasse de orientação, mas não tivesse o professor certo. Para cada área de dor, escolha uma instituição de caridade. Uma subvenção para adolescentes. Um fundo educacional. Um programa de mentoria. Um político. Agora veja se alguma dessas opções apresenta oportunidades de servir que sejam adequadas ao seu *dharma*.

Eis a dica: servir é sempre a solução. Servir conserta um dia ruim. Servir alivia os fardos que carregamos. Servir ajuda os outros e ajuda a nós mesmos. Não esperamos nada em troca, mas o que recebemos é a alegria do servir. É uma troca de amor.

Quando você vive para servir, não tem tempo para reclamar e criticar.

Quando você vive para servir, seus medos desaparecem.

Quando você vive para servir, sente gratidão. Seus apegos materiais diminuem.

Servir é o caminho direto para uma vida com significado.

MEDITAÇÃO

MANTRAS

Já falamos sobre como nos conectar a quem está à nossa volta por meio da gratidão, dos relacionamentos e do servir. Ao mesmo tempo que fazemos isso tudo, é adequado incorporar a meditação com o som à nossa prática de modo a nos conectarmos com a energia do Universo.

O som nos transporta. Uma canção nos traz uma lembrança do ensino médio, nos leva a querer dançar, nos dá energia. As palavras em si têm poder – elas podem mudar o modo como vemos o mundo e como crescemos. Quando entoamos um cântico, nós mesmos estamos gerando essa energia. As meditações com som nos permitem nos conectarmos com a nossa alma e com o Universo por meio das palavras e do canto.

Textos espirituais muito antigos, entre eles a *Agni Purana* e a *Vayu Purana*, falam sobre por que e como entoar cânticos, sugerindo que a repetição sonora nos purifica.[1] O som é imersivo; é como se regularmente déssemos um banho de banheira na nossa alma. Você não pode pingar uma gota d'água no seu corpo e ficar limpo – é preciso entrar na água.

O valor do som foi reconhecido até nos tempos modernos.[2] Segundo o lendário inventor Nikola Tesla: "Se você quiser descobrir os segredos do Universo, pense em termos de energia, frequência e vibração." Tesla experimentou de forma extensa com máquinas que criavam campos de cura usando a vibração. Isso pode parecer um pouco esotérico, mas a ciência moderna na verdade está ressuscitando a pesquisa de Tesla sobre cura vibracional. As pesquisas modernas sobre o cérebro também estão começando a encontrar explicações científicas para o poder de cura de antigos rituais curativos, como o modo pelo qual a percussão repetitiva e o canto conseguem abrir canais para o subconsciente.

Os monges usam o poder do som repetindo afirmações ou mantras durante a meditação. Uma afirmação é uma palavra ou frase que você queira estabelecer como intenção. Praticamente qualquer coisa que o inspire pode funcionar.[3] Uma das minhas clientes diz que a sua preferida é: "No seu próprio ritmo, no seu próprio tempo." Uma amiga minha leu um livro chamado *Corajosa sim, perfeita não*, de Reshma Saujani, e usou o título como mantra durante algum tempo. Gosto também de "Isso também vai passar". Ou da expressão de algum poeta, como "Viva tudo" (de Rilke); uma citação esportiva, como "Este momento é seu" (de Herb Brooks, técnico olímpico de hóquei no gelo); uma letra de música, como "brush your shoulders off" (de Jay-Z, algo como "deixe isso para lá"), ou algo tirado de um filme, como "Woosah" (de Bad Boys II). Qualquer coisa que conecte você com o a energia ou ideia que deseja cultivar na sua vida pode funcionar. Recomendo acrescentar um mantra à sua prática de meditação da manhã e/ou da noite. É lindo acordar ou ir dormir escutando o som da própria voz entoando um cântico.

Enquanto as afirmações mudam a forma como você fala consigo mesmo, os mantras mudam o modo como você fala com o Universo. Num sentido profundo, mantra significa "transcender a mente", e um mantra é um som espiritual que expressa um pensamento e um significado capazes de evocar um poder maior do que nós mesmos. Os mantras podem ser entoados ou cantados em uníssono. Nós meditamos para escutar e obter clareza. Rezamos para compartilhar e nos conectarmos a um poder maior. Os cânticos são as duas coisas: um diálogo com o Universo.

O mais antigo, mais comum e mais sagrado dos mantras é o Om.[4] Nos textos védicos muitas matizes de significado são atribuídas a esse som: conhecimento infinito, a essência de tudo que existe, todo o Veda. Om também é chamado de *pranava*, cujo significado pode ser descrito como "o som com o qual se louva ao Senhor". Ao ser entoado, Om é formado por três sílabas: A-U-M. Na tradição védica isso é importante, porque cada som representa um estado diferente (vigília, sonho e sono profundo) ou período de tempo em si (passado, presente e futuro). Pode-se dizer que a palavra Om representa tudo.

Demonstrou-se que as vibrações do Om estimulam o nervo vago, que diminui as inflamações. A estimulação do nervo vago também é usada como tratamento para a depressão, e pesquisadores estão estudando se entoar o Om pode ter um efeito direto no humor das pessoas. (Já se demonstrou que ele acalma um dos centros emocionais do cérebro.)[5]

Quando um mantra é musicado, ele passa a se chamar *kirtan*, um tipo de cântico de pergunta e resposta que usávamos com frequência no *ashram*. Uma experiência semelhante são fãs cantando num estádio – sem a parte da bebida e dos palavrões. Mas a atmosfera que pode ser criada produz a mesma sensação de energia unificada.

Embora o som em si tenha valor, quando perdi a voz temporariamente por motivos de saúde recorri a um professor monge. Falei:

– Não consigo entoar mantras. Como posso meditar?

– Os cânticos nunca vieram da sua boca – disse ele. – Vieram sempre do coração.

O que ele quis dizer foi que, como em todos os atos, o importante era a intenção estar plena de devoção e de amor. O coração transcende as instruções e a perfeição.

EXPERIMENTE ISTO: VER ATRAVÉS DO SOM

Para os exercícios de som que descrevo abaixo, inicie sua prática com os seguintes passos:

1. Encontre uma posição confortável: sentado numa cadeira, numa almofada com a coluna alinhada ou deitado.
2. Feche os olhos.
3. Baixe o olhar.
4. Fique à vontade nessa posição.
5. Leve sua consciência para a calma, o equilíbrio, a suavidade, a quietude e a paz.
6. Toda vez que a sua mente se distrair, apenas traga-a de volta, com delicadeza e suavidade, para a calma, o equilíbrio, a suavidade, a quietude e a paz.
7. Entoe cada um destes mantras três vezes. Ao entoá-los, leve sua atenção a cada sílaba. Pronuncie-as de modo correto para poder ouvir com clareza a vibração. Sinta de fato o mantra, repita-o de modo genuíno e sincero, e visualize uma vida mais consciente, abençoada e voltada para o servir.

1. OM NAMO BHAGAVATE VASUDEVAYA

"Eu louvo a divindade que tudo permeia e que existe dentro de cada coração; que é a personificação da beleza, da inteligência, da força, da riqueza, da fama e do desapego."

Esse mantra vem sendo cantado há milênios por yogues e sábios. É purificador, confere poder e conecta quem o entoa à divindade em tudo. Ele pode ser recitado especialmente quando você estiver buscando entendimento e orientação.

2. OM TAT SAT[6]
"A verdade absoluta é eterna."

Esse mantra aparece na *Bhagavad Gita*. Ele representa a energia divina e evoca bênçãos poderosas. Todo trabalho é realizado como uma oferenda de amor e serviço. Esse mantra é recitado especialmente antes de iniciar um trabalho importante, para ajudar a aperfeiçoar e redefinir nossas intenções e criar equilíbrio e plenitude.

3. LOKAH SAMASTAH SUKHINO BHAVANTU
"Que todos os seres em todos os lugares sejam felizes e livres, e que os pensamentos, palavras e ações da minha própria vida contribuam de alguma forma para essa felicidade e para essa liberdade de todos."

Esse mantra, popularizado pelo jivamukti yoga, é um lindo lembrete para olhar além de nós mesmos e nos lembrar de nosso lugar no Universo.

Conclusão

Espero que este livro tenha lhe servido de inspiração, e talvez depois de lê-lo você comece a planejar um novo começo. Talvez esteja pensando em como mudar sua rotina, como ouvir sua mente de outra forma, como trazer mais gratidão para sua vida. Quando você acordar amanhã, no entanto, algo vai dar errado. Talvez você não escute o despertador. Alguma coisa vai quebrar. Uma reunião importante vai ser cancelada. O Universo não vai de repente lhe dar só sinais verdes no caminho até o trabalho. É um erro pensar que, quando lemos um livro, fazemos um curso e implementamos mudanças, vamos consertar tudo. Os fatores externos jamais serão perfeitos, e o objetivo não é a perfeição. A vida não vai correr como você quer. Você precisa seguir seu caminho e levar sua vida junto. Compreender isso vai ajudá-lo a estar preparado para o que der e vier.

Não existe nenhum plano universal para a paz e o propósito. O jeito de chegarmos lá é treinar nossa mente para focar na maneira de reagir, de responder, e nos comprometermos com o que queremos da vida, no nosso próprio ritmo, no nosso próprio tempo. Então, quando a vida der uma guinada brusca, nós voltamos para esse foco. Se você decidiu ser gentil e alguém o trata com grosseria, você sabe para o que quer voltar. Se acorda decidido a focar o seu *dharma* no trabalho, e aí seu chefe lhe dá uma tarefa que não está alinhada com os seus pontos fortes, cabe a você encontrar um jeito de conseguir usar seu *dharma*. Quando fracassar, não julgue o processo nem se julgue. Dê a si mesmo espaço para se recuperar e volte a um foco flexível naquilo que você quer. O mundo não está do seu lado nem contra você. É você quem cria sua própria realidade a cada instante.

Ao longo deste livro, nós encontramos paradoxos. Falamos sobre nos aproximar do medo para nos afastar dele, sobre encontrar o novo em nossa rotina, sobre ter autoconfiança e humildade, sobre ser egoísta para ser altruísta. Nós vivemos num mundo binário, mas a beleza do paradoxo é que duas ideias opostas podem coexistir. A vida não é um programa de computador – ela é uma dança.

Em *Karatê Kid*, o Sr. Miyagi diz: "Nunca confie num líder espiritual que não saiba dançar." Quando dançamos, não há regras. Devemos estar abertos para qualquer música que começar a tocar. Temos pontos fortes e fracos. Podemos cair, hesitar em relação ao passo seguinte ou ter um instante de entusiasmo excessivo, mas seguimos no fluxo, permitindo-nos ser confusos e lindos. Como um dançarino, a mente monge é flexível e controlada, sempre presente no agora.

O MÉTODO MONÁSTICO

Não consigo pensar em nenhuma ferramenta melhor para ajudá-lo a encontrar flexibilidade e controle do que a meditação. A meditação ajuda você a entender que passo dar na dança. Ao meditar, encontramos clareza sobre quem precisamos ser agora para sermos nossa melhor versão no momento presente. Nossa respiração se conecta com nossa mente, nossa alma se eleva num canto e, nesse lugar de energia e unidade, nós encontramos respostas.

Eu lhe apresentei três tipos diferentes de meditação, e agora vou lhe passar uma prática diária que inclui todos eles: respiração, visualização e cânticos. Eu pratico alguma forma dessa meditação todos os dias. Recomendo que você torne isso a primeira coisa que faz pela manhã depois de escovar os dentes e tomar banho, e a última que faz antes de ir dormir. Comece com 21 minutos uma vez por dia, e use um cronômetro para separar sete minutos para a respiração, sete para a visualização e sete para o mantra. Quando estiver pronto para algo mais extenso, faça a prática de 21 minutos duas vezes por dia, idealmente a primeira coisa pela manhã e a última à noite. Certifique-se de sempre começar pela respiração. Como um aquecimento antes de se exercitar, ela não deve ser pulada!

1. Encontre uma posição confortável: sentado numa cadeira, numa almofada com a coluna alinhada ou deitado.
2. Feche os olhos e baixe o olhar. Leve sua consciência para a calma, o equilíbrio, a suavidade, a quietude e a paz. É natural que a sua mente esteja ocupada por ruído e pensamentos desordenados. Toda vez que a sua mente se distrair, apenas traga-a de volta, com delicadeza e suavidade, para a calma, o equilíbrio, a suavidade, a quietude e a paz.
3. Fique confortável nessa posição. Leve os ombros para trás, alongue o pescoço e o corpo, e encontre um espaço físico de calma, equilíbrio, suavidade, quietude e paz.
4. Agora tome consciência do seu padrão natural de respiração. Inspire pelo nariz e expire pela boca.
5. Inspire fundo. Inspire contando 1 - 2 - 3 - 4. Expire contando 1 - 2 - 3 - 4.
6. Alinhe seu corpo e sua respiração fazendo com que a inspiração e a expiração tenham a mesma duração.
7. Faça isso pelo que sentir serem cinco minutos. No início você talvez queira pôr um cronômetro com um alarme agradável para saber que os cinco minutos acabaram.
8. Pergunte a si mesmo: "Por que me sinto grato hoje?" Inspire gratidão e expire energia negativa e tóxica.

9. Agora visualize uma lembrança repleta de alegria, felicidade e gratidão. Pense em cinco coisas que você pode ver, quatro que pode tocar, três que pode escutar, duas cujo cheiro pode sentir e uma que pode saborear. Absorva o amor, a alegria e a felicidade. Pegue o amor desse momento e visualize-o fluindo por todo o seu corpo. Dos pés para as pernas, quadris, barriga, peito, braços, costas, pescoço e cabeça. Leve amor, alegria e gratidão para cada parte do corpo. Faça isso durante cinco minutos.
10. Pergunte a si mesmo: "Qual é minha intenção para hoje?" Ser gentil, autoconfiante, focado? Estabeleça essa intenção agora.
11. Repita as seguintes frases, três vezes cada uma: "Eu sou feliz em relação a quem estou me tornando. Estou aberto às oportunidades e possibilidades. Sou digno de amor verdadeiro. Estou pronto para servir com tudo que tenho."
12. Para concluir sua prática, repita este mantra três vezes: Lokah Samastah Sukhino Bhavantu. (Ver página 333.)

COMO SABER SE ESTÁ FUNCIONANDO

Um monge noviço vai falar com sua professora e diz: "Eu sou horrível para meditar. Meus pés ficam dormentes e eu me distraio com os barulhos externos. Quando não me sinto desconfortável, é porque mal consigo ficar acordado."

"Vai passar", responde a professora apenas, e pela sua expressão o noviço entende que a conversa terminou.

Um mês se passa, e o noviço chama sua professora de lado com um sorriso orgulhoso. "Eu acho que consegui! Estou muito sereno... nunca estive mais focado nem mais centrado. Minha meditação é linda."

"Vai passar", responde a professora.

Uma prática de meditação não tem medida de sucesso, objetivo ou fim. Não busque resultados. Você só sente falta de alguém quando não o vê. Quando come todos os dias, não pensa muito em nutrição e energia, mas, se passa um dia sem comer, rapidamente percebe o poder da comida. O mesmo vale para a meditação: é preciso desenvolver uma prática antes de saber o que você está perdendo.

O segundo efeito que você vai notar é uma consciência maior do que está acontecendo na sua mente. Se você meditar e sentir cansaço, vai entender que a meditação está lhe dizendo para dormir mais. A meditação é um sinal ou um espelho. Se você medita e não consegue se concentrar, vai ver que está vivendo uma vida distraída e precisa de ordem, equilíbrio e simplicidade. Se não consegue passar quinze minutos sentado com seus pensamentos, isso é uma indicação clara de que há trabalho a ser feito.

O terceiro e mais importante benefício da meditação é que, embora você não vá sair dela todas as vezes se sentindo calmo e perfeito, aos poucos vai adquirir um domínio de si a longo prazo. Quando você toma um suco verde, o gosto nem sempre é ótimo. Um bom copo de suco de laranja tem aspecto e sabor melhores. A longo prazo, porém, o suco verde menos delicioso lhe trará mais benefícios. Quando você se tornar experiente em meditar, vai sentir uma mudança na sua disposição geral. Sua intuição ficará mais aguçada. Você conseguirá observar sua vida de modo mais objetivo, sem ser autocentrado. Sua percepção expandida lhe dará uma sensação de paz e de propósito.

AGORA E SEMPRE

A vida começa com a respiração, a respiração acompanha você ao longo de todos os seus dias, e a vida e a respiração terminam juntas. Os monges tentam estar presentes no agora, mas nós estamos sempre conscientes do agora e do sempre. Medimos nossa vida não pelo tamanho do impacto que temos, grande ou pequeno, mas sim pela forma como fazemos as pessoas se sentirem. Usamos nosso tempo para estabelecer como vamos seguir vivendo após a morte, por meio do amor e do cuidado que damos, por meio do apoio, da comunicação, da criação – do impacto que temos na humanidade.

Como seremos lembrados? O que deixaremos de nós?

Em última instância, a morte pode ser vista como o maior ponto de reflexão – ao imaginar o último instante, você pode refletir sobre tudo que conduz a ele.

Alguns dos arrependimentos mais comuns que as pessoas expressam quando estão perto de morrer são:[1]

> Queria ter expressado meu amor para as pessoas de quem gosto.
> Queria não ter trabalhado tanto.
> Queria ter aproveitado a vida com mais prazer.
> Queria ter feito mais pelos outros.

Repare que a maioria desses arrependimentos se refere a algo que a pessoa não fez. Os monges acreditam que devemos nos preparar para a morte. Não queremos chegar ao fim de nossos dias sabendo que não vivemos uma vida com propósito, baseada no servir, uma vida de significado.

Pense nos tópicos que abordamos neste livro. Na morte, você deve estar inteiramente purificado, livre do que acha que deveria fazer, livre de comparação e crítica, tendo enfrentado a raiz do seu medo, livre de desejos materiais, vivendo no seu *dharma*, tendo usado bem o seu tempo, não tendo cedido às demandas da mente, livre do ego, tendo dado mais do que recebeu, mas depois tendo distribuído tudo que recebeu, livre de achar que tem direito a alguma coisa, livre de expectativas e falsos vínculos. Imagine quão gratificante será rememorar uma vida na qual você foi professor ao mesmo tempo que permaneceu aluno.

Refletir sobre a consciência de que um dia vamos morrer nos estimula a valorizar o tempo que temos e a gastar nossa energia de modo sensato. A vida é curta demais para viver sem propósito, para perder nossa chance de servir, para deixar nossos sonhos e aspirações morrerem conosco. Acima de tudo, eu lhe peço que deixe pessoas e lugares melhores e mais felizes do que os encontrou.

Trabalhar a nós mesmos é uma prática sem fim. Tenha paciência. Uma aluna foi falar com seu professor e disse:

– Estou comprometida com meu *dharma*. Quanto tempo vou levar para alcançar a iluminação?

Sem pestanejar, o professor respondeu:

– Dez anos.

– E se eu me esforçar muito? Eu vou praticar dez horas por dia ou mais, se for preciso. Nesse caso, quanto tempo vai levar? – insistiu a aluna, impaciente.

Dessa vez o professor pensou um pouco antes de responder:

– Vinte anos.

A simples ideia de que a aluna estava querendo apressar seu trabalho era uma prova de que ela precisava estudar por mais dez anos.

Como já mencionei, a palavra em sânscrito que significa monge, *brahmacharya*, quer dizer "aluno", mas também "o uso correto da energia". O fato de você ter o mindset de um monge não significa que já tenha entendido tudo. Pelo contrário: o mindset de um monge reconhece que o uso correto da energia é permanecer sempre um aluno. Você nunca pode parar de aprender. Você não corta os cabelos ou a grama uma vez só. É preciso continuar cortando. Da mesma forma, manter o mindset de um monge exige autoconsciência, disciplina, diligência, foco e prática constantes. É um trabalho duro, mas as ferramentas já estão na sua cabeça, no seu coração e nas suas mãos.

Você tem tudo de que precisa para pensar como um monge.

EXPERIMENTE ISTO: DUAS MEDITAÇÕES SOBRE A MORTE

Imaginar a própria morte é algo capaz de lhe proporcionar uma visão mais ampla da vida. Experimente uma meditação sobre a morte sempre que estiver questionando se deve fazer ou não alguma coisa – uma mudança importante, uma viagem, aprender uma nova habilidade. Recomendo sempre fazer uma meditação sobre a morte no ano-novo, para inspirar novos caminhos no ano que está por vir.

1. Visualizar o inevitável lhe ensinará todas as lições de que você precisa para viver uma vida plena. Imagine-se aos 80 ou 90 anos, o tempo que você espera viver, e imagine-se à beira da morte. Faça ao seu eu futuro estas perguntas:

- O que eu gostaria de ter feito?
- Que experiências gostaria de ter tido?
- A quem gostaria de ter dado mais atenção?
- Que competências gostaria de ter trabalhado?
- De que gostaria de ter me desapegado?

Use as respostas para se motivar – em vez de ter arrependimentos no seu leito de morte transforme esses desejos em atitudes hoje.

2. Imagine como você gostaria de ser lembrado no seu velório. Não foque o que as pessoas pensavam sobre você, quem o amou ou quão tristes elas vão estar por perder você. Pense, isto, sim, no impacto que você teria. Então imagine como seria lembrado caso morresse hoje. Qual é a diferença entre essas duas imagens? Isso também deveria lhe servir de estímulo para construir o seu legado.

Para encontrar nosso caminho no Universo, precisamos começar fazendo perguntas de forma genuína. Você pode viajar para um lugar novo ou ir para algum lugar onde ninguém o conhece. Desligue seu piloto automático para ver a si mesmo e o mundo à sua volta com novos olhos. Note, pare, mude. Treine sua mente para observar as forças que influenciam você, desapegue-se da ilusão e das falsas crenças e busque continuamente aquilo que lhe serve de motivação e que lhe parece ter significado.

O que um monge faria neste momento?

Quando você estiver tomando uma decisão, quando estiver no meio de um bate-boca, quando estiver planejando seu fim de semana, quando estiver com medo, chateado, com raiva ou perdido, faça essa pergunta. Você vai encontrar a resposta 99% das vezes.

E depois de algum tempo, quando tiver descoberto seu verdadeiro eu, você nem sequer vai precisar perguntar a si mesmo o que um monge faria. Poderá simplesmente perguntar: "O que eu vou fazer?"

Apêndice

O Teste de Personalidade Védica

Responda a estas perguntas como quem você acredita ser no seu âmago, não com base naquilo que os amigos, a família ou a sociedade o fizeram escolher.

1. A qual das seguintes opções você parece dar *mais* valor?
a. Valores e sabedoria
b. Integridade e perfeição
c. Muito trabalho, muita diversão
d. Estabilidade e equilíbrio

2. Que *papel* você desempenha no seu círculo de amizades/familiar?
a. Sinto-me à vontade ao lidar com conflitos e ajudar os outros a chegarem a um meio-termo. Meu papel é o de mediador.
b. Certifico-me de que tudo e todos estão sendo bem-cuidados. Meu papel é o de protetor.
c. Eu ajudo minha família a entender a ética e a dinâmica do trabalho e o valor de se ter recursos. Meu papel é o de apoio material.
d. Meu foco é cuidar para ter uma família saudável e satisfeita. Meu papel é o de apoio emocional.

3. O que é mais importante para você num parceiro?
a. Honestidade e inteligência
b. Presença forte e poder
c. Bom humor e dinamismo
d. Confiabilidade e respeito

4. A que você assiste com mais frequência na TV?
a. Documentários, biografias, aspectos humanos
b. Entretenimento, política, atualidades
c. Comédias, esportes, dramas, histórias motivacionais
d. Novelas, reality shows, programas para a família, programas de fofoca, programas matinais

5. O que descreve melhor seu comportamento em situações de estresse?
a. Calmo, ponderado, equilibrado
b. Irritado, frustrado, zangado
c. Temperamental, barulhento, nervoso
d. Preguiçoso, deprimido, preocupado

6. O que lhe causa mais sofrimento?
a. Sentir que não estou à altura das minhas expectativas
b. A situação mundial
c. Sentir que fui rejeitado
d. Sentir-me desconectado de amigos e familiares

7. Qual o seu modo preferido de trabalhar?
a. Sozinho, mas com mentores e orientadores
b. Em equipe, como líder
c. De forma independente, mas com uma rede sólida
d. Em equipe, como integrante

8. Como seu eu *ideal* passaria o tempo livre?
   a. Lendo, tendo conversas profundas e refletindo
   b. Aprendendo sobre questões e/ou participando de eventos políticos
   c. Não existe tempo livre! Fazendo networking, conectando-me, trabalhando
   d. Curtindo a família e os amigos

9. Como você se descreveria em três palavras?
   a. Idealista, introvertido, sensível
   b. Decidido, dedicado, determinado
   c. Apaixonado, motivado, simpático
   d. Carinhoso, amoroso, leal

10. Em que tipo de ambiente você trabalha melhor?
    a. Afastado, silencioso e tranquilo, natural
    b. Numa sala de reuniões ou num espaço de encontros
    c. Em qualquer lugar (nos transportes públicos, num café, no meu quarto)
    d. Num espaço específico para o meu tipo de trabalho: em casa, num escritório, num laboratório

11. Qual o seu estilo de trabalho?
    a. Lento e reflexivo
    b. Focado e organizado
    c. Rápido e apressado
    d. Específico e deliberado

12. Como você gostaria de fazer diferença no mundo?
    a. Espalhando conhecimento
    b. Pela política e pelo ativismo
    c. Pelos negócios e/ou liderança
    d. Pela comunidade local

13. Como você se prepara para tirar férias?
   a. Escolhendo os livros que vou levar
   b. Fazendo um plano focado de lugares importantes para visitar
   c. Com uma lista dos melhores bares, boates e restaurantes
   d. Com uma atitude descontraída

14. Como você lida com conversas difíceis?
   a. Busco um meio-termo
   b. Luto pela verdade mais objetiva
   c. Luto para provar que tenho razão
   d. Evito o confronto

15. Se alguém na sua vida está tendo uma semana ruim, o que você faz?
   a. Aconselho e oriento
   b. Adoto uma postura protetora e incentivo a pessoa a melhorar
   c. Incentivo a pessoa a tomar um drinque ou dar uma caminhada comigo
   d. Fico com a pessoa e lhe faço companhia

16. Como você vê a rejeição?
   a. Faz parte da vida
   b. É um desafio que sou capaz de enfrentar
   c. É frustrante, mas vou seguir em frente
   d. É um verdadeiro revés

17. Num evento ou numa festa, como você se comporta?
   a. Tenho uma conversa significativa com uma ou duas pessoas
   b. Em geral converso com um grupo de pessoas
   c. De alguma forma acabo me tornando o centro das atenções
   d. Ajudo com o que precisa ser feito

18. Como você se sente ao cometer um erro?
   a. Sinto culpa e vergonha
   b. Preciso contar para todo mundo
   c. Quero esconder
   d. Recorro a alguém que me apoie

19. O que você faz quando precisa tomar uma decisão importante?
   a. Reflito sozinho
   b. Consulto meus mentores e orientadores
   c. Peso os prós e os contras
   d. Converso com meus parentes e amigos

20. Qual a melhor descrição para sua rotina diária?
   a. Ela muda a cada instante
   b. É muito focada e organizada
   c. Eu sigo a melhor oportunidade que aparece
   d. É simples e regrada

RESULTADO

Agora some suas respostas. A letra que você escolheu mais vezes provavelmente reflete o seu *varna*.

   a. Guia
   b. Líder
   c. Criador
   d. Fazedor

Agradecimentos

Sinto imensa humildade e gratidão por poder compartilhar com você estes conhecimentos atemporais e transformadores, mas não teria conseguido fazer isso sozinho. A *Bhagavad Gita* foi compilada, preservada, compartilhada e ressuscitada por esforços de equipe, e com este livro não foi diferente. Gostaria de agradecer a Dan Schwabel por ter me apresentado a meu incrível agente James Levine mais de três anos atrás. Jim é de fato um ser humano maravilhoso, e acredita profundamente em todos os projetos nos quais trabalha. Sua orientação, sua estratégia e sua amizade fizeram deste livro uma jornada repleta de alegria. Obrigado a Trudy Green por sua bondade ilimitada, por suas noites insones e pela eterna dedicação a esta causa. A Eamon Dolan, por sua mente que já é monge e sua busca incansável pela perfeição. A Jon Karp, por acreditar em mim e estar presente ao longo do processo. A Hilary Liftin, pelas conversas colaborativas e discussões dinâmicas. A Kelly Madrone, por seu entusiasmo indelével e sua atitude positiva. A Rula Zaabri, por se certificar de que eu nunca perdesse um prazo. A Ben Kalin, por seu compromisso incansável com a checagem dos fatos. Obrigado a Christie Young por dar vida a estes conceitos atemporais por meio de lindas ilustrações. Ao Oxford

Center for Hindu Studies, em especial a Shaunaka Rishi Das, por sua ajuda na verificação de nossas fontes e dos créditos. Obrigado a Laurie Santos por sua gentileza ao me apresentar pesquisas sobre monges de alguns dos maiores cientistas do mundo. A toda a equipe da Simon & Schuster, que não deixou brecha nenhuma ao dar vida à minha visão. A Oliver Malcolm e sua equipe na HarperCollins UK, por seu entusiasmo, sua dedicação e seu trabalho árduo desde o início.

Obrigado a Thomas Power, que me incentivou a reconhecer meu potencial quando eu não acreditava em mim mesmo. A Ellyn Shook, por acreditar na minha paixão e apresentar meu trabalho a Arianna Huffington. A Danny Shea e Dan Katz, que me ajudaram a deslanchar minha carreira no HuffPost. A Karah Preiss, a primeira pessoa com quem falei sobre a ideia deste livro, em 2016, e que se tornou minha parceira de idealização e maior apoiadora nos Estados Unidos. A Savannah, Hoda, Craig, Al e Carson, por terem me concedido sua atenção coletiva no programa *Today*. A Ellen, por ter acreditado em mim e me oferecido sua plataforma para alcançar sua audiência. A Jada Pinkett Smith, Willow Smith e Adrienne Banfield-Norris, por terem me levado ao Red Table.

Meus últimos anos foram realmente incríveis, mas tudo que você viu na internet só foi possível graças às pessoas que investiram em mim no mundo off-line. Obrigada à Sua Santidade Radhanath Swami, por sempre me fazer lembrar o verdadeiro significado da vida. A Gauranga Das, que viu tudo e esteve ao meu lado desde o Primeiro Dia. A meu mentor Srutidharma Das, que sempre, em qualquer circunstância, demonstra todas as qualidades deste livro no mais alto grau. A Sutapa Das, que sempre me deu força para escrever quando eu lhe dizia que só queria falar. Aos guias que anseio por conhecer e agradecer: Sua Santidade o Dalai Lama e Thich Nhat Hanh. A todos que me permitiram ser o seu mentor: nesse processo, vocês me ensinaram muito mais do que eu algum dia poderia ter imaginado.

Este livro não teria existido sem os Vedas, a *Bhagavad Gita* e os mestres que os divulgam de modo incansável pelo mundo. Obrigado a Srila Prabhupada e Eknath Easwaran, criadores das *Gitas* mais distribuídas hoje em dia. A todos os meus professores no *ashram* e pelo mundo, muitos dos quais não fazem ideia de quanto me deram.

À minha mãe, que é a personificação do servir com altruísmo. A meu pai, que me deixou me tornar quem eu queria ser. À minha irmã, por ter sempre apoiado minhas decisões malucas e me amado independentemente de qualquer coisa.

E, claro, a cada um de vocês que leu este livro. Vocês já estavam pensando como monges, e agora sabem disso.

Nota do autor

Neste livro, usei conhecimentos de muitas religiões, culturas, líderes inspiradores e cientistas. Em todos os casos, esforcei-me ao máximo para citar as fontes originais, e esses esforços estão refletidos aqui. Em alguns casos, encontrei citações ou ideias maravilhosas que descobri serem atribuídas a várias fontes diferentes, atribuídas amplamente a fontes inespecíficas ou a textos antigos nos quais não pude localizar o verso original. Nesses casos, com a ajuda de um pesquisador, tentei dar aos leitores o máximo de informações úteis que consegui obter sobre a fonte do material.

Notas

INTRODUÇÃO

1. Paráfrase de Nelson Henderson em Wes Henderson, *Under Whose Shade: A Story of a Pioneer in the Swan River Valley of Manitoba* (Ontário, Canadá: W. Henderson & Associates, 1986).
2. Daniel Goleman e Richard J. Davidson, *A ciência da meditação: Como transformar o cérebro, a mente e o corpo* (Rio de Janeiro: Objetiva, 2017); Antoine Lutz, Lawrence L. Greischar, Nancy B. Rawlings, Matthieu Ricard e Richard J. Davidson, "Long-Term Meditators Self-Induce High-Amplitude Gamma Synchronicity During Mental Practice", *Proceedings of the National Academy of Sciences* 101, nº 46 (16 de novembro de 2004): 16369-16373, https://doi.org/10.1073/pnas.0407401101.
3. Goleman e Davidson, *A ciência da meditação: Como transformar o cérebro, a mente e o corpo* (Rio de Janeiro: Objetiva, 2017).
4. Frankie Taggart, "This Buddhist Monk Is the World's Happiest Man", *Business Insider*, 5 de novembro de 2012, https://www.businessinsider.com/how-scientists-figured-out-who-the-worlds-happiest-man-is-2012-11; Daniel Goleman e Richard J. Davidson, *A ciência da meditação: Como transformar o cérebro, a mente e o corpo* (Rio de Janeiro: Objetiva, 2017); Antoine Lutz, Lawrence L. Greischar, Nancy B. Rawlings, Matthieu Ricard e Richard J. Davidson, "Long-Term Meditators Self-Induce High-Amplitude Gamma Synchronicity During Mental Practice", *Proceedings of the National Academy of Sciences* 101, nº 46 (16 de novembro de 2004): 16369–16373, https://doi.org/10.1073/pnas.0407401101.
5. Taggart, "This Buddhist Monk", e Lutz et. al., "Long-Term Meditators".
6. Fabio Ferrarelli, Richard Smith, Daniela Dentico, Brady A. Riedner, Corinna Zennig, Ruth M. Benca, Antoine Lutz, Richard J. Davidson e Giulio Tononi, "Experienced Mindfulness Meditators Exhibit Higher Parietal-Occipital EEG Gamma Activity

During NREM Sleep", *PLoS One* 8, nº 8 (28 de agosto de 2013): e73417, https://doi.org/10.1371/journal.pone.0073417.
7   David Steindl-Rast, *i am through you so i: Reflections at Age 90* (Nova York: Paulist Press, 2017), 87.
8   E informações gerais sobre a época dos Vedas: *Bhagavad Gita*, introdução e tradução de Eknath Easwaran (Tomales, CA: Nilgiri Press, 2007), 13-18. Tradução livre. Edição brasileira: *Bhagavad Gita* (São Paulo: Mantra, 2018).
9   Ralph Waldo Emerson, *The Bhagavad Gita: Krishna's Counsel in Time of War*, tradução, introdução e posfácio de Barbara Stoler Miller (Nova York: Bantam Dell, 1986), 147.

1: IDENTIDADE

1   Charles Horton Cooley, *Human Nature and the Social Order* (Nova York: Charles Scribner's Sons, 1902), 152.
2   Filmografia de Daniel Day-Lewis, IMDb, acesso em 8 de novembro de 2019, https://www.imdb.com/name/nm0000358/?ref_=fn_a_nm_1.
3   Chris Sullivan, "How Daniel Day-Lewis's Notorious Role Preparation Has Yielded Another Oscar Contender", *The Independent*, 1º de fevereiro de 2008, https://www.independent.co.uk/arts-entertainment/films/features/how-daniel-day-lewis-notoriously-rigorous-role-preparation-has-yielded-another-oscar-contender-776563.html.
4   *Śrī Caitanya-caritāmṛta*, Antya, 20.21.
5   "Social and Institutional Purposes: Conquest of the Spiritual Forces of Evil", *Encyclopaedia Britannica*, acesso em 8 de novembro de 2019, https://www.britannica.com/topic/monasticism/Social-and-institutional-purposes.
6   Timothy D. Wilson, David A. Reinhard, Erin C. Westgate, Daniel T. Gilbert, Nicole Ellerbeck, Cheryl Hahn, Casey L. Brown e Adi Shaked, "Just Think: The Challenges of the Disengaged Mind", *Science* 345, nº 6192 (4 de julho de 2014): 75–77, doi: 10.1126/science.1250830.
7   Gemma Curtis, "Your Life in Numbers", Creative Commons, acesso em 15 de novembro de 2019, https://www.dreams.co.uk/sleep-matters-club/your-life-in-numbers-infographic/.
8   Ibid.
9   Versos 16.1–5 da *Bhagavad Gita*, introdução e tradução de Eknath Easwaran (Tomales, CA: Nilgiri Press, 2007), 238–239. Tradução livre. Edição brasileira: *Bhagavad Gita* (São Paulo: Mantra, 2018).
10 James H. Fowler e Nicholas A. Christakis, "Dynamic Spread of Happiness in a Large Social Network: Longitudinal Analysis over 20 Years in the Framingham Heart Study", *BMJ* 337, nº a2338 (5 de dezembro de 2008), doi: https://doi.org/10.1136/bmj.a2338.

2: NEGATIVIDADE

1   Verso 4.50 do *Dhammapada*, introdução e tradução de Eknath Easwaran (Tomales, CA: Nilgiri Press, 2007), 118.

2   Emily M. Zitek, Alexander H. Jordan, Benoît Monin e Frederick R. Leach, "Victim Entitlement to Behave Selfishly", *Journal of Personality and Social Psychology* 98, nº 2 (2010): 245-255, doi: 10.1037/a0017168.
3   Eliot Aronson e Joshua Aronson, *O animal social* (São Paulo: Ibrasa, 2009).
4   Zhenyu Wei, Zhiying Zhao e Yong Zheng, "Neural Mechanisms Underlying Social Conformity", *Frontiers in Human Neuroscience* 7 (2013): 896, doi: 10.3389/fnhum.2013.00896.
5   Brad J. Bushman, "Does Venting Anger Feed or Extinguish the Flame? Catharsis, Rumination, Distraction, Anger, and Aggressive Responding", *Personality and Social Psychology Bulletin* (1º de junho de 2002), doi: 10.1177/0146167202289002.
6   Robert M. Sapolsky, "Why Stress Is Bad for Your Brain", *Science* 273, nº 5276 (9 de agosto de 1996): 749-750, doi: 10.1126/science.273.5276.749.
7   Tradução livre. Para edição brasileira, ver: Thomas Keating, *Convite ao amor: O caminho da contemplação cristã* (São Paulo: Loyola, 1969).
8   Tradução livre. Para edição brasileira, ver: Thich Nhat Hanh, *A essência dos ensinamentos de Buda* (Petrópolis: Vozes, 2020).
9   Arthur Jeon, *Calma no caos: Os ensinamentos budistas para viver melhor* (Rio de Janeiro: Ediouro, 2009).
10 Hannah Ward e Jennifer Wild, orgs., *The Monastic Way: Ancient Wisdom for Contemporary Living: A Book of Daily Readings* (Grand Rapids, MI: Wm. B. Eerdmans, 2007), 183.
11 *O Mahabharata* (São Paulo: Cultrix, 2014).
12 Thanissaro Bhikku, tradução livre, "*Vaca Sutta:* A Statement", AccesstoInsight.org, acesso em 11 de novembro de 2019, https://www.accesstoinsight.org/tipitaka/an/an05/an05.198.than.html; para versão em português, acesse: www.acessoaoinsight.net/sutta/ANV.198.php.
13 Bridget Murray, "Writing to Heal: By Helping People Manage and Learn from Negative Experiences, Writing Strengthens Their Immune Systems as Well as Their Minds", *Monitor on Psychology* 33, nº 6 (junho de 2002): 54.
14 Susan David, "3 Ways to Better Understand Your Emotions", *Harvard Business Review*, 10 de novembro de 2016, https://hbr.org/2016/11/3-ways-to-better-understand-your-emotions.
15 Radhanath Swami, entrevista a Jay Shetty, *#FollowTheReader with Jay Shetty*, *HuffPost*, 7 de novembro de 2016, https://www.youtube.com/watch?v=JW1Am81L0wc.
16 Versos 14.5-9 da *Bhagavad Gita*, introdução e tradução de Eknath Easwaran (Tomales, CA: Nilgiri Press, 2007), 224-225. Tradução livre. Para edição brasileira, ver: *Bhagavad Gita* (São Paulo: Mantra, 2018).
17 Loren L. Toussaint, Amy D. Owen e Alyssa Cheadle, "Forgive to Live: Forgiveness, Health, and Longevity", *Journal of Behavioral Medicine* 35, nº 4 (agosto de 2012): 375-386, doi: 10.1007/s10865-011-9632-4.
18 Kathleen A. Lawler, Jarred W. Younger, Rachel L. Piferi, Rebecca L. Jobe, Kimberly A. Edmondson e Warren H. Jones, "The Unique Effects of Forgiveness on Health: An Exploration of Pathways", *Journal of Behavioral Medicine* 28, nº 2 (abril de 2005): 157-167, doi: 10.1007/s10865-005-3665-2.

19 Peggy A. Hannon, Eli J. Finkel, Madoka Kumashiro e Caryl E. Rusbult, "The Soothing Effects of Forgiveness on Victims' and Perpetrators' Blood Pressure", *Personal Relationships* 19, nº 2 (junho de 2012): 279–289, doi: 10.1111/j.1475-6811.2011.01356.x.
20 Pema Chödrön, "Why I Became a Buddhist", *Sounds True*, 14 de fevereiro de 2008, https://www.youtube.com/watch?v=A4slnjvGjP4&t=117s; Pema Chödrön, "How to Let Go and Accept Change", entrevista a Oprah Winfrey, *Super Soul Sunday*, Oprah Winfrey Network, 15 de outubro de 2014, https://www.youtube.com /watch?v=SgJ1xfhJneA.
21 Anne-Marie O'Neill, "Ellen DeGeneres: 'Making People Feel Good Is All I Ever Wanted to Do'", *Parade*, 27 de outubro de 2011, https://parade.com/133518/annemarieoneill/ellen-de generes-2/.

3: MEDO

1 "Tom Hanks Addresses the Yale Class of 2011", Universidade Yale, 22 de maio de 2011, https://www.youtube.com/watch?v=baIinqoExQ.
2 Tradução livre. Para edição brasileira, ver: Gavin de Becker, *Virtudes do medo* (Rio de Janeiro: Rocco, 1999).
3 Tara Brach, "Nourishing Heartwood: Two Pathways to Cultivating Intimacy", *Psychology Today*, 6 de agosto de 2018, https://www.psychology today.com/us/blog/finding--true-refuge/201808/nourishing-heartwood.
4 *Free Solo*, direção de Jimmy Chin e Elizabeth Chai Vasarhelyi, Little Monster Films e Itinerant Films, 2018.
5 Śāntideva, *A Guide to the Bodhisattva Way of Life*, tradução de Vesna A. Wallace e B. Alan Wallace (Nova York: Snow Lion, 1997).
6 Christopher Bergland, "Diaphragmatic Breathing Exercises and Your Vagus Nerve", *Psychology Today*, 16 de maio de 2017, https://www.psychologytoday.com/us/blog/the--athletes-way/201705/diaphragmatic-breathing-exercises-and-your-vagus-nerve.
7 Tradução livre. Para edição brasileira, ver: Chuck Palahniuk, *Monstros invisíveis* (Rio de Janeiro: Rocco, 2009).
8 "Basic Information About Landfill Gas", Landfill Methane Outreach Program, acesso em 12 de novembro de 2019, https:// www.epa.gov/lmop/basic-information-about--landfill-gas.

4: INTENÇÃO

1 Algumas fontes atribuem essa frase a comentários sobre o *Rig Veda*.
2 Bhaktivinoda Thakura, "The Nectarean Instructions of Lord Caitanya", *Hari kírtan*, 12 de junho de 2010, https://kirtan.estranky.cz/clanky/philosophy---english/sri-sri-caitanya--siksamrta--the-nectarean-instructions-of-the-lord-caitanya.html.
3 Tara Brach, "Absolute Cooperation with the Inevitable: Aligning with what is here is a way of practicing presence. It allows us to respond to our world with creativity and compassion", *HuffPost*, 4 de novembro de 2013, https://www.huffpost.com/entry/happiness-tips_b_4213151.

4   Kabir, "'Of the Musk Deer': 15th Century Hindi Poems", Zócalo Poets, acesso em 11 de novembro de 2019, https://zocalopoets.com/2012/04/11/kabir-of-the-musk-deer--15th-century-hindi-poems/.
5   Daniel Kahneman e Angus Deaton, "High Income Improves Evaluation of Life But Not Emotional Well-Being", *PNAS* 107, nº 38 (21 de setembro de 2010): 16489–16493, doi:10.1073 /pnas.1011492107.
6   Jean M. Twenge, "The Evidence for Generation Me and Against Generation We", *Emerging Adulthood* 1, nº 1 (2 de março de 2013): 11–16, doi: 10.1177/2167696812466548/.
7   Brigid Schulte, "Why the U.S. Rating on the World Happiness Report Is Lower Than It Should Be – And How to Change It", *Washington Post*, 11 de maio de 2015, https://www.washingtonpost.com/news/inspired-life/wp/2015/05/11/why-many-americans--are-unhappy-even-when-incomes-are-rising-and-how-we-can-change-that/.
8   Algumas fontes atribuem essa frase a comentários sobre o *Atharva Veda*.
9   Kelly McGonigal, *O lado bom do estresse* (Rio de Janeiro: Réptil Editora, 2012).
10 John M. Darley e C. Daniel Batson, "From Jerusalem to Jericho: A Study of Situational and Dispositional Variables in Helping Behavior", *Journal of Personality and Social Psychology* 27, nº 1 (1973): 100-108, doi: 10.1037/h0034449.
11 Laurence Freeman, *Aspects of Love: On Retreat with Laurence Freeman* (Cingapura: Medio Media/Arthur James, 1997).
12 Benedicta Ward, org., *The Desert Fathers: Sayings of the Early Christian Monks* (Nova York: Penguin Classics, 2003).

MEDITAÇÃO: RESPIRAÇÃO

1   Verso 3.34 do *Dhammapada*, introdução e tradução de Eknath Easwaran (Tomales, CA: Nilgiri Press, 2007), 115.
2   *Rig Veda*, 1.66.1, e para a discussão ver abade George Burke, "The Hindu Tradition of Breath Meditation", BreathMeditation.org, acesso em 8 de novembro de 2019, https://breath meditation.org/the-hindu-tradition-of-breath-meditation.
3   Thanissaro Bhikku, tradução, "Anapanasati Sutta: Mindfulness of Breathing", AccesstoInsight.org, acesso em 8 de novembro de 2019, https://www.accesstoinsight.org/tipitaka/mn/mn.118.than.html; para versão em português, ver https://www.acessoaoinsight.net/sutta/MN118.php.
4   Tarun Saxena e Manjari Saxena, "The Effect of Various Breathing Exercises (Pranayama) in Patients with Bronchial Asthma of Mild to Moderate Severity", *International Journal of Yoga* 2, nº 1 (janeiro-junho de 2009): 22–25, doi: 10.4103/0973-6131.53838; Roopa B. Ankad, Anita Herur, Shailaja Patil, G. V. Shashikala e Surekharani Chinagudi, "Effect of Short-Term Pranayama and Meditation on Cardiovascular Functions in Healthy Individuals", *Heart Views* 12, nº 2 (abril-junho de 2011): 58–62, doi: 10.4103/1995-705X.86016; Anant Narayan Sinha, Desh Deepak e Vimal Singh Gusain, "Assessment of the Effects of Pranayama/Alternate Nostril Breathing on the Parasympathetic Nervous System in Young Adults", *Journal of Clinical & Diagnostic Research* 7, nº 5 (maio de 2013): 821–823, doi: 10.7860/JCDR/2013/4750.2948; e Shreyashi Vaksh, Mukesh Pandey e Rakesh Kumar,

"Study of the Effect of Pranayama on Academic Performance of School Students of IX and XI Standard", *Scholars Journal of Applied Medical Sciences* 4, nº 5D (2016): 1703–1705.

5: PROPÓSITO

1 *Manusmriti*, verso 8.15.
2 Albert Mehrabian, *Nonverbal Communication* (Londres: Routledge, 1972).
3 "About Jane", Jane Goodall Institute, acesso em 11 de novembro de 2019, https://janegoodall.org/our-story/about-jane.
4 Rich Karlgaard, *Antes tarde do que nunca* (São Paulo: nVersos, s/d).
5 Andre Agassi, *Open: An Autobiography* (Nova York: Vintage, 2010).
6 Joan D. Chittister, *Scarred by Struggle, Transformed by Hope* (Grand Rapids, MI: Eerdmans, 2005).
7 Amy Wrzesniewski, Justin M. Berg e Jane E. Dutton, "Managing Yourself: Turn the Job You Have into the Job You Want", *Harvard Business Review*, junho de 2010, https://hbr.org/2010/06/managing-yourself-turn-the-job-you-have-into-the-job-you-want; "Amy Wrzesniewski on Creating Meaning in Your Own Work", re:Work with Google, 10 de novembro de 2014, https://www.youtube.com/watch?v=C_igfn ctYjA.
8 Sanjoy Chakravorty, *The Truth About Us: The Politics of Information from Manu to Modi* (Hachette India, 2019).
9 Robert Segal, "Joseph Campbell: American Author", *Encyclopaedia Britannica*, acesso em 11 de novembro de 2019, https://www.britannica.com/biography/Joseph-Campbell-American-author; "Joseph Campbell: His Life and Contributions", Center for Story and Symbol, acesso em 11 de novembro de 2019, https://folkstory.com/campbell/psychology_online_joseph_campbell.html; Joseph Campbell e Bill Moyers, *The Power of Myth* (Nova York: Anchor, 1991).
10 *Manusmriti*, verso 8.15.
11 Emma Slade, "My Path to Becoming a Buddhist", TEDx Talks, 6 de fevereiro de 2017, https://www.youtube.com/watch?v=QnJIjEAE41w; "Meet the British Banker Who Turned Buddhist Nun in Bhutan", *Economic Times*, 28 de agosto de 2017, https://economictimes.indiatimes.com/news/international/world-news/meet-the-british-banker-who-turned-buddhist-nun-in-bhutan/being-taken-hostage/slideshow/60254680.cms; "Charity Work", EmmaSlade.com, acesso em 11 de novembro de 2019, https://www.emmaslade.com/charity-work.
12 *Dona Sutta*, Anguttara Nikaya, verso 4.36.

6: ROTINA

1 Til Roenneberg, *Internal Time: Chronotypes, Social Jet Lag, and Why You're So Tired* (Cambridge, MA: Harvard University Press, 2012).
2 Maria Popova, "10 Learnings from 10 Years of Brain Pickings", *Brain Pickings*, acesso em 11 de novembro de 2019, https://www.brainpickings.org/2016/10/23/10-years-of-brain-pickings/.

3. RootMetrics, "Survey Insights: The Lifestyles of Mobile Consumers", 24 de outubro de 2018, http://rootmetrics.com/en-US/content/rootmetrics-survey-results-are-in-mobile-consumer-lifestyles.
4. "Fastest Cars 0 to 60 Times", acesso em 11 de novembro de 2019, https://www.zeroto60times.com/fastest-cars-0-60-mph-times/.
5. Lev Grossman, "Runner-Up: Tim Cook, the Technologist", *Time*, 19 de dezembro de 2012, http://poy.time.com/2012/12/19/runner-up-tim-cook-the-technologist/; Michelle Obama, "Oprah Talks to Michelle Obama", entrevista a Oprah Winfrey, *O, The Oprah Magazine*, abril de 2000, https://www.oprah.com/omagazine/michelle-obamas-oprah-interview-o-magazine-cover-with-obama/all#ixzz5qYixltgS.
6. Jacob A. Nota e Meredith E. Coles, "Duration and Timing of Sleep Are Associated with Repetitive Negative Thinking", *Cognitive Therapy and Research* 39, nº 2 (abril de 2015): 253–261, doi: 10.1007/s10608-014-9651-7.
7. M. L. Moline, T. H. Monk, D. R. Wagner, C. P. Pollak, J. Kream, J. E. Fookson, E. D. Weitzman e C. A. Czeisler, "Human Growth Hormone Release Is Decreased During Sleep in Temporal Isolation (Free-Running)", *Chronobiologia* 13, nº 1 (janeiro-março de 1986): 13–19.
8. Ali Montag, "These Are Kevin O'Leary's Top 3 Productivity Hacks – and Anyone Can Use Them", CNBC, 23 de julho de 2018, https://www.cnbc.com/2018/07/19/kevin-olearys-top-productivity-tips-that-anyone-can-use.html.
9. Christopher Sommer, "How One Decision Can Change Everything", entrevista a Brian Rose, *London Real*, 2 de outubro de 2018, https://www.youtube.com/watch?v=jgJ3xHyOzsA.
10. Hannah Ward e Jennifer Wild, orgs., *The Monastic Way: Ancient Wisdom for Contemporary Living: A Book of Daily Readings* (Grand Rapids, MI: Wm. B. Eerdmans, 2007), 75–76.
11. Alan D. Castel, Michael Vendetti e Keith J. Holyoak, "Fire Drill: Inattentional Blindness and Amnesia for the Location of Fire Extinguishers", *Attention, Perception, & Psychophysics* 74 (2012): 1391–1396, doi: 10.3758/s13414-012-0355-3.
12. Kobe Bryant, "Kobe Bryant: On How to Be Strategic & Obsessive to Find Your Purpose", entrevista a Jay Shetty, *On Purpose*, 9 de setembro de 2019, https://jayshetty.me/kobe-bryant-on-how-to-be-strategic-obsessive-to-find-your-purpose/.
13. Thich Nhat Hanh, *At Home in the World: Stories and Essential Teachings from a Monk's Life* (Berkeley, CA: Parallax Press, 2019).
14. Kālidāsa, *The Works of Kālidāsa*, tradução de Arthur W. Ryder (CreateSpace, 2015).
15. Garth Sundem, "This Is Your Brain on Multitasking: Brains of Multitaskers Are Structurally Different Than Brains of Monotaskers", *Psychology Today*, 24 de fevereiro de 2012, https://www.psychologytoday.com/us/blog/brain-trust/201202/is-your-brain-multitasking.
16. Cal Newport, *Trabalho focado: Como ter sucesso em um mundo distraído* (Rio de Janeiro: Alta Books, 2018).
17. Eyal Ophir, Clifford Nass e Anthony D. Wagner, "Cognitive Control in Media Multitaskers", *PNAS* 106, nº 37 (15 de setembro de 2009): 15583–15587, doi: 10.1073/pnas.0903620106.

18 Robert H. Lustig, *The Hacking of the American Mind: The Science Behind the Corporate Takeover of Our Bodies and Brains* (Nova York: Avery, 2017).

7: A MENTE

1 Nārāyana, *Hitopadeśa* (Nova York: Penguin Classics, 2007).
2 "How Many Thoughts Do We Have Per Minute?", *Reference*, acesso em 12 de novembro de 2019, https://www.reference.com/world-view/many-thoughts-per-minute-cb-7fcf22ebbf8466.
3 Ernst Pöppel, "Trust as Basic for the Concept of Causality: A Biological Speculation", apresentação, acesso em 12 de novembro de 2019, http://www.paralimes.ntu.edu.sg/NewsnEvents/Causality%20-%20Reality/Documents/Ernst%20Poppel.pdf.
4 Lisa Feldman Barrett, "Lisa Barrett on How Emotions Are Made", entrevista a Ginger Campbell, *Brain Science with Ginger Campbell, MD*, episódio 135, 31 de julho de 2017, https://brain ciencepodcast.com/bsp/2017/135-emotions-barrett.
5 Piya Tan, "Samyutta Nikaya: The Connected Sayings of the Buddha", tradução anotada na coleção Sutta Discovery Series, Buddhism Network, acesso em 22 de janeiro de 2020, http://buddhismnetwork com/2016/12/28/samyutta-nikaya/; para versão em português, ver: https://www.acessoaoinsight.net/sutta/samyutta_nikaya.php.
6 Verso 6.80 do *Dhammapada*, introdução e tradução de Eknath Easwaran (Tomales, CA: Nilgiri Press, 2007), 126.
7 Verso 6.6 de A. C. Bhaktivedanta Swami Prabhupada, *Bhagavad Gita As It Is* (The Bhaktivedanta Book Trust International, Inc.), https://apps.apple.com/us/app/bhagavad-gita-as-it-is/id1080562426.
8 *Paperback Oxford English Dictionary* (Oxford, UK: Oxford University Press, 2012).
9 Martin V. Day e D. Ramona Bobocel, "The Weight of a Guilty Conscience: Subjective Body Weight as an Embodiment of Guilt", *PLoS ONE* 8, nº 7 (julho de 2013), doi: 10.1371/journal.pone.0069546.
10 Max. H. Bazerman, Ann E. Tenbrunsel e Kimberly Wade-Benzoni, "Negotiating with Yourself and Losing: Making Decisions with Competing Internal Preferences", *Academy of Management Review* 23, nº 2 (1º de abril de 1998): 225–241, doi: 10.5465/amr.1998.533224.
11 *Dhammapada*, introdução e tradução de Eknath Easwaran (Tomales, CA: Nilgiri Press, 2007), 65–66.
12 Katha Upaniṣad, Terceiro Valli, 3-6, de *The Upanishads*, tradução de Vernon Katz e Thomas Egenes (Nova York: Tarcher Perigee, 2015), 55–57. Tradução livre. Para edição brasileira, ver: *Upaniṣadas* (São Paulo: Mantra, 2020).
13 Elliot Figueira, "How Shaolin Monks Develop Their Mental and Physical Mastery", BBN, acesso em 12 de novembro de 2019, https://www.bbncommunity.com/how--shaolin-monks-develop-their-mental-and-physical-mastery/.
14 Daniel Goleman e Richard J. Davidson, *A ciência da meditação: Como transformar o cérebro, a mente e o corpo* (Rio de Janeiro: Objetiva, 2017).
15 Gene Weingarten, "Pearls Before Breakfast: Can One of the Nation's Great Musi-

cians Cut Through the Fog of a D.C. Rush Hour? Let's Find Out", *Washington Post*, 8 de abril de 2007, https://www.washingtonpost.com/lifestyle/magazine/pearls-before-breakfast-can-one-of-the-nations-great-musicians-cut-through-the-fog-of-a-dc-rush-hour-lets-find-out/2014/09/23/8a6d46da-4331-11e4-b47c-f5889e061e5f_story.html.

16 Gary Lupyan e Daniel Swingley, "Self-Directed Speech Affects Visual Search Performance", *Quarterly Journal of Experimental Psychology* (1º de junho de 2012), doi: 10.1080 /17470218.2011.647039.

17 Linda Sapadin, "Talking to Yourself: A Sign of Sanity", *Psych Central*, 2 de outubro de 2018, https://psychcentral.com/blog/talking-to-yourself-a-sign-of-sanity/.

18 James W. Pennebaker e Janel D. Seagal, "Forming a Story: The Health Benefits of Narrative", *Journal of Clinical Psychology* 55, nº 10 (1999): 1243–1254.

19 www.krystamacgray.com e entrevista pessoal, 10 de julho de 2019.

20 Richard Rohr, "Living in the Now: Practicing Presence", Center for Action and Contemplation, 24 de novembro de 2017, https://cac.org/practicing-presence-2017-11-24/.

21 Ram Dass, *Be Here Now* (Nova York: Harmony, 1978).

22 Versos 2.48 e 12.12 da *Bhagavad Gita*, introdução e tradução de Eknath Easwaran (Tomales, CA: Nilgiri Press, 2007), 94, 208. Tradução livre. Para edição brasileira, ver: *Bhagavad Gita* (São Paulo: Mantra, 2018).

23 Essa citação é atribuída a Alī Ibn Abi Talib, primo e genro de Maomé, o último profeta do Islã.

24 Bhavika Jain, "Jain Monk Completes 423 Days of Fasting", *Times of India*, 1º de novembro de 2015, shorturl.at/eluB5.

25 Krissy Howard, "The Japanese Monks Who Mummified Themselves While Still Alive", *All That's Interesting*, 25 de outubro de 2016, https://allthatsinteresting.com/sokushinbutsu.

26 "Sir Roger Bannister: First Person to Run a Mile in Under Four Minutes Dies at 88", BBC, 4 de março de 2018, https://www.bbc.com/sport/athletics/43273249.

27 Matthieu Ricard, entrevista a Jay Shetty, *#FollowTheReader with Jay Shetty*, *HuffPost*, 10 de outubro de 2016, https://www.youtube.com/watch?v=_HZznrniwL8&feature=youtu.be.

28 Jayaram V, "The Seven Fundamental Teachings of the Bhagavadgita", Hinduwebsite.com, acesso em 22 de janeiro de 2020, https://www.hinduwebsite.com/seventeachings.asp.

8: EGO

1 Verso 2.71 da *Bhagavad Gita*, introdução e tradução de Eknath Easwaran (Tomales, CA: Nilgiri Press, 2007), 97. Tradução livre. Para edição brasileira, ver: *Bhagavad Gita* (São Paulo: Mantra, 2018).

2 Versos 7.4 e 16.18 da *Bhagavad Gita*, introdução e tradução de Eknath Easwaran (Tomales, CA: Nilgiri Press, 2007), 152, 240. Tradução livre. Para edição brasileira, ver: *Bhagavad Gita* (São Paulo: Mantra, 2018).

3   Algumas fontes atribuem essa frase a comentários ao *Sama Veda*.
4   Dennis Okholm, *Dangerous Passions, Deadly Sins: Learning from the Psychology of Ancient Monks* (Grand Rapids, MI: Brazos Press, 2014), 161.
5   Verso 6.32 de A. C. Bhaktivedanta Swami Prabhupada, *Bhagavad Gita As It Is* (The Bhaktivedanta Book Trust International, Inc.), https://apps.apple.com/us/app/bhagavad-gita-as-it-is/id1080562426.
6   Julia Galef, "Why You Think You're Right Even If You're Wrong", TEDx PSU, fevereiro de 2016, https://www.ted.com/talks/julia_galef_why_you_think_you_re_right_even_if_you_re_wrong/transcript#t-68800.
7   Ken Auletta, "Outside the Box: Netflix and the Future of Television", *New Yorker*, 26 de janeiro de 2014, https://www.newyorker.com/magazine/2014/02/03/outside-the-box-2; Paul R. LaMonica, "Netflix Joins the Exclusive $100 Billion Club", CNN, 23 de julho de 2018, https://money.cnn.com/2018/01/23/investing/netflix-100-billion-market-value/index.html.
8   Tradução livre. Para edição brasileira, ver: Osho, *Um pássaro em voo* (São Paulo, Planeta, 2007).
9   Mary Beard, *The Roman Triumph* (Cambridge, MA: Harvard University Press, 2009).
10 Robert Downey Jr., entrevista à *Cambridge Union*, 19 de dezembro de 2014, https://www.youtube.com/watch?v=Rmpysp5mWlg.
11 *Srimad-Bhagavatam*, The Summum Bonum, 14.9-10.
12 Steve Hartman, "Love Thy Neighbor: Son's Killer Moves in Next Door", CBS News, 8 de junho de 2011, https:// www.cbsnews.com/news/love-thy-neighbor-sons-killer-moves-next-door; "Woman Shows Incredible Mercy as Her Son's Killer Moves In Next Door", *Daily Mail*, 8 de junho de 2011, https://www.dailymail.co.uk/news/article-2000704/Woman-shows-incredible-mercy-sons-killer-moves-door.html; "Mary Johnson and Oshea Israel", The Forgiveness Project, acesso em 12 de novembro de 2019, https://www.theforgivenessproject.com/stories/mary-johnson-oshea-israel/.
13 Kamlesh J. Wadher, *Nature's Science and Secrets of Success* (Índia: Educreation Publishing, 2016); verso 2.14 da *Bhagavad Gita*, introdução e tradução de Eknath Easwaran (Tomales, CA: Nilgiri Press, 2007), 90. Tradução livre. Para edição brasileira, ver: *Bhagavad Gita* (São Paulo: Mantra, 2018).
14 Tradução livre. Para edição brasileira, ver: Thomas Moore, *Cuide de sua alma* (São Paulo: Siciliano, 1993).
15 Sarah Lewis, *O poder do fracasso* (Rio de Janeiro: Sextante, 2015); "Spanx Startup Story", Fundable, acesso em 12 de novembro de 2019, https://www.fundable.com/learn/startup-stories/spanx.
16 "Goal Setting Activities of Olympic Athletes (And What They Can Teach the Rest of Us)", Develop Good Habits, 30 de setembro de 2019, https://www.developgoodhabits.com/goal-setting-activities/.
17 Rajesh Viswanathan, "Children Should Become Their Own Voices", *Parent Circle*, acesso em 12 de novembro de 2019, https://www.parentcircle.com/article/children-should-become-their-own-voices/.

MEDITAÇÃO: VISUALIZAÇÃO

1 Vinoth K. Ranganathan, Vlodek Siemionow, Jing Z. Liu, Vinod Sahgal e Guang H. Yue, "From Mental Power to Muscle Power – Gaining Strength by Using the Mind", *Neuropsychologia* 42, nº 7 (2004): 944–956, doi: 10.1016/j.neuropsychologia.2003.11.018.

9: GRATIDÃO

1 "What Is Gratitude?", A Network for Grateful Living, acesso em 12 de novembro de 2019, https://gratefulness.org/resource/what-is-gratitude/.
2 Robert A. Emmons e Michael E. Mc-Cullough, "Counting Blessings Versus Burdens: An Experimental Investigation of Gratitude and Subjective Well-Being in Daily Life", *Journal of Personality and Social Psychology* 84, nº 2 (2003): 377–389, doi: 10.1037/0022-3514.84.2.377.
3 Alex Korb, "The Grateful Brain: The Neuroscience of Giving Thanks", *Psychology Today*, 20 de novembro de 2012, https://www.psychologytoday.com/us/blog/prefrontal-nudity/201211/the-grateful-brain.
4 Todd B. Kashdan, Gitendra Uswatte e Terri Julian, "Gratitude and Hedonic and Eudaimonic Well-Being in Vietnam War Veterans", *Behaviour Research and Therapy* 44, nº 2 (fevereiro de 2006): 177–199, doi: 10.1016/j.brat.2005.01.005.
5 Mikaela Conley, "Thankfulness Linked to Positive Changes in Brain and Body", ABC News, 23 de novembro de 2011, https://abcnews.go.com/Health/science-thankfulness/story?id=15008148.
6 *Samyutta Nikaya*, Sutta Pitaka, 20.21.
7 Joanna Macy, *World as Lover, World as Self: Courage for Global Justice and Ecological Renewal* (Berkeley, CA: Parallax Press, 2007), 78–83.
8 Roshi Joan Halifax, "Practicing Gratefulness by Roshi Joan Halifax", Upaya Institute and Zen Center, 18 de outubro de 2017, https://www.upaya.org/2017/10/practicing-gratefulness-by-roshi-joan-halifax/.
9 Bill Murphy Jr., "Facebook and Twitter Turned Him Down. Now He's Worth $4 Billion", *Inc.*, acesso em 13 de novembro de 2019, https://www.inc.com/bill-murphy-jr/facebook-and-twitter-turned-him-down-now-hes-worth-4-billion.html; Brian Acton (@brianacton), post no Twitter, 23 de maio de 2009, https://twitter.com/brianacton/status/1895942068; Brian Acton (@brianacton), post no Twitter, 3 de agosto de 2009, https://twitter.com/brianacton/status/3109544383.
10 "Helen Keller", biografia, acesso em 13 de novembro de 2019, https://www.biography.com/activist/helen-keller; Helen Keller, *We Bereaved* (Nova York: L. Fulenwider, 1929).
11 Rob Sidon, "The Gospel of Gratitude According to David Steindl-Rast", *Common Ground*, novembro de 2017, 42–49, http://onlinedigitaleditions2.com/commonground/archive/web-11-2017/.
12 Pema Chödrön, *Practicing Peace in Times of War* (Boston: Shambhala, 2007).
13 James H. Fowler e Nicholas A. Christakis, "Cooperative Behavior Cascades in Human Social Networks", *Proceedings of the National Academy of Sciences*, 107, nº 12 (23 de março de 2010): 5334–5338, doi: 10.1073/pnas.0913149107.

14 Nicholas Epley e Juliana Schroeder, "Mistakenly Seeking Solitude", *Journal of Experimental Psychology: General* 143, nº 5 (outubro de 2014): 1980-1999, doi: 10.1037/a0037323.

15 Caroline E. Jenkinson, Andy P. Dickens, Kerry Jones, Jo Thompson-Coon, Rod S. Taylor, Morwenna Rogers, Clare L. Bambra, Iain Lang e Suzanne H. Richards, "Is Volunteering a Public Health Intervention? A Systematic Review and Meta-Analysis of the Health and Survival of Volunteers", *BMG Public Health* 13, nº 773 (23 de agosto de 2013), doi: 10.1186/1471-2458-13-773.

10: RELACIONAMENTOS

1 Thich Nhat Hanh, *How to Love* (Berkeley, CA: Parallax Press, 2014).

2 Dan Buettner, "Power 9: Reverse Engineering Longevity", Blue Zones, acesso em 13 de novembro de 2019, https://www.bluezones.com/2016/11/power-9/.

3 Michael D. Matthews, "The 3 C's of Trust: The Core Elements of Trust Are Competence, Character, and Caring", *Psychology Today*, 3 de maio de 2016, https://www.psychologytoday com/us/blog/head-strong/201605/the-3-c-s-trust.

4 K. S. Baharati, *Encyclopaedia of Ghandhian Thought* (Índia: Anmol Publications, 2006).

5 Jean Dominique Martin, "People Come Into Your Life for a Reason, a Season, or a Lifetime", acesso em 14 de novembro de 2019, http://youmeandspirit.blogspot.com/2009/08/ebb-and-flow.html.

6 John Gottman, "John Gottman on Trust and Betrayal", *Greater Good Magazine*, 29 de outubro de 2011, https:// greatergood.berkeley.edu/article/item/john_gottman_on_trust_and_betrayal.

7 Bella M. DePaulo, Deborah A. Kashy, Susan E. Kirkendol, Melissa M. Wyer e Jennifer A. Epstein, "Lying in Everyday Life", *Journal of Personality and Social Psychology* 70, nº 5 (junho de 1996): 979-995, doi: 10.1037/0022-3514.70.5.979.

8 Bella DePaolo, *The Lies We Tell and the Clues We Miss: Professional Papers* (CreateSpace, 2009).

9 Dawn Dorsey, "Rice Study Suggests People Are More Trusting of Attractive Strangers", *Rice News*, 21 de setembro de 2006, https://news.rice.edu/2006/09/21/rice-study-suggests-people-are-more-trusting-of-attractive-strangers/.

10 Dawn Dorsey, "Rice Study Suggests People Are More Trusting of Attractive Strangers", *Rice News*, 21 de setembro de 2006, http://news.rice.edu/2006/09/21/rice-study-suggests-people-are-more-trusting-of-attractive-strangers/.

11 Don Meyer, "Fox-Hole Test", CoachMeyer.com, acesso em 13 de novembro de 2019, https://www.coachmeyer.com/Information/Players_Corner/Fox%20Hole%20Test.pdf.

12 www.malamadrone.com e entrevista pessoal, 7 de setembro de 2019.

13 Paul Tillich, *The Eternal Now* (Nova York: Scribner, 1963).

14 Melissa A. Milke, Kei M. Nomaguchi e Kathleen E. Denny, "Does the Amount of Time Mothers Spend with Children or Adolescents Matter?", *Journal of Marriage and Family* 77, nº 2 (abril de 2015): 355-372, doi: 10.1111/jomf.12170.

15 *Sri Upadesamrta: The Ambrosial Advice of Sri Rupa Gosvami* (Índia: Gaudiya Vedanta Publications, 2003), https://archive.org /details/upadesamrta/page/n1.
16 Joshua Wolf Shenk, "What Makes Us Happy? Is There a Formula – Some Mix of Love, Work, and Psychological Adaptation – for a Good Life?", *Atlantic*, junho de 2009, https://www.theatlantic.com/magazine/archive/2009/06/what-makes-us-happy/307439/.
17 Thich Nhat Hanh, *How to Love* (Berkeley, CA: Parallax Press, 2014).
18 Massive Attack, "Teardrop", *Mezzanine*, Circa/Virgin, 27 de abril de 1998; *Dan in Real Life*, direção de Peter Hedges, Touchstone Pictures, Focus Features e Jon Shestack Productions, 2007.
19 Iyanla Vanzant, "How to Heal the Wounds of Your Past", Oprah's Life Class, 11 de outubro de 2011, http://www.oprah.com/oprahs-lifeclass/iyanla-vanzant-how-to-heal--the-wounds-of-your-past.
20 Arthur Aron, Christina C. Norman, Elaine N. Aron, Colin McKenna e Richard E. Heyman, "Couples' Shared Participation in Novel and Arousing Activities and Experienced Relationship Quality", *Journal of Personality and Social Psychology* 78, nº 2 (2000): 273– 84, doi: 10.1037//0022-3514.78.2.273.
21 Jetsunma Tenzin Palmo, "The Difference Between Genuine Love and Attachment", acesso em 13 de novembro de 2019, https://www.youtube.com/watch?v=6kUoTS3Yo4g.
22 Sanjay Srivastava, Maya Tamir, Kelly M. McGonigal, Oliver P. John e James J. Gross, "The Social Costs of Emotional Suppression: A Prospective Study of the Transition to College", *Journal of Personality and Social Psychology* 96, nº 4 (22 de agosto de 2014): 883– 897, doi: 10.1037/a0014755.

11: SERVIR

1 Verso 3.25 da *Bhagavad Gita*, introdução e tradução de Eknath Easwaran (Tomales, CA: Nilgiri Press, 2007), 107. Tradução livre. Para edição brasileira, ver: *Bhagavad Gita* (São Paulo: Mantra, 2018).
2 Hannah Ward e Jennifer Wild, orgs., *The Monastic Way: Ancient Wisdom for Contemporary Living: A Book of Daily Readings* (Grand Rapids, MI: Wm. B. Eerdmans, 2007), 183.
3 Hannah Ward e Jennifer Wild, orgs., *The Monastic Way: Ancient Wisdom for Contemporary Living: A Book of Daily Readings* (Grand Rapids, MI: Wm. B. Eerdmans, 2007), 190.
4 *Srimad-Bhagavatam*, The Summum Bonum, 22.32.
5 Verso 1.2.255 de Srila Rupa Goswami, *Bhakti Rasamrta Sindhu* (em dois volumes), com comentários de Srila Jiva Gosvami e Visvanatha Cakravarti Thakur (The Bhaktivedanta Book Trust, Inc, 2009).
6 Tradução livre. Para edição brasileira, ver: *Longa caminhada até a liberdade* (Curitiba: Nossa Cultura, 2012).
7 Tradução livre. Para edição brasileira, ver: Joseph Campbell, *O herói de mil faces* (Pensamento: São Paulo, s/d).
8 Seane Corn, "Yoga, Meditation in Action", entrevista a Krista Tippett, *On Being*, 11 de setembro de 2008, https://onbeing.org/programs/seane-corn-yoga-meditation--in-action/.

9   M. Teresa Granillo, Jennifer Crocker, James L. Abelson, Hannah E. Reas e Christina M. Quach, "Compassionate and Self-Image Goals as Interpersonal Maintenance Factors in Clinical Depression and Anxiety", *Journal of Clinical Psychology* 74, nº 4 (12 de setembro de 2017): 608–625, doi: 10.1002/jclp.22524.
10 Stephen G. Post, "Altruism, Happiness, and Health: It's Good to Be Good", *International Journal of Behavioral Medicine* 12, nº 2 (junho de 2005): 66–77, doi: 10.1207/s15327558ijbm1202_4.
11 Verso 17.20 da *Bhagavad Gita*, introdução e tradução de Eknath Easwaran (Tomales, CA: Nilgiri Press, 2007), 248. Tradução livre. Para edição brasileira, ver: *Bhagavad Gita* (São Paulo: Mantra, 2018).
12 "About Sindhutai Sapkal (Mai)/ Mother of Orphans", acesso em 13 de novembro de 2019, https://www.sindhutaisapakal.org/about-Sindhutail-Sapkal.html.
13 Paul K. Piff, Michael W. Krauss, Stéphane Côté, Bonnie Hayden Cheng e Dacher Keltner, "Having Less, Giving More: The Influence of Social Class on Prosocial Behavior", *Journal of Personality and Social Psychology* 99, nº 5 (novembro de 2010): 771–784, doi: 10.1037 /a0020092.
14 Ken Stern, "Why the Rich Don't Give to Charity: The Wealthiest Americans Donate 1.3 Percent of Their Income; The Poorest, 3.2 Percent. What's Up with That?", *The Atlantic*, abril de 2013, https://www.theatlantic.com/magazine/archive/2013/04/why--the-rich-dont-give/309254/; Kate Rogers, "Poor, Middle Class and Rich: Who Gives and Who Doesn't?" Fox Business, 24 de abril de 2013, https://www.foxbusiness.com/features/poor-middle-class-and-rich-who-gives-and-who-doesnt.
15 Daniel Goleman, *Foco: A atenção e seu papel fundamental para o sucesso* (Rio de Janeiro: Objetiva, 2014).
16 Kathleen Elkins, "From Poverty to a $3 Billion Fortune: The Incredible Rags-to-Riches Story of Oprah Winfrey", *Business Insider*, 28 de maio de 2015, https://www.businessinsider.com/rags-to-riches-story-of-oprah-winfrey-2015-5.
17 Ryan Prior, "Kailash Satyarthi Plans to End Child Labor In His Lifetime", CNN, 13 de março de 2019, https://www.cnn.com/2019/02/19/world/kailash-satyarthi-child--labor/index.html.
18 Joanna Macy, *World as Lover, World as Self: Courage for Global Justice and Ecological Renewal* (Berkeley, CA: Parallax Press, 2007), 77.

MEDITAÇÃO: MANTRAS

1   *Agni Purana* 3.293 e *Vayu Purana* 59.141.
2   "Tesla's Vibrational Medicine", Tesla's Medicine, acesso em 12 de novembro de 2019, https://teslasmedicine.com/teslas-vibrational-medicine/; Jennifer Tarnacki, "This Is Your Brain on Drumming: The Neuroscience Behind the Beat", Medium, 25 de setembro de 2019, https://medium.com/indian-thoughts/this-is-your-brain-on-drumming-8ed6eaf314c4.
3   Tradução livre. Para edição brasileira, ver: Rilke, *Cartas a um jovem poeta* (São Paulo: L&PM, 2006); "29 Inspiring Herb Brooks Quotes to Motivate You", Sponge Coach,

13 de setembro de 2017, http://www.spongecoach.com/inspiring-herb-brooks-quotes/; Jay-Z, "Dirt Off Your Shoulder", *The Black Album*, Roc-A-Fella e Def Jam, 2 de março de 2004; *Bad Boys II*, direção de Michael Bay, Don Simpson/Jerry Bruckheimer Films, 2003.

4 "Why Do We Chant Om?", Temples in India Info, acesso em 12 de novembro de 2019, https://templesinindiainfo.com/why-do-we-chant-om/; "Om", Encyclopedia Britannica, acesso em 12 de novembro de 2019, https://www.britannica.com/topic/Om-Indian-religion.

5 Bangalore G. Kalyani, Ganesan Venkatasubramanian, Rashmi Arasappa, Naren P. Rao, Sunil V. Kalmady, Rishikesh V. Behere, Hariprasad Rao, Mandapati K. Vasudev e Bangalore N. Gangadhar, "Neurohemodynamic Correlates of 'OM' Chanting: A Pilot Functional Magnetic Resonance Imaging Study", *International Journal of Yoga* 4, nº 1 (janeiro-junho de 2011): 3–6, doi: 10.4103/0973- 6131.78171; C. R. Conway, A. Kumar, W. Xiong, M. Bunker, S. T. Aronson e A. J. Rush, "Chronic Vagus Nerve Stimulation Significantly Improves Quality of Life in Treatment Resistant Major Depression", *Journal of Clinical Psychiatry* 79, nº 5 (21 de agosto de 2018), doi: 10.4088/ JCP.18m12178.

6 Verso 17.23 da *Bhagavad Gita*, introdução e tradução de Eknath Easwaran (Tomales, CA: Nilgiri Press, 2007), 249. Tradução livre. Para edição brasileira, ver: *Bhagavad Gita* (São Paulo: Mantra, 2018).

CONCLUSÃO

1 Grace Bluerock, "The 9 Most Common Regrets People Have at the End of Life", mindbodygreen, acesso em 13 de novembro de 2019, https://www.mindbodygreen.com/0-23024/the-9-most-common-regrets-people-have-at-the-end-of-life.html.

Para saber mais sobre os títulos e autores da Editora Sextante,
visite o nosso site e siga as nossas redes sociais.
Além de informações sobre os próximos lançamentos,
você terá acesso a conteúdos exclusivos
e poderá participar de promoções e sorteios.

sextante.com.br